Les Cahiers du Québec

Directeur des Cahiers: Robert Lahaise

Directeurs des collections:
Arts d'aujourd'hui: Jean-Pierre Duquette
Beaux-Arts: Serge Joyal
Cinéma: Luc Perreault
Cultures amérindiennes: Donat Savoie
Documents d'histoire: Marcel Trudel
[illegible]: Paul Thibault
[illegible]: Jacques Henry
[illegible]: Jean-Claude Dupont
Géographie: Hugues Morrissette
Histoire: Jean-Pierre Wallot
Littérature: André Vanasse
Philosophie: Jean-Paul Brodeur et Georges Leroux
Science politique: André Bernard
Sociologie: Jacques Lazure
Textes et Documents littéraires: Jacques Allard

Représentant:
Claude Boucher pour l'Université de Sherbrooke

Le Conseil des Arts du Canada
a accordé une subvention pour
la publication de cet ouvrage

Maquette de la couverture:
Pierre Fleury

Illustration de la couverture:
Suzanne Leclair

Éditions Hurtubise HMH, Ltée
380 ouest, rue St-Antoine
Montréal, Québec
H2Y 1J9
Canada

ISBN 0-7758-0121-6

Dépôt légal / [illegible] trimestre [illegible]
Bibliothèque Nationale du Québec
Bibliothèque Nationale du Canada

Les Cahiers du Québec

Directeur des Cahiers: Robert Lahaise

Directeurs des collections:
Arts d'aujourd'hui: Jean-Pierre Duquette
Beaux-Arts: Serge Joyal
Cinéma: Luc Perreault
Cultures amérindiennes: Donat Savoie
Documents d'histoire: Marcel Trudel
Ecologie: Paul Thibault
Economie: Jacques Henry
Ethnologie: Jean-Claude Dupont
Géographie: Hugues Morrissette
Histoire: Jean-Pierre Wallot
Littérature: André Vanasse
Philosophie: Jean-Paul Brodeur et Georges Leroux
Science politique: André Bernard
Sociologie: Jacques Lazure
Textes et Documents littéraires: Jacques Allard

Représentant:
Claude Boucher pour l'Université de Sherbrooke

*Le Conseil des Arts du Canada
a accordé une subvention pour
la publication de cet ouvrage*

Maquette de la couverture:
Pierre Fleury

Illustration de la couverture:
Suzanne Leclair

Editions Hurtubise HMH, Ltée
380 ouest, rue St-Antoine
Montréal, Québec
H2Y 1J9
Canada

ISBN 0-7758-0121-6

Dépôt légal / 4e trimestre 1977
Bibliothèque Nationale du Québec
Bibliothèque Nationale du Canada

Une lecture d'Anne Hébert

Du même auteur

POESIE

Vagabond du blizzard. Paris, éditions Saint-Germain-des-Prés, 1968, 48 p.

Destination: le vent... Paris, éditions Saint-Germain-des-Prés, 1970, 96 p.

Destination: le vent... orné par R. F. Thépot a été tiré à 60 exemplaires (édition de luxe) sur vergé d'Arches numérotés de 1 à 60, tous ornés de 5 lithographies originales et signées de R. F. Thépot, constituant l'édition originale.

«Sir Lancelot and the Grey Mare» (poème) in *This is my best*, poems selected by ninety-one poets. Toronto, The Coach House Press, 1976, p. 23.

ESSAIS

«Les sources rimbaldiennes dans *Le Petit Prince*», in *Les Annales*, revue mensuelle des lettres françaises (avril 1968), p. 39-49.

«La mystique de l'action dans Saint-Exupéry», in *La revue de l'Université Laval*, vol. XVI, no 3 (novembre 1961), pp. 1-27.

«Le Romantisme dans l'action: André Malraux», in *Mosaic* (hiver 1969), pp. 13-26.

«Erotisme et érotologie, aspects de l'oeuvre poétique et romanesque d'Anne Hébert», in *Revue du Pacifique*, I, 2 (automne 1975), pp. 152-167.

«*Les Enfants du sabbat* d'Anne Hébert: l'enveloppe des mythes», in *Voix et images*, vol. I, no 3 (avril 1976), pp. 374-385.

«Anne Hébert et la *Solitude rompue*», in *Etudes françaises* (avril 1977), pp. 163-179.

«Anne Hébert et le *Mystère de la parole*, un essai d'anti-biographie», in *Revue du Pacifique* (printemps 1977), pp. 67-81.

«Paris: The prints of Lucie Lambert» by Denis Bouchard, in *Art*, issue 33, May-June 1977, p. 39-40.

DOCUMENT DE RECHERCHE

Perspectives I: vers la formulation d'un plan d'ensemble pour la recherche franco-ontarienne, The Ontario Institute for Studies in Education (automne 1972), pp. 1-37.

Denis Bouchard

Une lecture d'Anne Hébert

La recherche d'une mythologie

Collection Littérature

Cahiers du Québec/Hurtubise HMH

Sommaire

Remerciements

A W.H. Trethewey,
professeur éminent et ami.

Je voudrais remercier mon collègue, Paul Perron, d'avoir patiemment lu et relu mes textes et d'avoir fait des suggestions fort appréciées. Sans cet appui constant, la tâche aurait été doublement difficile en milieu anglophone. Je voudrais aussi remercier Pauline, ma femme, dont l'esprit vif et pénétrant m'a fourni un élément de dialogue de la plus haute importance. Quant à mon collègue et ami, Aubrey Rosenberg, directeur de notre section, je lui dois déjà de longue date des remerciements pour ses conseils généreux et utiles.

D. B.

Chronologie

1912	Naissance de Hector de Saint-Denys Garneau, le 13 juin.
1916	Naissance d'Anne Hébert, le premier août, à Sainte-Catherine de Fossambault. Elle aura deux frères, Jean et Pierre, et une sœur, Marie.
1937	Saint-Denys Garneau publie *Regards et jeux dans l'espace.*
1939	Premières publications d'Anne Hébert dans des revues.
1942	Publication d'un recueil de poèmes, *Les Songes en équilibre.*
1943	Mort de son cousin Hector de Saint-Denys Garneau, le 24 octobre, sur le rivage de la rivière Jacques-Cartier, près du village de Sainte-Catherine.
1944-45	Rédaction du *Torrent*, recueil de nouvelles.
1950	Publication du *Torrent*, à compte d'auteur.
1950-54	Collabore à des émissions radiophoniques de Radio-Canada.
1951	«Le Tombeau des rois» paraît pour la première fois dans *Cité Libre*, vol. I, no 4, décembre 1951, p. 27-28.
1952	Décès de sa sœur Marie, le 27 juillet.
1953	Publication d'un second recueil de poèmes, *Le Tombeau des rois.*
1953-54	Scénariste et rédactrice de commentaires de films à l'Office national du film.
1954	Reçoit le 21 mai une bourse de la Société royale du Canada, ce qui lui permet de faire à l'automne un séjour à Paris.
1958	Publication des *Chambres de bois*, son premier roman:

	prix France-Canada, prix Duvernay, prix littéraire de la province de Québec.
1960	Publication de *Poèmes*, aux éditions du Seuil, à Paris. Le recueil comprend *Le Tombeau des rois*, «Poésie, solitude rompue» (texte d'une conférence de l'auteur sur la poésie), et *Mystère de la parole*. Décès de son père, Maurice Hébert, le 11 avril. Reçue membre de la Société royale du Canada en juin.
1961	Prix du Gouverneur général 1960, section poésie.
1963	Publication d'une pièce de théâtre, *Le Temps sauvage*. Réédition du *Torrent* aux éditions HMH Ltée.
1965	Publication du *Torrent* aux éditions du Seuil, à Paris.
1967	Prix Molson, attribué par le Conseil des Arts du Canada.
1969	Doctorat *honoris causa* de l'Université de Toronto.
1970	Publication de *Kamouraska*, second roman, aux éditions du Seuil. *Dialogue sur la traduction*, en collaboration avec Frank Scott (déjà paru dans *Ecrits du Canada français* en 1960).
1971	Prix des libraires de France pour son roman *Kamouraska*.
1973	*Kamouraska*, film de Claude Jutras, d'après le roman du même nom.
1975	Publication d'un troisième roman, *Les Enfants du sabbat,* aux éditions du Seuil.
1976	Prix du Gouverneur général du Canada, pour *Les Enfants du sabbat*. Prix de l'Académie Française.

Introduction

C'est d'abord en lisant *Le Tombeau des rois* que nous avons éprouvé le «mystère de la parole». Ce fut ni plus ni moins la révélation de toute une mythologie, la nôtre. Au lieu de voir dans le titre du poème une simple division binaire, nous avons cru reconnaître deux termes antagonistes reflétant un monde décentré, pour ainsi dire, au sein duquel l'identité se trouve plus près du clair obscur des mythes que d'une philosophie reposant sur des termes consacrés comme «rationalisme» pour les Français, «empirisme» pour les Anglais, et «pragmatisme» pour les Américains.

Il y a les mythes se rapportant au «Tombeau», monde obscur de l'imaginaire polarisé vers la mort, et, à l'autre pôle extrême, ceux des «rois», équilibre de la féerie introduit lui aussi par l'imaginaire reproduisant en couleurs la nuit des monstres en leur donnant des visages et des masques. La publication récente des *Enfants du sabbat* vient d'illustrer, dans un roman, une structure fondamentalement identique à celle du poème. On y trouve en effet les mythes du *couvent* et ceux de la *cabane*. Un de nos plus grands écrivains empruntait alors, en l'absence d'un point de repère visible dans notre culture, la voie des mythes, fictions rattachées d'ordinaire à l'enfance d'un peuple, à son cycle poétique, et souvent, comme c'est ici le cas, à sa plus glorieuse expression.

Ainsi, l'œuvre d'Anne Hébert prenait sous nos yeux l'envergure d'une véritable épopée.

Nous avons ensuite abordé les œuvres de critique afin de voir si elles nous aidaient à comprendre plus clairement une œuvre qui représente une analyse profondément subtile de notre collectivité. C'est là que nous avons constaté une déficience assez inexplicable, celle de l'absence d'étude globale de l'œuvre d'Anne Hébert. Les trois traductions du *Tombeau des rois* par Frank Scott (voir *Dialogue sur la traduction*), tentative la plus tenace en vue de pénétrer dans l'œuvre jusqu'à présent, ont, il faut le dire, recréé en langue anglaise, de façon très concrète, des poèmes différents, simplifiés, beaux sans doute mais non majestueux. Nous avons en vain cherché quelque chose de comparable en provenance d'un francophone. Deux initiatives récentes, la thèse de M. Lemieux (Université d'Ottawa, 1974), et le long essai de M. Major, n'arrivent pas à beaucoup changer la situation. La première est, comme c'est souvent le cas pour les thèses, un exercice assez déroutant; la seconde a un mérite incontestable, mais elle n'a pas l'envergure d'une recherche poussée en profondeur.

Par ailleurs, il y a des introductions étoffées de morceaux choisis, des essais intéressants mais de souffle court, des articles de revues et un véritable déluge de bribes inconséquentes dans les journaux. Nous avons récemment recueilli, à Paris, plus de trente-cinq pages de titres représentant des collaborations qui se doivent de compter parmi les plus contestables: courses aux prix littéraires, position relative des principaux concurrents, trouvaille d'un jeu de mots astucieux remâché par les moins doués.

Nous avons essayé de comprendre pourquoi la critique s'était heurtée à une impasse relative en voulant dire quelque chose de conséquent sur l'œuvre d'Anne Hébert. Nos enquêtes en France ont montré de façon concluante que ce peuple fraternel et ami s'intéresse à nous sur le plan de la francophonie, mais qu'il ignore absolument tout de nos mythes. Par contre, chez-nous, au Canada, plusieurs ont remarqué qu'il y avait quelque chose de nouveau dans cette œuvre, mais personne n'a encore réussi vraiment à démontrer clairement ce dont il s'agissait.

Anne Hébert semble écrire selon un code mythique qui lui est devenu naturel. Mais comme l'acte créateur ne s'adresse pas à la critique, elle a poursuivi sa démarche à la recherche de l'expression d'une réalité qui semble avoir, grosso modo, éludé la critique.

Il faut néanmoins attribuer, au moins partiellement, ce manque de communication, pour ainsi dire, entre écrivain et critique, au fait que nos mythes, qui échappent complètement aux Français, ne sont pas parfaitement visibles pour nous non plus. Il se peut que l'absence de définition de notre identité entraîne, chez notre critique, une science qui se doit de partir de quelque chose de concret comme c'est le cas pour toutes les sciences, l'impression de posséder un centre, source de malentendu si l'on observe à quel point Anne Hébert a l'air de savoir effectivement qu'il n'y en a pas et qu'il faut inventer les moyens de pénétrer au cœur de cette énigme. Il s'agit alors pour l'écrivain de créer simultanément les normes d'expression du milieu et celles de l'écriture. Le fait mythique fouille au plus profond des structures d'identité présentes dans un peuple comme le nôtre, sorte de pré-expression qui éclate sous forme de mythologie et aboutit à ce que l'auteur appelle très justement «la parole». Tout cela est bien passionnant. Anne Hébert est, nous le croyons, à l'avant-garde de nos efforts en vue d'atteindre à la formulation de ce que nous sommes. Elle est capable d'exprimer ce que nous ressentons sans toujours avoir nous-mêmes les mots pour le dire.

Au lieu d'accabler la critique, il faut reconnaître la grandeur exceptionnelle de l'écrivain. Il est intéressant aussi d'apprendre à apprécier en lisant cette œuvre-vérité à quel point nous représentons un véritable creuset de tabous.

C'est évidemment grâce aux révélations contenues dans tout le travail de recherche déjà accompli que nous pouvons entreprendre ici une étude d'ensemble de l'œuvre d'Anne Hébert. La recherche d'une approche adéquate nous a fait d'emblée renoncer à la biographie ou à la chronologie de publication des œuvres comme moyens susceptibles de véhiculer la substance des divers écrits de façon adéquate. Dans l'un et l'autre cas, le fil conducteur est imposé à l'avance et l'impression qu'une œuvre déverse dans l'autre ne manque pas de gêner. Le commentateur se voit réduit à faire appel à des superlatifs pour formuler des jugements qualificatifs.

Nous avons plutôt choisi deux œuvres clés, un poème, «Le Tombeau des rois», comme aboutissement à la première moitié de cet ouvrage, et un roman, *Les Enfants du sabbat*, comme aboutissement à la deuxième moitié. Notre but est d'étudier de très près les deux textes afin de faciliter un examen plus thématique des autres œuvres. Ce choix est loin d'être purement accessoire. On apprend à lire «Le Tombeau des rois» comme l'abécédaire de notre enfer nordique. On apprend à lire *Les Enfants du sabbat* comme un violent combat entre le jansénisme qui nous a fait naître sous le signe de la terreur morale et notre penchant naturel vers l'esprit gaulois, irrévérencieux, et quelquefois même joyeusement barbare. Nous sommes doubles comme la femme et l'enfant du poème, comme la recherche et la perte de l'innocence en même temps; doubles comme la *cabane* et le *couvent* du roman, comme l'intervention du rire et le sérieux du lecteur s'entre-choquant soudain. Anne Hébert nous apprend à nous libérer un tant soit peu, progressivement, juste assez pour renoncer à notre tendance naturelle à la névrose collective, pas assez pour arriver à jouir de la vie. La dualité, noir sur blanc, est inscrite en nous comme l'encre sur le papier.

Ainsi, la poésie d'Anne Hébert occupe une place privilégiée dans la première moitié de ce travail et la prose dans la seconde. Mais, afin de faciliter la lecture, nous avons divisé le livre en quatre parties, dont les deux premières composent la première moitié et les deux dernières, la seconde moitié. De plus, nous présentons au début une *entrée en matière*, laquelle, en l'absence de toute biographie sur Anne Hébert, brosse un tableau assez général de la «situation de l'écrivain» et permet, nous l'espérons, d'aborder ensuite le corpus beaucoup plus structuré de cet ouvrage.

Les parties I et II sont plus ou moins complémentaires, ayant comme ligne de fond «la solitude rompue», tout comme les parties III et IV se complètent, ayant comme ligne de fond l'agression, érotisme et cruauté d'une part, et rire et comique destructeurs de mythes d'autre part. La *table des matières* détaille notre démarche et la *chronologie* renseigne le lecteur sur les principaux événements qui ont marqué la vie de l'auteur.

Une étude d'ensemble ne signifie pas que nous avons essayé de tout dire, mais plutôt que nous avons tenté, à partir d'une méthode qui nous est propre, de pénétrer le cœur même de l'œuvre d'Anne Hébert. Il n'est pas non plus question d'imposer un point de vue, mais plutôt d'en former un qui soit compréhensible et demeure fidèle à la réalité de l'œuvre. Au stade où nous en sommes, il s'agit encore d'entamer le dialogue. Nous avons pour objectif de fournir au lecteur de l'œuvre d'Anne Hébert les moyens d'enrichir sa lecture, de comprendre le rapport étroit entre cette œuvre et nous, et d'apprécier la grandeur de l'écrivain.

Abréviations

S.	*Les Songes en équilibre.*
T.	*Le Torrent.*
TR.	*Le Tombeau des rois* (le recueil) dans *Poèmes.*
tr.	«Le Tombeau des rois» (le poème) dans *Poèmes.*
Ps.	«Poésie, solitude rompue» dans *Poèmes.*
M.	*Mystère de la parole* (le recueil) dans *Poèmes.*
m.	«Mystère de la parole» (le poème) dans *Poèmes.*
C.	*Les Chambres de bois.*
K.	*Kamouraska.*
E.	*Les Enfants du sabbat.*

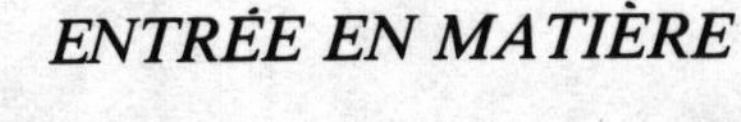

ENTRÉE EN MATIÈRE

Anne Hébert: *situation de l'écrivain*

«Puisque je vous dis que je suis invisible.»
(*Kamouraska*, p. 215)

Le titre du dernier recueil de poèmes, *Mystère de la parole*[1], ainsi que celui du texte d'une conférence de l'auteur sur la poésie, «Poésie, solitude rompue», publié sous forme d'essai sous même couverture, montrent bien l'écart entre la vie et l'œuvre du poète. La conscience de sa capacité d'expression naît, semble-t-il, d'une négation de la vie comme explication de la création en faveur du contraire, c'est-à-dire de la création comme explication de la vie ou même des vies immanentes en l'artiste:

> C'est peu d'avoir une double vie, Madame Rolland. Le plus difficile serait d'avoir quatre ou cinq existences secrètes, à l'insu de tous (*K.* p. 75).

Ainsi, ces deux magnifiques titres proposent le dilemme de l'auteur qui se doit de vivre ses «existences secrètes»:

> Mme Rolland n'existe plus. Je suis Elisabeth d'Aulnières... (*K.* p. 100)

comme l'émergence du double au terme de l'annihilation systématique de sa propre personne, celle qui est liée au quotidien:

---

1 Major, Jean-Louis, *Anne Hébert et le miracle de la parole*. Les Presses de l'Université de Montréal, 1976, 114p. L'auteur de ce long essai explique assez curieusement le titre du troisième recueil: «*Mystère* me semble-t-il, renvoie au genre théâtral qui au Moyen-Age, pratique la mise en scène de sujets religieux. La parole est ici le sujet d'un drame sacré, d'un miracle.

Je crois donc pouvoir désigner d'abord dans le langage de la théologie de la Rédemption...» p. 83-84. Une note explicative renvoie à une contradiction assez voyante: «...que les miracles s'inspiraient de la vie des saints ou de la légende dorée. Bien entendu, si je parle ici de miracle ou de mystère, c'est par analogie, (...) car le poème n'use ni de personnages véritables ni de dialogue et ne conserve qu'une forme décantée de l'anecdote.» (voir note no 41, p. 105-106) Si Anne Hébert avait voulu faire une représentation genre «Mystère» de ses poèmes, pourquoi alors en faire un «Miracle», genre quasi analogue? Nous prenons le mot dans son acception littérale. Nul doute, il y a une «mystique de la parole» chez le poète, mais «Le miracle, nous sommes allé le chercher, dans la montagne de B...» dit-elle (*E.*, p. 119).

> Inexistante en quelque sorte. Sans nom ni visage. Détruite. Niée. Et pourtant quelque chose en moi s'élance, hors de moi, lors même que je n'existais plus (*K.* p. 215).

La formule rimbaldienne est reprise presque textuellement:

> Je dis «je» et je suis une autre (*K.* p. 115).

Le paradoxe de l'écriture, *Mystère*, engendre la métamorphose, une nouvelle dimension «hors de moi», identité supérieure et autonome, celle du double de «la parole». C'est aussi le passage d'un état de dépendance: *Mystère*, phénomène inexplicable, vers celui d'une mystique régénératrice: «la parole». Un autre genre de transfert se trouve explicite dans le second titre, mais il prend son point de départ dans l'aboutissement du premier: «Poésie,...» («la parole») et il inaugure l'action, et aussi l'agression: «...solitude rompue». Cette démarche est très importante puisqu'elle traduit celle de l'œuvre d'Anne Hébert, et naturellement, celle de la présente étude.

En renonçant à se situer par rapport à sa propre histoire, le poète ira, dans *Kamouraska*, jusqu'à faire la parodie, latente au moins, de quelqu'un qui se raconte sa vie comme une histoire. Elisabeth reconstruit son passé comme une série d'épisodes fantastiques. Cependant, le narrateur en elle vit simultanément une situation dramatique au chevet de son second mari mourant. Des couches de vie passée se superposent au présent avec coupures, reculs successifs sans chronologie. L'héroïne nie souvent que de tels événements aient eu lieu. Elle se fait horreur mais elle est également fascinée par sa propre histoire. A force de dédoublements, son vrai visage perce. Elle se réfugie dans le double afin d'échapper à une identité fixe, celle de l'épouse d'un agonisant qui l'intéresse beaucoup moins que ses propres phantasmes.

Catherine et Lia, dans *Les Chambres de bois*, sont la doublure l'une de l'autre, et sœur Julie de la Trinité, dans *Les Enfants du sabbat*, est à la fois une religieuse et une sorcière.

Le double de «la parole», et celui de la «solitude rompue» nient, en quelque sorte, au moins depuis 1944, époque du revirement profond dont nous reparlerons plus loin, l'existence d'une biographie qui pourrait se raconter comme une histoire. Avant cette date, Anne Hébert était une Québécoise comme les autres, avec une histoire comme les autres. Le premier recueil, publié en 1942, en témoigne. Après cette date, c'est l'œuvre qui fait foi. On y trouve cependant des suggestions d'autobiographie, mais rien qui puisse ressembler à une biographie racontée.

Il y a sublimation de la pensée poétique, une hiérarchie instaurée par l'acte d'écrire: le poète crée la vie ou les vies qu'elle choisit, subit en silence sa propre vie, et parle à d'autres vies comme si le «Mystère de la parole» la rendait immatérielle. Ce désir d'effacement, *rupture* par rapport au quotidien, est un acte lucide qui incorpore le vécu à l'œuvre, conférant à cette dernière une valeur de témoignage subtil, visible, mais inviolable.

Anne Hébert a-t-elle lésé ainsi le lecteur de la possibilité d'avoir recours à des détails biographiques susceptibles de l'aider à former sa propre opinion, et surtout de l'aider à se voir lui-même au miroir flatteur d'une vie exceptionnelle, présupposant de vagues liens de complicité? Est-il sage de priver quelqu'un de la possibilité de reporter sur un autre ses propres phantasmes, de se saturer d'excitants pour l'imagination, même avant sa lecture de l'œuvre elle-même? Anne Hébert, Québécoise illustre, ne se doit-elle pas de nous racheter de nos doutes par une vie grandiose et de nous élever l'esprit par des écrits issus d'une audacieuse existence clandestine? N'est-il pas plus commun en effet d'entrer dans l'œuvre par ce qui est héroïque et même répréhensible; de se laisser éblouir par ce qui est hautement fier et quasi incompréhensible? L'auteur a pris son parti. Il faut interroger l'œuvre. Mais, d'une certaine façon, *Les Enfants du sabbat*, c'est la parodie des phantasmes, de ceux du lecteur, et aussi, par osmose, de ceux des personnages.

Le culte du héros demeure un obstacle à surmonter dans notre échelle de valeurs. Un écrivain sans histoire est une sorte d'affront. Le Romantisme, il est vrai, a presque détruit le sens de la création artistique en faisant payer à l'œuvre la rançon de l'homme. Lord Byron ne présente pas un cas classique. Rimbaud aussi est une exception. Anne Hébert n'a pas décidé un jour d'incarner la concupiscence refoulée de notre peuple. Bien au contraire, il y a toutes les raisons de croire qu'elle se situait à part. Un certain snobisme se dégage des quelques déclarations qu'elle a bien voulu livrer au public. Une Québécoise écrivain, issue de la bonne bourgeoisie, n'est pas entièrement à son aise parmi les petites gens. Le conflit entre le silence et la parole, entre la solitude et la solitude rompue, est peut-être à la source du besoin d'expression qui nie en quelque sorte l'austère tradition des classes privilégiées, volontairement coupées du peuple.

Ainsi, le silence et l'expressivité vont demeurer dans une situation de confrontation dans toutes les œuvres. C'est l'analogie de la vie aux prises avec la pensée formulée en toute lucidité. Ce combat se livre souvent sous forme de fable, comme c'est le cas dans *Le Torrent* et *Les Chambres de bois*. C'est un déguisement de la réalité comme l'est le panorama onirique de plusieurs de ses œuvres et même la sérénité mélancolique du premier recueil, *Les Songes en équilibre*. Entre le silence et la parole se joue tout le drame du Québec. Une Québécoise raffinée allait alors, dans ses loisirs un peu téméraires, envoyer une enfant, «Le Tombeau des rois», à la recherche de la lumière parmi les opulents cadavres dans des souterrains humides, expédition analogue à «la parole» de l'écrivain; faire figurer ailleurs par opposition, des femmes vénales comme Lia (*Les Chambres de bois*), et Elisabeth, la vierge meurtrière (*Kamouraska*) accablée de son innocence tragi-comique, l'Eve dont la mission est de tuer ce silence amer.

Peu d'écrivains font, dans leur vie, moins de bruit. Peu, au Canada, en feront plus dans leur œuvre. La distance entre vie et œuvre devient pratiquement infranchissable. Il faut renoncer à compter les amants et les suicides ratés pour arriver à cette œuvre. Le dédoublement est ici un rituel mystique de l'écriture. Il s'agit de transmettre les schémas lucides d'un peuple prisonnier en soi sans enfreindre la règle de l'intégrité de l'artiste pourtant aux prises avec sa colère contre les masses incapables d'expression. Les poèmes de *Mystère de la parole* laissent percer cette colère et le sentiment de supériorité qu'elle suppose. Nous préférons les subtiles ressources de l'expression indirecte, parmi lesquelles «Le Tombeau des rois» figure comme sommet. Ce poème aurait dû être écrit par une jeune révolutionnaire: «...des poèmes comme tracés dans l'os par la pointe d'un poignard,...» (préface de Pierre Emmanuel); par une Jeanne d'Arc avant-gardiste, hippie, aventurière et vengeresse, brutale et qui n'a peur de rien; par un jeune Christ féminin habillé(e) en peaux de bêtes et domicilié chez des violeurs de tombeaux. Le plus intéressant secret est que cette force émane des «dédales» du cloître fermé que fut le Québec pour une Québécoise retranchée farouchement derrière son propre silence.

Tous les anciens bagnards ne connaissent pas la destinée de Jean Genêt. L'art et la vie devraient peut-être signifier la rupture plutôt que de se confondre chez un écrivain. Il y a tant de choses à exprimer qui n'existent pas encore dans leurs manifestations concrètes chez un peuple à la fois neuf et vieux dans cette soudaine explosion de lucidité. Par exemple, Anne Hébert relève, dans un des monologues d'Elisabeth de *Kamouraska*, le paradoxe de l'impossibilité de se sentir coupable quand l'insensibilité se réclame de l'innocence à cause d'une psychologie ou d'une morale assez déformées par le milieu ambiant:

> Tout sol arable arraché (orgueil, fierté, compassion, charité, courage...). Le cœur que l'on écorche. Son insoutenable nudité. (Fatigue, dégoût, désespoir...) «Mon père, pourquoi m'avez-vous abandonné?» (...) Mon pauvre amour, je ne saurai sans doute jamais comment t'expliquer qu'au-delà de toute sainteté règne l'innocence astucieuse et cruelle des bêtes et des fous (*K.*, p. 173).

En lisant le livre, on sympathise avec l'héroïne. On comprend que la mère de onze enfants puisse se sentir encore vierge et intouchée. On comprend encore mieux si l'on est Québécois. Il y a élargissement du monde et plus complète liberté d'expression quand l'artiste s'efface derrière sa création. Anne Hébert pousse très loin son désir d'anonymat. Son œuvre en est d'autant plus riche. Il y a désorientation puis reconstruction de notre monde.

C'est ce qui fait et fera le désespoir des amateurs d'anecdotes. La plus authentique Québécoise (voisine et parente d'Hector de Saint-Denys Garneau, frappée à l'image de la vieille capitale comme une médaille du monastère des Ursulines, fille de lettrés parmi des *habitants*) refuse de jouer la lyre du Québec. Elle confie à sa puissance créatrice la totalité du mythe, supériorité d'artiste, succès du génie, angoisse de cette terre ingrate et glacée..., au lieu de la béquille triomphale des épopées du terroir.

Les biographes ont été jusqu'ici réduits au silence devant cette vie superbement fermée dans son silence de cloître. Ils ne peuvent y trouver de quoi expliquer une œuvre où tout est audace, force et lucidité cruelle. Des études de psychologie et de sociologie littéraires auraient plus d'intérêt. Mais peu importe, il faudra toujours revenir à l'œuvre.

Dans son livre plein de scrupules et d'admiration fraternelle pour le poète, Pierre Pagé fait une mise en garde contre les interprétations liées à la biographie: «Une telle accession au monde universel de l'art est encore toute récente au Canada et le lecteur canadien, spécialement devant l'œuvre d'Anne Hébert, est quelquefois désemparé. Il s'étonnera souvent de ce que la parenté ethnique ne lui facilite rien et souhaitera qu'on lui ouvre la porte de l'œuvre par le biais de la biographie. Mais l'œuvre d'Anne Hébert résiste à ces facilités...»[2]. Ainsi, le silence d'une vie fermée ne peut aider à comprendre une

2 Pagé, Pierre. *Anne Hébert*. Montréal et Paris, Fides, 1965, p. 100-101.

œuvre extrêmement dynamique et sûre de soi. Anne Hébert est trop québécoise pour répondre à des questionnaires d'enquêteurs sur la sexualité. Le silence de cette vie finit par représenter l'indépendance hautaine d'où jaillit l'œuvre. Entre temps, nous sommes bien obligés de nous soumettre à l'évidence qui exclut les «biais», les fenêtres ouvertes sur les aguichantes petites effronteries.

Faut-il pour autant penser que la même personne qui a su transformer la soumission en agression, la culpabilité en pèlerinage vers l'innocence et la lumière, faut-il un instant déduire qu'il s'agit d'une existence terne? Bien au contraire, le rituel mystique du silence dont nous avons déjà parlé représente un choix absolu et essentiel à l'œuvre comme l'étaient chez nous les vocations religieuses. Pour atteindre à la plénitude de l'expression, il faut tout sacrifier et vivre le plus intensément possible, derrière un voile:

> Et le poète lutte avec la terre muette et il apprend la résistance de son propre cœur tranquille et muet (*Ps*., p. 67).

«Je crois que j'ai choisi d'être écrivain.»[3] Or l'effacement et le silence du cloître restituent au poète le prestige d'une vocation d'écrivain au prix des prérogatives de jouer à la vedette, de signer son nom sur les serviettes de table et d'entretenir le mythe de soi comme tremplin à son œuvre. Plusieurs écrivains de notre époque ont fait du théâtre littéraire à cause des conditions propices de la littérature engagée. A l'opposé, Anne Hébert parle à partir d'un effacement personnel des plus complets d'une culpabilité plus humble, celle d'un petit peuple à moitié oublié sur un continent glacial. Elle a davantage besoin de sonder que de pontifier. Le monde qui l'habite n'a pas trouvé son expression, et sa tragédie est celle d'un silence qui menace le fondement même de l'expression.

Albert Béguin interprète très justement, semble-t-il, le silence d'Anne Hébert. «La poésie de l'expérience intérieure n'est souvent que cette rencontre entre son expérience profonde et quelque chose dans l'ambiance, dans le décor de sa vie...»[4].En effet, les traits caractéristiques d'une culture encore imparfaitement définie laissent à l'écrivain fort peu de latitude. Au lieu d'osciller entre le jeu supérieur et le sérieux modulé, il lui faut commencer par comprendre et réussir à cerner les mythes. Ceux-ci se trouvent enfermés dans «son expérience profonde» et quelque part «dans l'ambiance, dans le décor de sa vie». Le succès dépend de la lucidité du regard en soi. Il faut se faire miroir fidèle où pourront se voir ses concitoyens, et développer comme

---

3 Pagé, *op. cit.*, p. 21.

4 Pagé, *op. cit.*, p. 100.

science de l'écriture un langage apte à traduire de façon cohérente ce qui se trouve comme paralysé au stade de la gestation. La rencontre véritablement attendue est alors justement celle du poète et de sa culture. Ce phénomène mystérieux («mystère de la parole»), somme totale d'un bouleversement de l'ordre intime («...solitude rompue»), où le hasard risque d'œuvrer pour ou contre la volonté bien que cette dernière doive demeurer tendue de toutes ses forces, ces circonstances exceptionnelles et privilégiées ont souvent échappé complètement à des peuples aux cultures beaucoup plus anciennes que celle du Québec. N'est pas prophète chez soi qui veut. Il faut beaucoup de silence pour arriver à la parole.

Le talent est partout. Ce qu'il faut attendre, c'est le geste plus vrai que les autres. La somme de tous les efforts reste neutralisée par les impondérables à moins que le jour ne se lève soudain sur une œuvre qui résume et transcende toutes les autres. «Le Tombeau des rois», poème absolument déterminant dans la littérature québécoise, réussit ce tour de force, ce coup de génie. C'est probablement pourquoi on en parle tant et si peu à la fois. Il n'a pas encore trouvé de véritables lecteurs.

Or ce poète d'exception mérite rarement son sacre. Rimbaud a créé de fait et non de droit. Anne Hébert représente un sommet. Elle n'a pas nécessairement souhaité cette fusion de son être intérieur et de son expérience, avec, bien entendu, le concours d'un talent dont le mérite lui revient largement. Elle a su transformer en réalité poétique identifiable à maints niveaux, inépuisable à cause de la qualité cosmique inhérente aux grandes œuvres, ce qui jusqu'alors manquait d'espace et d'altitude.

S'il y avait une logique de la création artistique, nous voudrions vite demander à Anne Hébert de nous livrer son secret. Ne serait-il pas merveilleux d'apprendre d'où vient «Le Tombeau des rois»? Je crois fermement qu'elle serait la dernière à en trouver la justification dans sa vie.

Ainsi, le poème livré comme création plutôt que comme accident de la biographie revient sous forme d'héritage à la culture dans laquelle il a pris racine. Le poète poursuit son silence pendant que l'œuvre agit. La vie d'une personne est toujours plus petite que ses créations quand ces dernières atteignent aux sommets.

Dans *La Nausée*, Sartre (qui inventa avec un succès inégal la biographie existentielle basée sur la psychanalyse inspirée de faits arbitrairement magnifiés) nous avertit par l'intermédiaire de Roquentin, son protagoniste, qu'il faudrait inventer le marquis de Rollebon, personnage historique, pour en écrire l'histoire. Cette ironie s'applique certainement aux vivants qui s'entourent savamment d'un silence de mort.

Anne Hébert accorde de bonne grâce des interviews à la presse et elle apparaît de temps en temps derrière le petit écran de la télévision. Mais elle ne parle pas en prose ordinaire tout comme elle n'écrit pas en prose même ses romans. Ainsi, l'interprète cesse en elle pour un temps de fonctionner dès que son œuvre presque clandestine de silence abandonne au grand jour cette femme qui ressemble alors au «Pître châtié» de Mallarmé, se retrouvant relativement diminuée une fois dépouillée de son anonymat. La meute de nos concitoyens examine la façade afin de juger si l'œuvre n'est pas un tantinet hors-la-loi, anti-terroir, anormale. Anne Hébert rentre dans sa nuit. Tout le village de Sainte-Catherine se réjouit d'avoir eu raison de juger sévèrement une alliée de Saint-Denys Garneau. Les anciens vous disent qu'il ne se rasait pas toujours et qu'il ne se coiffait pas les cheveux *régulièrement*. Dans les années trente, c'était un double crime. Les temps ont changé, le crime est demeuré. Le Québec commence à peine à apprendre à lire. Il faut admirer ceux qui œuvrent dans le silence en vue de l'éclosion de «la parole». Ce sont effectivement des *anormaux*.

Un combat âpre se livre évidemment entre le témoin et le juge d'une culture paysanne:

Longues jarres ténébreuses aux parfums scellés (*M.*, p. 97)
et la femme qui imite encore un peu de dédain des petites fées bourgeoises de la Vieille Capitale a l'air d'avoir renoncé à s'identifier complètement avec le silence «ténébreux» de la masse. Elle évoque un héritage différent.

> Nous n'étions pas élevés de façon très américaine, ni moderne. C'est une éducation plus exigeante que celle de mes camarades, une éducation plus française qu'américaine. (...)[5]

La maxime voulant que l'on s'identifie à ce que l'on rejette s'applique d'autant plus que l'écrivain québécois ne peut s'appuyer sur une identité indiscutable. Il lui faut réinventer sa réalité inéluctablement nord-américaine, française à demi parce que anglicisée, et tâcher de s'adresser à des lecteurs sans pour autant se laisser contaminer par leur goût douteux. C'est un rude défi. La contradiction y entre pour

5 Pagé, *op. cit.*, p. 15.

beaucoup. Prendre ses distances est essentiel à l'analyse, garder ses distances est une forme de snobisme. C'est dans l'angoisse de «la parole», c'est dans la résistance au silence collectif qu'il faut avancer à force de génie, à force de refus. Pour être, Anne Hébert doit continuer de croire à l'état d'une enfance à l'européenne à l'encontre du milieu «habitant» qui seul mérite qu'on en parle. Et c'est justement de cette culture paysanne qu'émane son œuvre. La femme cultive une image indispensable à sa formation psychologique et sociale pendant que l'écrivain explore les «dédales» de la peur du silence et du froid des grands morts figés dans des attitudes de rêve érotique, à la fois grandiose et bouleversant. Ainsi, l'écrivain progresse à rebours de la femme dont la survie en tant qu'être social exige, comme il est commun, de perpétuer les données d'un mensonge obligeant. Dès que l'écrivain ment, on le dénonce. Dès que l'être social cesse de mentir, on le dénonce. Un des conflits intérieurs d'Anne Hébert demeurera peut-être ce besoin d'affirmer l'exclusivité d'une formation de lettrés de province, un pied dans le manoir seigneurial et l'autre dans le gouvernement, tout au milieu de l'abîme culturel et historique au sein duquel bourgeois et petit peuple se trouvaient liés et engloutis dans une même solitude.

«Solitude rompue» traduit ce déchirement trop scandaleux pour l'être social mais impitoyablement remué jusque dans ses décombres par l'écrivain. Cette aliénation existentielle ne relève pas de simples hypothèses philosophiques. C'est l'actualisation tragique et constante de problèmes insolubles. Les phrases en prose de circonstance n'entament aucunement cet enfer convulsé de secrets exaspérants. Elles sont le maquillage défensif des douleurs muettes. L'essentiel est l'authenticité du message qui perce d'autant mieux à travers l'appareil des mystifications réservées à l'amour-propre. Ainsi, les pharaons, les rois, les faucons, les fées sont des images fabuleuses dans un caveau profond, humide, noir et silencieux.

C'est du Québec plutôt que d'une Québécoise qu'il s'agit, un Québec délivré des subterfuges par des subterfuges de poète, sorte de dédoublement sur le plan de la parabole. Que ces métamorphoses soient intentionnelles ou non entre pour peu. On accepte au théâtre des fictions beaucoup plus audacieuses, et personne ne réclame jamais un remboursement de son argent parce que le décor n'est pas un vrai château ou une vraie rivière. Ce n'est pas même une question de sincérité. On ne peut parler de sincérité dans un milieu où personne n'a l'air de rien comprendre en profondeur. La création poétique fait appel au confessionnal perspicace des mots, des images, des symboles et des mythes. Le poète est, comme en dépit de lui, avant tout, une présence invincible en soi, un être intégral divorcé de lui-même. Le degré de distance relative varie avec chaque écrivain. La carrière littéraire d'Anne Hébert fut, nous l'avons dit, un engagement aussi total que celui des jeunes filles que l'on enfermait jadis dans les couvents dès un âge tendre. Il y a un air de jansénisme dans le sérieux aussi bien que dans l'effacement qui entoure le choix:

> Des flèches d'odeur nous atteignirent, nous liant à la terre comme des blessures en des noces excessives. O saisons, rivières, aulnes et fougères, feuilles, fleurs, bois mouillé, herbes bleues, tout notre avoir saigne son parfum, bête odorante à notre flanc. Les couleurs et les sons nous visitèrent en masse et par petits groupes foudroyants, tandis que le songe doublait notre enchantement comme l'orage cerne le bleu de l'œil innocent
>
> La joie se mit à crier,... (*m.*, p. 73-74).

On dirait une prière panthéiste à la solitude et aussi une dangereuse virginité des images et des sensations. Le Québec souffre, se recueille et puise du courage dans ces innovations où palpite son douloureux marasme. C'est la féerie, une des lignes de fond de l'œuvre. Mais, à l'envers de ce jansénisme, le Québec jaillit aussi dans une culpabilité vengeresse, sorte de défoulement:

> (...) met sa tête sur mes genoux, dit que sa sœur est morte, à trois heures, ce matin, comme une impie (*K.*, p. 176).

La petite sœur du docteur Nelson (*Kamouraska*) était une religieuse. Cette mort violente de révolte, relatée dans l'intimité de l'adultère meurtrier, augmente, comme c'est toujours le cas dans les œuvres réalistes d'Anne Hébert, l'intensité de la passion coupable. On profite plus complètement des émotions de la vie grâce à la collaboration d'un cadavre, d'un meurtre, d'un amoncellement de «gisants» à même «les noirs ossements» (*tr.* vers 25 et 27).

Ce débordement d'un pôle à l'autre, cette féerie devenue subitement mauvaise, traduit bien les excès de l'âme québécoise: excès de piété suspecte, excès d'affranchissement insensible. En passant d'un excès à l'autre, Anne Hébert est avec nous plutôt que du côté des juges. Elle trouve en elle la sainteté et la colère côte à côte. Ainsi, elle analyse le Diable et le Bon Dieu en les confondant suffisamment pour nous faire douter. Cette complicité requiert un lecteur également incertain de l'identité de ses idoles; un lecteur qui, bon gré mal gré, a du sang sauvage. De telles enquêtes sont menées avec une subtilité inaccoutumée chez nous par cet écrivain d'un talent vraiment au-delà de nos mérites, à moins que nous ne sachions bientôt partager son geste fabuleux et barbare.

Mais l'aventure québécoise est comme la découverte d'une mythologie nouvelle. Il y a tant à dire que la plupart des écrivains se trouvent bloqués par *la parole*. C'est comme revenir d'un combat fabuleux en ayant perdu la mémoire. Le milieu s'oppose aux trahisons; le langage s'oppose à l'expression; le silence fige la vision; le froid fait craquer la conviction. Il fallait une femme frêle pour hypnotiser le bourreau et se débarrasser des chaînes sans offenser les gardiens des traditions. L'héroïne du «Tombeau des rois» illustre si bien cette aventure québécoise. Il s'agit de s'enliser dans la nuit jusqu'à la lumière. On voit à force de témérité. L'obstination est la règle. Si le soleil de la pensée lucide se trouve chez nous dans les cimetières, au fond des tombeaux, il est juste de l'y chercher. Il n'y a qu'à entourer cette aventure des merveilles d'un conte de fées garanti par son hermétisme contre les tabous du lecteur. L'atmosphère familière du milieu funèbre est d'ordinaire attribuée aux morts plutôt qu'aux vivants. C'est une autre précaution de l'auteur. Enfin, ce voyage aux limites de la solitude, trou lumineux, phosphorescent et humide, en compagnie des hallucinations de grandeur, rappelle un Baudelaire ayant atteint le sommet de la lucidité au terme d'une descente ornée d'épouvantails:

Tête-à-tête sombre et limpide

Qu'un cœur devenu son miroir![6]

Anne Hébert y transforme l'angoisse en objet de découverte là où Baudelaire, homme saturé de civilisation, en faisait un enfer d'inaction à cause de la détérioration psychologique attribuable à la conscience du mal. Il y a même un sentiment d'exaltation partout au fil du «Tombeau des rois». Ce sont des sensibilités différentes. La critique française s'y perd justement en s'obstinant à ignorer nos prérogatives de gardiens de cadavres.[7] Elle devient elle aussi silencieuse en substance face à l'énigme d'un peuple tellement plus complexe que l'image stéréotypée qu'elle s'en est faite au lieu d'essayer de repenser la situation. Les lecteurs français d'Anne Hébert devraient comprendre le sens de l'aventure, lire comme on tâche de

---

6 Baudelaire, Charles. *Oeuvres complètes, Les Fleurs du mal*, «L'Irrémédiable», Paris, éd. Pléiade, 1958, p. 152.

survivre à un dépaysement complet, pardonner à son illustre critique de faire des phrases: «Des poèmes comme tracés dans l'os par la pointe d'un poignard»[8]. Comme image poétique, c'est beau.

La menace du silence entraîne la *parole*. La «solitude rompue» débouche sur la sublimation de l'acte d'écrire. La littérature de chez nous est et restera longtemps arrachée au silence:

> Fronts bouclés où croupit le silence en toisons musquées, toutes grimaces, vieilles têtes, joues d'enfants, amours, rides, joies, deuils, créatures, langues de feu au solstice de la terre.
>
> O mes frères les plus noirs, toutes fêtes gravées en secret; poitrines humaines, calebasses musiciennes où s'exaspèrent des voix captives.

«Mystère de la parole» se termine par un art poétique de la parole:

> Que celui qui a reçu fonction de la parole vous prenne en charge comme un cœur ténébreux de surcroît, et n'ait de cesse que soient justifiés les vivants et les morts en un seul chant parmi l'aube et les herbes (*m.*, p. 75).

Le poète se fait juge impitoyable justement parce que le silence qui l'entoure représente une menace à sa «fonction de la parole»:

> J'entends battre contre la porte, lâches et soumises, mille bêtes aigres au pelage terne, aux yeux aveugles; toute une meute

---

7 Parmi les plus vides lectures du «Tombeau des rois», nous devons à André Lacôte (*Anne Hébert*, Seghers) d'avoir qualifié dans son livre curieux ce poème de «pièce capitale» et au lieu de dire pourquoi, il se désiste en avertissant le lecteur qu'il n'en parlera pas davantage puisque le poème est reproduit plus loin. En revanche, le même commentateur fait figurer une collection de photos qui nous révèlent une Anne Hébert métamorphosée en sylphide, c'est-à-dire à la québécoise distinguée qui se mire en hauteur par rapport à la menace populiste. Une de ces photos en dit long sur la coquetterie poussée jusqu'au décor comme empesé de respect. Elle se trouve à la page 85, s'intitule «Anne Hébert à l'Ile d'Orléans, en 1960», et met en vedette une gracieuse jeune femme en longue robe blanche pleine de rêves. Le sujet se voit surpris de profil de manière très étudiée, une main derrière la tête, assise à demi sur une planche peu sûre, un navire au coude, des cordages chaque côté de la tête, puis cette eau crémeuse, des flaques lactées sous un ciel très blême à l'arrière plan. Jusqu'au bateau qui a l'air faux. On dirait qu'il fait partie des analyses de Monsieur Lacôte. Le tout est destiné à faire exclamer les lecteurs: «Comme elle est jolie! Comme ses poèmes doivent alors être beaux!» Le fait d'avoir recours à des photos au lieu de parler de l'œuvre démontre combien la critique française se trouve coupée de notre littérature.

Au risque de m'arrêter trop longtemps sur cet aspect négatif, parlons donc du préfacier du *Tombeau de rois*, l'éminent poète et critique Pierre Emmanuel lorsqu'il dit: «On peut faire l'expérience des déserts de l'âme à Québec aussi bien qu'en Arabie pétrée». Or, les Français identifient le Québec à l'Arabie pétrée, affront néocolonialiste, tandis que les Québécois cherchent «pétrée» dans le dictionnaire. Mais le préfacier des *Chambres de bois* (Seuil, Paris 1958, roman), Samuel S. De Sacy, l'emporte en 16 pages de digressions sur l'Amérique du Nord, sociologie, politique, archéologie et rêves divers, tout juste pour dire soudain «Mais c'est d'Anne Hébert que nous parlons, que nous ne cessons pas, sans la nommer, de parler. (...) il m'aurait paru sot de commenter le roman lui-même, puisque vous le tenez, lecteur, entre vos mains, ridicule de vous raconter ou d'écrire ce que vous allez lire,...».

8 *Poèmes*, préface de Pierre Emmanuel au *Tombeau des rois*, p. 11.

> servile qui mâchonne des mots comme des herbes depuis les aubes les plus vieilles (*M*., p. 76).

La *rupture* se doit d'être totale afin que la «fonction de la parole» puisse atteindre à sa mission:

> Il n'est que de servir dans l'ombre, d'être pesantes et ténébreuses, mauvaises, dures et grinçantes, pour briser le cœur de la moisson, de le réduire en poussière comme une averse sèche et étouffante (*M*., p. 77-78).

Le recueil *Mystère de la parole* est largement consacré à la reprise de ce thème. Il est si important que le poète insiste peut-être trop. Mais une littérature arrachée aux balbutiements connaît au départ l'angoisse de cette virginité de la parole. Cela est effrayant que d'écrire à partir du silence. Il n'y a plus de place pour soi. L'identité de l'écrivain dépend de son œuvre plutôt que de ses antécédents, quels qu'ils soient.

> Redoute l'avènement silencieux des compassions crayeuses aux faces d'argiles brouillés;... (*M*., p. 82)

La solitude devient une volupté supérieure, un bagne de vierges suppliciées:

> Cette odeur aigre de vierge mal lavée,... (*K*., p. 31)
>
> Il faudrait avoir la santé de violer cette femme (*K* ., p. 26).

Les trois tantes dans *Kamouraska* sont le leitmotiv de cette virginité du milieu:

> Gloire insolente de notre triste célibat (*K*., p. 45).
>
> Mes tantes, sans hommes et sans espoir. L'uniforme des âges canoniques, de bonne famille. Du marron, un peu de dentelle, très peu, du gris, beaucoup de gris, un peu de beige, pas trop de beige. Du noir, du beau noir de qualité. Des airs pincés plus qu'aucune dame de la Congrégation (*K*., p. 44-45).
>
> Est-ce ainsi que les saintes femmes vivent? Se lèvent de grand matin pour aller prêter un faux serment (*K*., p. 47).
>
> Mes tantes extravagantes. Fourrures noires, voilettes noires, colliers de jais, emmêlés autour de leurs cous de poulets. Filles de dérision, vous voici au centre d'un cirque énorme, noir de monde. Adélaide, Luce-Gertrude, Angélique, minuscules, traquées, moquées, brandissant vers le ciel leurs poings

> crispés. Leurs chapelets s'entrechoquent enroulés à leurs poignets, sonnent comme des grelots (*K.*, p. 48).

La stérilité absolue des tantes crée une atmosphère symbolique de cloître diabolique où tout semblant de vie se trouve annihilé par des apparitions de femmes en noir, pieuses et voyeuses. L'héroïne de *Kamouraska* révèle l'atmosphère insalubre du vieux Québec:

> Cette petite a poussé dans un cocon de crêpe (*K.*, p. 51).

La mère est encore plus stérile que les tantes:

> Sa fille mise au monde, Mme d'Aulnières quitte le grand deuil pour entrer en demi-deuil, pour l'éternité. Costumée en grand-mère, malgré ses dix-sept ans, robe noire, bonnet blanc, col et poignets de lingerie fine, elle entreprend de vieillir et de se désoler (*K.*, p. 52).

La protestation d'Anne Hébert contre tout ce qui enlise l'esprit et bloque la parole, la *rupture* pour ainsi dire, est nulle part plus transformée en hantise qu'au fil de la danse macabre des trois tantes avec la mère à l'arrière-plan. Les tantes sont partout. Elles se tapissent dans les labyrinthes de la pensée pour en étouffer l'éclosion. C'est le silence terrible de la stérilité contre lequel la *parole* doit naître par un acte de refus, «rupture». Elisabeth poursuit son monologue en marge du monde, dirait-on, conférant à ce dernier une allure de cinéma sans substance dans la réalité:

> Confondre le songe avant qu'il ne soit trop tard (*K.*, p. 23).

A côté de la danse des «vierges stériles», il y a les métamorphoses de l'oiseau. Celui-ci représente la multiplicité des voix, l'échelonnement systématique du message grâce à un autre symbole. L'oiseau figure au centre des principales œuvres, que ce soit la dernière pièce de *Songes en équilibre*, le faucon du «Tombeau des rois», le gibier dans la gibecière au début des *Chambres de bois* ou Antoine Tassy (*Kamouraska*) abattant l'oiseau (l'innocence virginale d'Elisabeth):

> L'oiseau qui tombe, comme une pierre emplumée. Les chiens à l'affût, la voix rauque des chiens (*K.*, p. 66).
>
> ...l'oiseau pantelant, une étoile rouge sur la gorge (*K.*, p. 67).
>
> Antoine Tassy a mis l'énorme oiseau dans son carnier (*Ibid.*,).

Encore une fois, cataloguer les oiseaux serait moins important que de comprendre leur sens analogique de tous les visages du vide.

Cette multiplicité des voix suit, dans «Le Tombeau des rois», une ligne perpendiculaire de plongée en soi, itinéraire souterrain animé d'une froide puissance. Le cœur-faucon marque l'étape culminante de la descente au plus profond de son «moi», afin d'y trouver la «parole». C'est une recherche analogue à celle d'autres grands poètes, dont Rimbaud. Anne Hébert affirme:

> Pour voir. Inutile de se leurrer, un jour il y aura coïncidence entre la réalité et son double imaginaire (*K.*, p. 23).

et Rimbaud voyait la *clé* dans cette exploitation lucide du «moi»:

> A chaque être, plusieurs *autres* vies me semblaient dues.[9]

écho retrouvé presque textuellement dans *Kamouraska*:

> ...cinq ou six existences secrètes à l'insu de tous (*K.*, p.75).

C'est le «moi» ambivalent, fusionné à l'œuvre, qui contient l'identité de la «parole». Le faucon signale le cas limite de toutes les réincarnations de l'oiseau-poète. La lumière, à la fin, n'est pas tant le retour à la vie que l'apogée d'un cycle repris au fil des œuvres où l'audace et la cruauté débouchent sur un monde plus que jamais nettoyé par l'agression: «...se rajeunir par la cruauté»[10], «J'ensevelis les morts dans mon ventre»[11]. La rencontre avec Rimbaud, génie isolé et solitaire comme en dehors du monde, semble plus vraisemblable que l'allusion de Pierre Emmanuel à L'Arabie pétrée.

La mort. Les cadavres. L'image noire du cloître psychologique, surtout celle d'un vêtement impénétrable de ténèbres. Où faudrait-il retracer, ailleurs que dans la vie du poète, la menace des ossements? Cette fois, c'est définitivement dans le Québec avec son ventre plein de religieuses, de curés, de culpabilité, de jansénisme, d'aurores du tombeau, de solitude un peu corrompue par l'érotisme désséché aux chuchotements du confessionnal.

Est-il nécessaire de reparler du village de Sainte-Catherine de Fossambault, de revisiter Québec à la recherche des traces d'Anne Hébert, d'aller à Paris lui demander pourquoi elle vit là-bas? N'est-il pas plus vrai de voir dans l'œuvre, non pas l'effroi tragi-comique d'un

---

9 Rimbaud, Arthur, *Oeuvres, Une saison en enfer,* «Alchimie du verbe / Délires II». Paris, Classiques Garnier, 1960, p. 233.

10 Rimbaud, *op. cit.*, *Illuminations*, «Conte», p. 259.

11 Rimbaud, *Ibid.*, *Une saison...*, «Mauvais sang», P. 217.

Baudelaire, mais bien la cage concentrationnaire à terreurs morales, les affres du vide, le silence déchiré de la faute entretenue comme un paysage familier et une topographie de l'âme? Anne Hébert a tout sacrifié pour sonder notre incroyable silence, pour le torturer jusqu'à le faire crier et lui conférer ainsi la «parole». Elle a renoncé à figurer en vedette dans son œuvre. Elle a opté pour le même effacement de cloître qui a forgé notre âme collective. Elle ne s'aime pas plus que nous ne nous aimons nous-mêmes, intéressants hérétiques d'une mystique de la survie sans raison logique, sans rien d'autre qu'un pathos inquiétant.

En instaurant la «parole», Anne Hébert est visiblement à la recherche d'une réalité qu'elle partage avec nous et qu'elle veut à tout prix formuler. Au lieu de figurer elle-même dans son œuvre, elle place au premier plan le Québec. Son exil volontaire, qui dure depuis plus de vingt ans, fait penser aux écrivains américains du début du siècle. Au lieu d'atténuer sa perception d'un monde clos dont elle avait déjà cerné les mythes, ce dépaysement relatif l'aide à aborder plus directement, plus effrontément quelquefois, les problèmes. Enfin, le fait de s'être fixée plus ou moins définitivement en France ajoute au silence de la vie privée de l'auteur une dimension nouvelle, celle d'une distance considérable. Tout collabore à augmenter l'épaisseur du voile jeté sur la biographie qui se raconte comme une histoire, et à déceler dans l'œuvre la fusion du vécu et de l'écriture.

Parmi les principaux points de rencontre grâce auxquels vie et œuvre se fusionnent au plus près du lecteur québécois et de sa propre histoire récente, nous avons choisi de placer Saint-Denys Garneau en tête des deux chapitres se rapportant à la solitude. Il est possible de considérer Garneau comme une influence liée à la biographie de l'auteur si l'on se situe avant 1944, à l'époque des *Songes en équilibre*, du vivant du jeune homme. Mais par la suite, il dépend de l'œuvre, d'un lien mystérieux qui persiste entre les deux poètes.

Il faut rappeler aux étrangers à notre culture à quel point Saint-Denys Garneau fait figure de géant dans notre littérature, un peu comme l'archétype de notre propre solitude. Ses amis ont accusé notre peuple de l'avoir tué et, eux, dans l'intervalle, ils l'ont béatifié. La présence du jeune seigneur défunt dans l'œuvre est un important phénomène psychique, frisant la hantise ou même la culpabilité. Le second chapitre, «la solitude rompue», se situe, parallèlement au premier, avant et après 1944, et aide à comprendre la «situation de l'écrivain» passant du stade de la biographie immédiate, *Les Songes en équilibre*, à celui de l'effacement progressif, *Le Tombeau des rois*, et de l'éclatement du mythe qui avait été fatal à Garneau.

Cette étape d'intériorisation de l'œuvre est celle où *une vie* tend à rejoindre *les vies*, où la jeune femme se change en témoin aussi anonyme que possible. A vrai dire, nous nous retrouvons dès lors en face de circonstances assez analogues à celles d'Elisabeth dans *Kamouraska*, des rétrospectives à la fois vraies et impossibles. C'est, par extension, pour qui veut l'admettre, la situation de tous les Québécois de la même génération que l'auteur. «Le miracle, nous sommes allés le chercher dans la montagne de B...» (*E.*, p. 119), c'est-à-dire, dans le fait d'avoir survécu à l'atmosphère du *couvent* grâce aux compensations diaboliques de la *cabane*.

Une vie sans histoire peut, nous le verrons, représenter *la conscience même de l'histoire*. L'effacement de l'écrivain le place paradoxalement dans une situation de choix de «la vraie vie...» (*K.*, p. 133), celle qui n'est pas prisonnière d'un seul visage puisqu'elle se manifeste dans toutes les vies que rejoint son œuvre. Mais il nous faudra apprendre à nous voir au lieu de chercher quelque être abstrait sous ces décors mi-somptueux, mi-catastrophiques.

PREMIÈRE PARTIE

I. *Présence de Saint-Denys Garneau dans l'œuvre*

«L'oiseau dans ma cage d'os
C'est la mort qui fait son nid.»
(Saint-Denys Garneau, «Cage d'oiseau»).

La solitude de Saint-Denys Garneau est, dans un certain sens, déterminante pour tous les Québécois, plus particulièrement pour Anne Hébert qui s'y trouva intimement liée. Le jeune poète devint un mythe de son vivant. Il est impossible de dissocier de lui la notion de martyr de la solitude. Il a absolument droit de cité dans ce domaine où il serait mal à propos de lui trouver des rivaux. C'est pourquoi nous le plaçons au centre du premier chapitre d'une étude sur Anne Hébert. Telle a été, semble-t-il, son emprise au départ.

Garneau demeure une énigme pour plusieurs. Il a peut-être goûté sa condition de déshérité, entretenu sa névrose exclusive. Anne Hébert a évidemment subi l'influence de son cousin et ami jusqu'à la mort du jeune seigneur en octobre 1943. Son premier recueil de poèmes, *Les Songes en équilibre* (1942), est tout à fait compatible avec la présence immédiate du mystique de la solitude, de l'étranger à la vie, de celui qui avait depuis longtemps déjà renoncé à l'écriture. Les poèmes de ce recueil sont trop différents des œuvres postérieures à la mort du jeune homme. Le revirement de 1944 ne peut être dissocié de l'empire de ce dernier sur sa cadette jusqu'en 1943. Quelque chose a craqué chez Anne Hébert; elle se lancera à l'assaut de cette solitude avec une puissance de rétribution, elle aussi indissociable du jeune défunt. Nous avons pour objectif d'examiner dans le présent chapitre la présence de Garneau dans l'œuvre.

Nous ne pouvons étudier la brisure et la continuité séparément puisque nous serions réduits à des hypothèses de caractère biographique et autobiographique. Nous allons plutôt nous en tenir aux témoignages cités et aux intrusions d'un visage qui perce partout dans les œuvres d'Anne Hébert.

Plus de trente-trois ans se sont écoulés depuis la fin tragique d'Hector de Saint-Denys Garneau: «Une rumeur de suicide à laquelle les démentis les plus formels n'ont jamais pu enlever tout crédit»[1], affirme Gilles Marcotte. Anne Hébert relate, en 1960, dix-sept ans après les faits, en prose déclamatoire, dans un commentaire de film sur le poète, les péripéties de cet événement:

> Le soir du 24 octobre 1943, Saint-Denys Garneau s'embarque pour une épuisante course en canot sur la rivière. Il avironna sur un très long parcours, mit pied à terre, planta son aviron dans le sable mouillé, gravit la berge. Il lui faudra marcher assez longtemps avant d'atteindre la première maison. Il frappa et demanda à téléphoner. On lui répondit qu'il n'y avait pas de téléphone. Il décida alors malgré sa fatigue, de revenir chez lui par la rivière. Il refit tout le trajet jusqu'à son canot et mourut sur le rivage d'une crise cardiaque. Il avait 31 ans.
>
> Le paysage de Sainte-Catherine, terre de son enfance, pays de sa mère, s'est refermé sur Saint-Denys Garneau et le garde comme son bien.[2]

Dans cette version officielle, Anne Hébert semble imiter le déroulement d'un film. Les objets: canot, aviron, téléphone et maison, puis la course et la crise cardiaque fatale, tout collabore à créer l'atmosphère d'un témoignage assez inconséquent, sinon excentrique.

La version non officielle, le rêve de Catherine dans *Les Chambres de bois*, semble tellement plus authentique:

> Une nuit, Catherine rêva que Michel, sans parvenir à la rejoindre, se mettait en route vers elle, empruntant, l'une après l'autre, des rivières sauvages qui soudain se rejoignaient, s'emmêlant toutes en un fracas extraordinaire (*C.*, p. 71).

Ce n'est pas une simple coïncidence où la fiction est plus poignante, plus révélatrice que l'expression directe. On dirait des remous de l'inconscient profondément marqué par une catastrophe ne pouvant trouver sa formulation autrement que dans l'écriture. Nous n'allons

1 Marcotte, Gilles. *Le Temps des poètes*. Montréal, Editions H.M.H., 1969, p. 41.

2 Pagé, Pierre, *op. cit.*, p. 31.

pas essayer de dissocier le réel de l'imaginaire puisqu'ils ont l'air de se confondre, et puisque le temps écoulé depuis 1943 juxtapose la réalité de l'œuvre à celle des faits biographiques qui lui sont antérieurs. Garneau, nous le verrons, devient un participant à part entière de cette œuvre: «L'éclat de midi efface ta forme devant moi / Tu trembles et luis comme un miroir / Tu m'offres le soleil à boire / A même ton visage absent» (*TR*., p. 57). Il sert de modèle à tous les personnages masculins. Sa soif de sainteté devient pour eux un objet d'échec. Ils se heurtent à des femmes demeurées vierges à cause d'eux, mâles que la culpabilité épouvante. La vengeance d'Eve sera implacable.

Il y a deux grandes lignes de fond où se débattent les personnages hébertiens, l'homme miné par une névrose mystique et la femme insatisfaite qui lui sert de bourreau. C'est curieusement analogue à des projections de Garneau, d'une part, et de sa cousine, d'autre part. Loin d'atténuer sa présence, la mort du jeune homme le délivre, pour ainsi dire, marié à l'impression gigantesque qu'il a créée sur sa cadette, de quatre ans plus jeune que lui, et sa tutelle prend fin là où le prolongement de l'impression qu'il a laissée se transforme en une réalité onirique permanente. Il y aura un lien indissoluble entre les deux écrivains, une sorte de noce entre celle qui survit et celui qui est mort. C'est un mariage nocturne non dépourvu de tensions profondes. Deux pôles diamétralement opposés y figurent simultanément. Il y a la quête, la recherche obstinée du disparu et une sorte de rituel avec son ombre; puis il y a le combat, le refus d'accepter ce pourquoi Garneau a laissé consumer son génie et une sorte de protestation contre l'emprise du défunt.

Ce dialogue avec un mort n'est pas vraiment inadmissible. Les deux poètes ont grandi ensemble: «...avec Saint-Denys Garneau, elle a fait du théâtre. Pendant six étés consécutifs, à la salle paroissiale, ils montèrent du Molière»[3]. Les deux familles passaient l'été à Sainte-Catherine de Fossambault: «leur cousin, Hector de Saint-Denys Garneau qui habitait, tout à côté d'eux, le manoir seigneurial des Duchesnay»[4]. Or le «seigneur» et le «manoir»[5] figurent au centre de deux romans, *Les Chambres de bois* et *Kamouraska*. Dans l'un et l'autre de ces livres, l'héroïne est comme l'otage du seigneur, en dehors du manoir dans le premier, en dedans, pour son plus grand malheur, dans le second. On ne saurait nier la persistance de ces

3 Pagé, *op. cit.*, p. 19.

4 Pagé, p. 13.

5 Garneau signait souvent «le manoir» à la fin de ses lettres.

images liées à Garneau et à leur enfance commune dans un roman publié en 1970, soit vingt-sept ans après la tragédie.

Anne Hébert admet encore ouvertement l'influence initiale de Garneau. Nous croyons cependant que cette dernière dépasse le temps d'une enfance et d'une jeunesse. Quoi qu'il en soit, dans une collaboration à *La Nouvelle Relève*, la jeune femme écrivait ce touchant témoignage:

> De Saint-Denys Garneau était mon cousin. Nous habitions la même campagne et le même été. Il habitait le paysage. Nous avions mis nos royaumes en commun: la même petite campagne, le même été. J'étais la plus petite. Il m'apprenait à voir la campagne. La lumière, la couleur, la forme: il les faisait surgir devant moi. Il appelait la lumière par son nom et la lumière lui répondait.[6]

Il est probablement utile de noter la façon stylisée avec laquelle la description de ces souvenirs procède, trois fois le mot «campagne», trois fois le mot «lumière», admiration pour la puissance magique du cousin: «Il appelait la lumière par son nom et la lumière lui répondait». L'enracinement de ce moment précieux exerce sur le poète une sorte de surréalité visible, au-delà des mots, dans ces répétitions. C'est l'hommage presque muet à un monde complètement disparu. Il survivra par l'écriture dans une dimension de puissance plutôt que de soumission tendre. Malgré toute son admiration pour son cousin, la jeune fille fut sans doute un temps bloquée par ce compagnon admirablement compliqué.

A l'appui de cette hypothèse, nous allons citer le témoignage de Garneau sur sa cousine, texte qui contraste par sa froideur objective avec celui d'Anne Hébert reproduit ci-haut:

> Anne, cet après-midi. Sa façon de marcher et quelques gestes ont évoqué pour moi une étrange élégance un peu rigide, un peu mécanique (*le mot* crispée *fut raturé*), avec une miette de préciosité; le tout empreint de gaucherie enfantine. (*Anne avait 21 ans à l'époque et Garneau, 25*) Une chaleur pourtant là-dessous. Alliage vraiment étrange, surprenant, et tel (*le mot* quand *est raturé*) j'y songe, qu'aurait probablement goûté Baudelaire.[7]

---

6 Pagé, *op. cit.*, p. 20.

7 Garneau, Hector de Saint-Denys. *Oeuvres*, *Journal*, texte établi, annoté et présenté par Jacques Brault et Benoît Lacroix. Montréal, Les Presses de l'Université de Montréal, 1971, p. 537.

L'allusion au goût de Baudelaire est particulièrement savoureuse[8]. On s'y perd. Le jeune homme continue sur le même ton de connaisseur se confondant avec l'illustre poète français:

> Cette impression évoquait pour moi une forme, la supposait, l'attendait. J'aurais aimé chercher à définir cette forme. C'aurait été une forme plastique, cela me venait ainsi.[9]

Or Baudelaire avait bien défini la femme comme idéal de Beauté plastique:

> ...à l'objet, par exemple, le plus intéressant de la société, à un visage de femme. Une tête séduisante et belle, une tête de femme, veux-je dire, c'est une tête qui fait rêver à la fois — mais d'une manière confuse — de volupté et de tristesse...[10]

tout en conservant, on le voit, la distance artistique nécessaire, «l'objet», dit-il, c'est-à-dire distanciation, «le plus intéressant de la société», c'est-à-dire objectivation: «la société» et non pas *ma* société. Garneau aurait-il été naïf? Serait-ce l'effet d'une substitution passagère par émulation comme on en note plusieurs exemples dans son *Journal*? Son unique référence à Anne Hébert s'avère assez décevante. Elle est incompréhensible. Ni l'un ni l'autre des deux écrivains n'a dit grand-chose ou fait des révélations importantes sur le compte de l'autre. Les ébauches de portrait reprises par Anne Hébert semblent l'effet d'une marque indélébile mais depuis longtemps associée à son art.

Cependant tout collaborait à favoriser l'ascendance de Garneau et à entretenir l'admiration paralysante chez sa cousine. En effet, le jeune homme mourut à l'âge de 31 ans, laissant derrière lui une œuvre de poète et de penseur qui inaugure les débuts d'une orientation nouvelle dans les lettres canadiennes-françaises. Il pense et exprime l'abîme culturel et linguistique. Il lit et revit par émulation des particularités des grands écrivains français[11]. Enfin il renonce à écrire et se plonge dans le silence farouche pendant des années sans pour autant minimiser son message. Bien au contraire, le silence de

---

8 Les inspiratrices de Baudelaire, on le sait, étaient des femmes bien particulières: «Nous aimons les femmes à proportion qu'elles nous sont étrangères» (*Fusée* IV); «Ce qui n'est pas légèrement difforme a l'air insensible» (*Fusées* XII); «Grand sourire dans un beau visage de géant» («La géante», *F.M.*).

9 Garneau, *Journal*, *op. cit.*, p. 537.

10 Baudelaire, *op. cit.*, *Fusées* XVI, p. 1195-1196.

11 Le gruau (Proust), *Journal*, p. 348-350; la femme (Baudelaire), *Ibid.*, p. 537; voir Bourneuf, Roland, *Saint-Denys Garneau et ses lectures européennes*, Les Presses de l'Université Laval, 1969, 334 p.

Garneau se lie avec les paroles. Il était précoce comme les grands romantiques, et il devait faire vite parce que la fatalité le guettait comme eux. Il a su mourir à l'heure; il avait déjà rompu de longue date avec le monde des vivants. La continuation de sa présence dans les écrits d'Anne Hébert est comme l'écho de sa propre voix.

Dans l'orbite de ce prodigieux météore se trouvait la cousine qui, en 1942, fit publier un recueil assez conventionnel, portant sans doute l'imprimatur du sévère «seigneur», un an avant la mort de ce dernier. Bien que de quatre ans plus jeune que lui, Anne Hébert avait néamoins vingt-sept ans en 1943 (elle est née le 1er août 1916). Il y avait donc à cette époque une distance insurmontable, sèmblait-il, entre la production philosophique et littéraire de Garneau et celle de sa voisine. Il ne devait pas soupçonner le génie qui l'habitait, lequel semblait attendre sa mort pour s'affirmer. Il n'avait pas de raison de le deviner. C'est pourquoi il ne parle jamais d'elle en tant qu'écrivain. Il n'a pas l'air non plus d'éprouver à son égard des sentiments particulièrement chaleureux. Ce sont d'autres amies qui semblent captiver son attention si l'on en juge par sa correspondance. L'obsession de la mort hante ses poèmes. C'est probablement son véritable lien affectif.

Y eut-il de secrets griefs à cet égard de la part d'Anne Hébert? Pierre Pagé rapporte un développement intéressant: «... lorsque la revue *La Nouvelle Relève*, fondée par Saint-Denys Garneau et ses amis, avait voulu publier un numéro d'hommage au poète, on avait demandé un texte à Anne Hébert. Et, à ce moment, un an après la mort de son cousin (c.-à-d. en 1944), elle ne fait aucune mention de ses œuvres littéraires. Nulle analyse, ni des poèmes, ni du Journal»[12]. Faire des analyses n'était peut-être pas nécessaire ou même approprié, mais ne pas mentionner l'œuvre marque une absence plutôt voyante. Mais, en 1944, Anne Hébert était probablement déjà libérée, pour ainsi dire, de son cousin[13]. Le combat contre l'image allait alterner avec la poursuite de l'image, intériorisation d'un monde.

Avant d'explorer le revirement absolu dans l'œuvre dès 1944 (*Le Torrent*, 1944-45), poursuivons un peu plus avant l'étendue stupéfiante de l'influence traumatisante de son cousin de son vivant, à cause des circonstances exceptionnelles qui réunirent deux grands génies dans une relation de non-communication, sinon à sens unique. C'était l'usage consacré par le milieu et les traditions de ne pas songer à

12 Pagé, *op. cit.*, p. 20.

13 Elle affirmait récemment au cours d'une conversation que sa «révolte date de 1944».

une femme écrivain. Garneau poussait très loin le paternalisme intellectuel. Dans une lettre à Yolande Leblanc, datée du 21 août (1935, le poète se ravise sur un envoi de livre:

> Je vous avais promis *Les Fleurs du mal.* J'aime mieux ne pas les envoyer. (...) Il (Baudelaire) m'a fait beaucoup de bien mais il est peut-être dangereux; les hommes sont si différents; sait-on jamais le bien ou le mal qu'un livre peut faire. [14]

Même si l'on ne peut que spéculer sur le sens profond de ce passage, il y a bien: «les hommes sont si différents», ce qui suggère qu'Anne Hébert a dû essuyer les mêmes affronts. Leurs relations étaient alors fondées sur des appréciations fausses. Elle était plus grand poète que lui.

Son jugement objectif de la qualité «plastique» de sa cousine, qu'il partage intellectuellement avec Baudelaire, relève d'une attitude de détachement dont il se plaint:

> Combien je suis détaché de tous et que le malheur de quiconque ne m'atteindrait pas profondément. Quelle sécheresse. [15]

Ce détachement peut fort bien découler du jansénisme d'un jeune mystique déchiré par l'idéal austère des règles du vieux Québec, prenant chez lui l'envergure d'une hystérie de la vertu:

> Or maintenant, me voici avec mon poids de péché originel, sans la possibilité d'un seul repos en la complaisance charnelle. Et il me faut être dans le monde, comme n'y étant pas et sans un regard attendri pour lui. Je ne pourrai plus regarder la femme sinon mon épouse avec des yeux d'amour. Car mon épouse, c'est avec des yeux d'amour lavé que je la regarderai, et mon esprit n'aura en la voyant aucune lourde complaisance pour mon corps, mais verra tout à sa place, et désirera la beauté et le bien, et sera ébloui par son âme. [16]

Anne Hébert reproduira très fidèlement cette culpabilité surhumaine dans un François (*Le Torrent*), et surtout dans un Michel (*Les Chambres de bois*). Le premier se trouve face à sa mère, démesurément écrasante, dans une sorte d'allégorie du Québec; le second face à

---

14 Garneau, *Correspondance, op. cit.*, p. 963-964.

15 Garneau, *Journal, ibid.*, samedi (18) mai 1935, p. 357 (le signe [...], se rapportant aux œuvres de Garneau, indique une date incertaine).

16 *Ibid.*, ce dimanche, octobre 1935, p. 399.

une jeune épouse qu'il enferme dans la chasteté stérile et qu'il éloigne de lui en dressant des barricades, en l'isolant à perpétuité.

> Garneau livre la clé de ses hantises:
>
> Je suis épouvanté par le mal. [17]

Il est constamment préoccupé par la mort:

> ...avec la grande sérénité de la mort que j'aime sur les figures jusqu'à en être fasciné. [18]

De fait, Anne Hébert, fascinée, reproduira ce mimétisme «sur les figures» de la mort:

> L'immobile désir des gisants me tire (*tr.*, p. 60).
>
> Catherine faisait la morte. Tout le mal du monde se piquait en sa chair, comme si elle eût été envoûtée sur place (*C.*, p. 137).
>
> Que tu dépasses une certaine horreur et prennes sur ton beau visage le masque de la mort (*K.*, p. 187-188).
>
> Je feins le sommeil. J'imite à merveille une pierre plate et dure (*K.*, p. 204).
>
> Un sourire équivoque pareil à celui des morts (*K.*, p. 205).
>
> Un coup de peigne sur les cheveux crépelés qui auréolent une blême figure de morte (*K.*, p. 179).

et sans doute l'exemple le plus frappant de ce mimétisme constant:

> Une sorte de rituel entre nous. Chaque fois que nous sommes ensemble dans le bois de pins et qu'il fait encore trop clair pour... Nous jouons aux gisants de pierre. Nos deux corps étendus. Simulant la mort. L'étirement de la mort, sa longueur définitive. La rigidité de la mort, son insensibilité parfaite (*K.*, p. 151).

Les Enfants du sabbat, roman publié en 1975, perpétue encore ce curieux rituel:

> Philomène, pour la première fois, apprend à faire la morte... (*E.*, p. 116).
>
> Philomène est couchée sur le dos, toute seule dans le noir (*E.*, p. 110).

---

17 *Ibid.*

18 *Ibid.*, 1er octobre 1935, p. 383.

Nous n'allons pas suggérer qu'Anne Hébert fait la parodie des fétiches de Garneau, au moins pas consciemment. Il y a cependant plus que des coïncidences dans ces reproductions inlassablement reprises à plusieurs plans. La névrose du jeune penseur s'y trouve sous forme de portrait intime.

Garneau déclenche ce qui deviendra une autre obsession fondamentale des mâles angoissés dans les écrits de sa cousine lorsqu'il aspire à la sainteté:

> ...j'ai été éclairé étrangement sur la nécessité de la sainteté.[19]

Cette manie semble vraiment répugnante pour celle qui a dû souvent souhaiter l'opposé, comme Elisabeth dans *Kamouraska*, par lassitude ou par défi:

> La sainte barbarie instituée. Nous serons sauvés par elle (*K.*, p. 158).

A ce stade, la parodie est imminente. Au lieu de saints vigoureux, nous sommes en face de la variété blême, anémique et inquiétante. Dans *Le Torrent*, François est cruellement forcé vers une sainteté inspirée par la culpabilité de sa mère, analogie du supplice héréditaire attribuable aux traditions. Dans plusieurs autres œuvres, c'est, inversement, le souhait intime et impossible d'une galerie de jeunes ratés. Michel allume sa femme pour la délaisser:

> Catherine entre ses bras, désertée, devenait pareille à une jeune offrande sur la table de pierre (*C.*, p. 71).

Le libertinage de sa sœur Lia crucifie Michel, ou bien, se peut-il, le fascine:

> Il parla de la solitude de la ville pierreuse, du vent sur la place, de l'homme qui est sans gîte, ni recours, de la violence du sang chez les filles qui se damnent (*C.*, p. 63).
>
> La faute est entrée chez nous avec elle (*C.*, p. 60).

Il essaie de faire un transfert de la faute de Lia sur Catherine, comme Claudine voulait le faire avec François (*Le Torrent*):

> — C'est toi qui es mauvaise, Catherine, une salle fille, voilà ce que tu es, comme Lia, comme toutes les autres! (*C.*, p. 81).
>
> «Tu es le diable, Catherine, tu es le diable.» (*C.*, p. 76).

19 Garneau, *Journal*, *op. cit.*, ce mardi, 5 février 1935, p. 341.

Dans *Kamouraska*, le docteur Nelson fait son vœu de sainteté:

> Et moi, Elisabeth, j'ai juré d'être un saint. Je l'ai juré! Et je n'ai de ma vie éprouvé une telle rage, je crois (*K.*, p. 129).

au milieu des confidences effusives de l'adultère:

> Tu cherches mon corps dans l'obscurité. Tes paroles sont étranges. (...) Nous sommes nus, couchés ensemble, durant l'éternité. Tu chuchotes sur mon épaule (*K.*, p. 128-129).

Elisabeth n'entretient aucune illusion du genre:

> Je suis celle qui appelle George Nelson, dans la nuit. La voix du désir nous atteint, nous commande et nous ravage. Une seule chose est nécessaire. Nous perdre à jamais, tous les deux. L'un avec l'autre. L'un par l'autre. Moi-même étrangère et malfaisante (*K.*, p. 129).

L'orthodoxie simpliste de Nelson a l'air de l'ennuyer:

> Un jour tu me diras «tu», mon amour. Tu me raconteras que ta sœur Cathy est entrée chez les dames Ursulines, à l'âge de quinze ans. Tu évoqueras son nez aquilin et ses joues enfantines, criblées de son. Tu parleras aussi de ton frère Henry, jésuite, qui prêche des retraites convaincantes (*K.*, p. 128).

Il est prisonnier, ironiquement, d'une foi embrassée en famille:

> ...comme nous nous ressemblons, tous les trois, depuis qu'on nous a convertis au catholicisme, ma sœur, mon frère et moi... (*K.*, p. 128).

Cependant, l'héroïne de *Kamouraska* goûte, au sein de l'érotisme, le jumelage du mysticisme et de la mort:

> ...met sa tête sur mes genoux, dit que sa sœur est morte, à trois heures, ce matin, comme une impie, et qu'il faut doublement la pleurer (*K.*, p. 176).

Elle exerce sur le docteur Nelson un pouvoir diabolique qui le pousse vers les épanchements grotesques. C'est à l'assaut de cette sainteté perverse que se lance Elisabeth. Plus le docteur sombre dans les excès: adultère, exhibitionnisme, expérimentations sexuelles, manquement à un ancien camarade, ivresse de meurtre, carnage de sang, exil et reniement, plus cette femme redoutable et volontaire s'ingénie à le déposséder jusqu'au bout. Le livre offre un cas extrême de situation pivot dans les œuvres. Ce n'est pas essentiellement le dessein provocateur du romancier aux prises avec la sensibilité du lecteur, c'est aussi un désir profond et violent de la part de l'autre de régler en soi des comptes. François, Michel, le docteur Nelson et Joseph, le frère de Julie de la Trinité, sont accablés des mêmes désespérances:

> Joseph revient toujours à la bonté. Il a des larmes dans les yeux en parlant de la bonté. Il dit qu'il est né dans un monde mauvais. Seul autour de lui, sa sœur Julie, si elle avait bien voulu s'en donner la peine, aurait pu devenir tout à fait bonne et sainte,... (*E.*, p. 152)
>
> Il se promet d'être du côté des bons et jure d'entraîner sa sœur avec lui sur la route étroite (*Ibid.*).
>
> Le charme de Joseph est tel que, la corde au cou, Julie ne peut que se soumettre aux magies rivales prônées par son frère. (Ou feindre de s'y soumettre.) Devenir un ange avec lui. Pour lui. (Ou faire semblant de devenir un ange.) Se convertir. Chasser d'entre ses côtes le joyeux démon qui lui sert de cœur (*Ibid.*).
>
> Il jure que jamais il ne sera «initié», ni par Philomène, ni par moi, ni par aucune femme (*E.*, p. 153).

Tous ces pauvres garçons sont, on le voit, victimes de la recherche acharnée de la paix de la conscience, du soulagement de la culpabilité, et réduits à l'impuissance devant la menace d'Eve, incarnée par des femmes qui ne comprennent pas pourquoi on peut être vierge dans l'esprit et coupable dans le cœur? Femmes d'une insensibilité traîtresse et superbe. Elles ont la conscience de l'échec du mâle dans le contexte socio-culturel québécois, amertume qui éclate jusqu'à la dérision:

> Il (le docteur Painchaud) en vient à négliger toute pratique religieuse, ainsi que les amples jupes maternelles des bonnes sœurs, auprès desquelles, pendant si longtemps, il s'était réfugié ne trouvant pas chez les femmes de la ville de jupes aussi profondes et calmes pour s'y cacher, dans une douce odeur de lait sûr et d'encens fané. Toutes ces vierges-mères le protégeaient (comme un doux bataillon de saintes)... (*E.*, p. 133).
>
> Nous sommes liés par les promesses et les interdictions. (...) Nous sommes tenus par la crainte de l'enfer (*E.*, p. 119).

La présence de Garneau dans le même cadre d'images, vingt-quatre ans après «Le Tombeau...», continue donc dans *Les Enfants...*:

> Les morts m'apparaissent, ...
>
> J'appelle Joseph, au fond d'un puits vide, aux parois de pierre moussue, verte et rouillée. Dans le lointain, au plus creux de la terre, le ruissellement d'une source perdue. ...
>
> L'écho est terrible ici. Ma voix m'est aussitôt renvoyée, caverneuse et glacée (*E.*, p. 93).

comme si le temps avait gardé intacte l'amertume ou le désir entourant l'image du disparu. Le poème disait la même recherche:

> L'écho des pas s'y mange à mesure (*tr.*, p. 59).

Ainsi, le mimétisme de la mort représente l'obsession érotico-ritualiste des héroïnes, fruit de la sainteté à tout prix qui mine les jeunes hommes (sauf Antoine dont le rôle est accessoire puisqu'il sert à faire ressortir Nelson, l'alcool comme refuge au lieu de la sainteté, et le répugnant mari qui mérite la mort) dans les œuvres d'Anne Hébert. Les deux sexes se trouvent étrangement victimes de tabous différents. C'est alors la reprise incessante de deux personnages fondamentalement antagonistes, la jeune fille réfugiée dans le rêve, doublée de la femme, vengeresse, d'une part, et le jeune homme solitaire et tragique d'autre part. Nous croyons qu'il s'agit dans une large mesure de transpositions très fidèles du revirement de l'auteur et du cousin vu dans l'œuvre. Le paradoxe est la clé de ce monde fermé. A la recherche du disparu, Anne Hébert fait le procès lucide du Québec, parce que Garneau ressemble plus au Québec que n'importe quel autre écrivain canadien-français. Le milieu a tué le jeune poète dans la fleur de l'âge, mais la voix du poète a survécu en conférant une double identité à un autre poète dont la voix a surgi à la mort du premier. C'est ce dialogue extra-terrestre qui anime les paroxysmes de révolte, la double identité de la vie et de la mort confondues. Il n'y a aucun espoir de pénétrer dans cet univers clos, peut-être pour Anne Hébert elle-même, autrement que par des incidences de thèmes, d'images et de symboles, et surtout par le double, homme-femme, qui devient spontanément l'autre double en soi, deux dimensions ressemblantes, présences confondues, multiplicité hallucinogène de la personnalité. Nous voulons dire «pénétrer» dans le sens de violer les secrets en leur trouvant une formulation à toute épreuve. Il y a cependant l'évidence d'une démarche linéaire au fil de laquelle les mêmes personnages reviennent dans des situations analogues à la recherche des mêmes *clés du songe*. La question de possession et de présence dans l'absence suggère un tissu d'énigmes inépuisables et riches en surnaturalisme.

Si Anne Hébert a été sensiblement affectée par la proximité de son cousin, seul martyr canadien vraiment à nous, avant qu'il ne mourût, l'explosion de créativité qu'a provoquée cette mort, après octobre 1943, atteste encore davantage de la place énorme qu'occupait le jeune homme dans l'univers de sa voisine. C'est là que commence abruptement l'itinéraire ambivalent de la poursuite de l'image et du combat contre l'image. Il y a de quoi alimenter l'œuvre poétique et romanesque sous l'apparence d'un onirisme marqué au sceau du secret monologue poursuivi comme un dialogue, en doublures compliquées, en stratagèmes quelquefois excessivement mystificateurs, en confrontations formidables.

Ainsi, après cette date, Anne Hébert ordonne la démarche des deux œuvres, fusionnées pour ainsi dire par le silence et la parole. Garneau avait posé les questions, sa fidèle amie va revivre le chaos de ses angoisses sous forme de réponses. Les rôles sont soudain reversés. Lui devient un muet témoin brusquement au lieu d'être le figurant principal, tandis qu'elle, avec force, lui fera tantôt des noces et tantôt des funérailles. Leurs deux œuvres se prêtent à ce genre de renversement: «Sa douleureuse expérience humaine nous a été communiquée sans rémission. Son œuvre agit en nous et nous force à tout remettre en question»[20], dit-elle, en parlant de lui en 1960. Pagé écrit comme par inadvertance, en parlant de Catherine (*Les Chambres de bois*): «Parce qu'elle a voulu entrer dans le monde de mort de Michel, Catherine va vivre une profonde mort psychologique. (...) Dans cet état de mort apparente, Catherine rejoint Michel et c'est là son drame le plus secret»[21].

La poésie de Garneau semble se déverser dans celle d'Anne Hébert. La communauté des images est remarquable. C'est moins l'influence de celui-ci sur celle-là que le partage d'un même univers socio-culturel, d'une même enfance, d'un même milieu, ainsi que l'emprise de la présence réelle de l'un près de l'autre, dans l'intimité, dans la vie quotidienne. Nous l'avons dit, Garneau représente le Québec et Anne Hébert fait le procès du milieu par l'intermédiaire du poète disparu. Le lien entre les deux œuvres prend l'allure d'une collaboration secrète. Le seul choc à tout casser eût été celui d'un Garneau lisant *Les Enfants du sabbat*, mais Anne Hébert est absolument protégée contre une telle éventualité. Elle jouit de la liberté de jouer deux rôles et de l'énorme responsabilité de répondre pour les deux. Dans *Kamouraska*, Elisabeth vit aussi une double aventure

20 Pagé, *op. cit.*, p. 20.

21 *Ibid.*, p. 47 et 48.

intérieure. La voix narrative dans cette œuvre semble avoir pour but de retrouver toutes les voix, la multiplicité errante de celle qui ayant dit «je» assume aussitôt le rôle de spectateur: «on». «nous», «vous», «elle»:

La vraie vie est ailleurs... (*K.*, p. 133).

quelque part dans l'ombre.

L'œuvre poétique de Saint-Denys Garneau opère autant sur le plan mythique que sur celui de la réalité énoncée. Encore là, les deux poètes se rejoignent. Un roman comme *Kamouraska* emprunte largement, par exemple, la structure mythique et le style du poème. Anne Hébert est souvent un poète perdu dans le roman et Saint-Denys Garneau un philosophe à l'aise dans la poésie. Gilles Marcotte parle de mythe de Saint-Denys Garneau, d'une œuvre confession «de brûlante sincérité que semblait attendre une génération d'intellectuels forcée d'entreprendre la révision de ses valeurs»[22]. Il poursuit dans des termes qui pourraient aussi bien s'appliquer à Anne Hébert: «...elle (sa poésie) crée ses symboles au plus près du «je», et ne les modifie que sous la pression de l'événement intérieur. De là vient que cette poésie, d'une parfaite consistance dans l'imaginaire, est en même temps une histoire»[23]. Anne Hébert est plus profondément poète et Garneau est plus poignant, tragique, abordable. Sa sincérité, même si elle est quelquefois douteuse, va jusqu'à provoquer un émoi amplifié chez le lecteur, une sorte d'engagement affectif fort ressemblant à la prière.

Ce serait peine perdue de tenter de rapprocher exhaustivement les deux œuvres. La «présence de Saint-Denys Garneau dans les écrits d'Anne Hébert» est une question de partage d'un univers fermé. Elle est visible partout. Nulle part saisissable dans l'absolu, il est utile d'en souligner les multiples manifestations par un éventail d'exemples aussi complets que possible:

Mais laissez-moi traverser le torrent sur les roches[24].

Le mot «torrent» sert de titre au livre qui a suivi immédiatement la mort de Garneau, près d'un «torrent», et cette image demeure comme un leitmotiv de la destruction dans les écrits d'Anne Hébert:

...perfide comme l'eau des torrents (*K.*, p. 197)

22 Marcotte, *Le temps...*, *op. cit.*, p. 41.

23 *Ibid.*, p. 42.

24 Garneau, *Oeuvres*, *Regards...*, *op. cit.*, «C'est là sans appui», p. 9.

> ...par une mousse verte et limoleuse, comme celle qu'on voit sur les rochers, au milieu des torrents (*E.*, p. 10).

Dans «Le jeu», sorte d'art poétique, Garneau montre une image fabuleuse de l'eau, miroir de l'étoile, mais sur le plan symbolique, on dirait bien qu'il anticipe sa propre tragédie:

> Et l'étoile
> Qui se balançait sans prendre garde
> Au bout d'un fil trop ténu de lumière
> Tombe dans l'eau et fait des ronds[25]

L'eau figure comme symbole de la mort dans les écrits d'Anne Hébert:

> Déjà l'odeur bouge en des orages gonflés
> Suinte sous le pas des portes (*tr.*, p. 60)

> — Elle est si belle, cette femme, que je voudrais la noyer (*C.*, p. 93).

> Tu sais que Monsieur s'est noyé, l'autre semaine, dans un grand trou creusé dans la glace (*K.*, p. 140)?

> Un infime glissement de terrain, à l'origine, quelque part, dans un paysage noyé de pluie, entraînant éboulis, inondations, torrents qui se déchaînent. Un pan de monde connu cède et s'écroule (*K.*, p. 173).

> Le regard de Joseph s'attarde au loin, ressemble à ces cailloux du fond de la rivière, embués de liquide olive, et pourtant durs et opaques, gris (*E.*, p. 154).

et ce n'est là qu'un des liens périphériques. Ils nous intéressent surtout à cause de l'obsession de la mort de Garneau près de la rivière, sorte de retour obstiné faisant partie de la recherche du visage. Mais que serait-ce si nous nous avisions de relever la symbolique de l'oiseau, de la maison fermée, de la chambre, de la danse, de la solitude, de la mort, du silence, de la nuit, du vent, de la parole, des yeux, des os? Il y a de quoi faire une étude absolument superflue puisque ce lien est d'autant plus suspect qu'il est immédiatement visible. Garneau n'a pas écrit les poèmes d'Anne Hébert. Bien au contraire, la communauté des images fait partie de la fresque totale. En définitive c'est le Québec, avec son visage meurtri ainsi que ses ombres en noir, son mutisme, ses portes closes, qui est sous-jacent dans l'une et l'autre œuvre.

---

25 Garneau, *op. cit.*, «Le Jeu», p. 10.

Nous allons nous borner à reproduire quelques magnifiques vers de Garneau:[26]

La grande voix du vent
Toute une voix confuse au loin.[27]

Toutes paroles me deviennent intérieures
Et ma bouche se ferme comme un coffre qui contient des trésors
(...)
Incommunicables.[28]

Parmi toutes ces portes fermées.[29]

Vais-je mourir là pendu
Ou mourir un noyé fatigué de l'épave.[30]

Et me voilà dans une grande chambre vide.[31]

Mes mains ne vous embrassez pas
Ce soir que ma vie flue par tous mes pores
Ne vous embrassez pas dans le stérile embrassement
de vous-mêmes[32]

Rompu mes nerfs comme un câble de fil de fer[33]

Identité
Toujours rompue.[34]

Fleurs de feu dans le cœur.[35]

Mes paupières en se levant ont laissé vides mes yeux.[36]

Quand on est réduit à ses os
Assis sur ses os
Couché en ses os

---

26 Extraits des œuvres posthumes qui représentent l'expression la plus poussée de ce poète tragique en ce que ce sont les paroles mêmes de son silence littéraire.

27 Garneau, *Œuvres*, *op. cit.*, *Poèmes retrouvés*, «Voix du vent», p. 155.

28 *Ibid.*, «Voix du vent», p. 156.

29 *Ibid.*, («Parole sur ma lèvre»), p. 156.

30 *Ibid.*, «Glissement», p. 158 (Là mourir, rature p. 1096).

31 *Ibid.*, «Angoisse». p. 159.

32 *Ibid.*, «Mains», p. 159.

33 *Ibid.*, («C'est eux qui m'ont tué»), p. 163.

34 *Ibid.*, «Identité», p. 165.

35 «Ah, ce n'est pas la peine», p. 167.

36 («Mes paupières en se levant»), p. 168.

> Avec la nuit devant soi.[37]

que nous avons jugés importants par rapport à l'œuvre de sa cousine. La tentation d'élargir est grande. Des vers beaux et purs comme l'idéal impossible dans lequel le jeune homme a sombré. Seul un être ayant perdu toute espèce de sensibilité manquerait de voir en Garneau la voix de notre angoisse, le tournant de notre littérature se regardant pour la première fois avec des yeux de jeune mort.

Saint-Denys Garneau est une figure tellement unique et attachante. Les intellectuels québécois reconnaissent sa place indispensable au centre de notre activité culturelle. Son histoire est souvent fabuleuse:

> Je fus, dans mon enfance, assez chétif. J'avais trois ans et ma sœur quatre lorsque nous allâmes vivre à la campagne, au vieux manoir de Fossambault, qui avait été bâti par le seigneur Juchereau Duchesnay, grand-père de maman, de l'une des plus anciennes familles canadiennes-françaises.[38]

plus souvent encore empreinte d'un malaise collectif:

> Je vis parfois; parfois une communication de vie s'établit entre les êtres et moi, je sens que je suis leur frère. Mais c'est un fil si fragile qu'il casse tout à coup, et je me retrouve étranger à toutes choses, sans rien à apporter, ni rien à recevoir.[39]

et d'une sorte d'épouvante métaphysique:

> Est-ce que je vis l'enfer? est-ce que je suis possédé?[40]

Dans leur introduction aux *Œuvres*, Messieurs Jacques Brault et Benoît Lacroix notent: «Hector de Saint-Denys Garneau (1912-1943) n'a publié de son vivant qu'un seul livre, un mince recueil de poèmes, intitulé *Regards et jeux dans l'espace*»[41]. Ils prennent soin, dans l'*avertissement*, de faire remarquer que les textes recueillis, plus de 1000 pages, représentent encore les œuvres incomplètes[42]. Ils soulèvent aussi la question du silence: «On sait qu'après 1938, il ne voudra plus rien publier jusqu'à sa mort» (une note explicative souligne

---

37 *Ibid.*, («Quand on est réduit à ses os»), p. 173.

38 *Ibid.*, *Journal*, «Mon histoire», 4 oct. 1929, p. 323-324.

39 *Ibid.*, *Correspondance*, lettre à Yolande Leblanc, p. 963.

40 *Ibid.*, *Journal*, «Lundi soir... juin 1937», p. 504.

41 *Ibid.*, Introduction, p. xi.

42 *Ibid.*

«le dernier texte publié de son vivant, un essai de critique littéraire, a paru dans *l'Action nationale*, livraison de février 1938»). (...) En 1938, Saint-Denys Garneau est tenté de faire paraître de nouveaux poèmes. Mais il se ravise rapidement. Il ira jusqu'à renier ses poèmes, il s'accusera d'imposture envers la poésie. (...) Puis, selon toute apparence, c'est le mutisme. Saint-Denys Garneau venait d'avoir vingt-six ans»[43].

Anne Hébert a donc perdu à cause d'une tragédie un jeune «seigneur» qui habitait «un manoir» dans le monde fabuleux d'une enfance et d'une jeunesse partagées. Le jeune «seigneur» était doué d'une voix si autoritaire qu'il ordonnait la parole et le silence pour l'un et l'autre selon les critères et les humeurs de son génie macéré dans la mysticité et dans l'angoisse. Il mourut et quand sa voix s'éteignit, sa compagne se leva pour parler à son tour. Elle se lança à la poursuite du disparu comme dans les songes obstinés, comme dans les légendes alimentées de réel et d'imaginaire, de monstres et de victimes, de fées cruelles transformant le jeune homme infidèle en bête servile et son amie irritée en froide majesté dont la parole jadis de miel est désormais orageuse et terrible.

Le côté fabuleux est indissociable de Garneau, comme il l'est d'Anne Hébert. Une amitié si profonde chez des jeunes gens demeure toujours inviolable dans le psychisme, quelles que soient les distances, fût-ce celle imposée par la mort. Anne Hébert vit dans un monde fermé. Elle est d'autant plus susceptible de reproduire ce passé lumineux sous forme de rêve ou de cauchemar, sous forme de poésie, sous forme de recherche, de poursuite et de combat. L'œuvre raconte sur le plan mythique ce que l'auteur n'a pas besoin de traduire pour soi en discours ordinaire. Bien plus, ce que la séquestration volontaire de la femme protège dans le secret, conscient ou non, se trouve catapulté par l'acte créateur avec une constance et une acuité qui doivent beaucoup sans doute à cet univers clos qui a besoin de surgir.

Nous avons jusqu'à présent cité plusieurs passages tirés surtout des romans. Ils ont le plus souvent illustré le combat contre la permanence de l'image de Garneau, la révolte contre l'homme meurtri par ses propres tabous, la revanche de la femme contre une société de martyrs impuissants, la libération enfin de la parole longtemps retenue par la domination écrasante d'un jeune homme aux multiples talents précoces, doué d'un sens critique sans doute impressionnant pour son entourage. Nous allons maintenant clore ce chapitre en tâchant de

---

43 *Ibid.*

montrer, immédiatement après la mort de Garneau et sur les dix années qui ont suivi, ce qu'a été la poursuite de l'image du jeune homme dans les poèmes du recueil intitulé *Le Tombeau des rois*. Le titre même ressemble à une allusion discrète à cette recherche de la rencontre impossible. Ce voyage mythique trouve son expression la plus formidable dans la dernière pièce du recueil, portant justement comme titre «Le Tombeau des rois». Garneau y figure, semble-t-il, d'une façon étrange parmi les autres mythes enfermés sous le décor à la fois morbide et grandiose. Mais nous sommes bien loin de la communication directe. C'est d'un Garneau transfiguré par l'œuvre dont il s'agit.

Encore une fois, il n'est pas de notre ressort de nous substituer au lecteur en voulant tout citer. Il s'agit de faire le point seulement en puisant assez arbitrairement dans le recueil et dans le poème. Commençons par «La fille maigre», soudain arrachée à sa révolte:

> Espace comblé,
> Quel est soudain en toi cet hôte sans fièvre?
>
> Tu marches
> Tu remues;
> Chacun de tes gestes
> Pare d'effroi la mort enclose.
>
> Je reçois ton tremblement
> comme un don (*TR*., p. 33-34).

L'amant qu'elle voulait détruire se trouve en elle juste au moment où elle menaçait de se pendre: «hôte sans fièvre».

Au fil des poèmes, l'hallucination prend forme d'obsession. La pièce suivante, «En guise de fête», propose un lien permanent de communication avec l'au-delà:

> Les morts me visitent
> Le monde est en ordre
> (...)
>
> Les morts m'ennuient
> Les vivants me tuent (*TR*., p. 36).

Les deux derniers vers cités opposent «m'ennuient», par rapport aux morts (m'agacent ou sont toujours à ma poursuite), à «me tuent» par rapport aux vivants (me sont insupportables, me poussent vers la mort). Toujours selon le classement des poèmes dans le recueil, «Un mur à peine», souligne l'origine mystérieuse de ce mariage nocturne:

> O liens durs
> Que j'ai noués
> En je ne sais en quelle nuit secrète avec la mort! (*TR*., p. 37).

Dans le poème suivant, «La chambre fermée» (Garneau avait écrit «La maison fermée», pièce où figure une «chambre fermée»), il est question d'un cérémonial secret à la fois présent et absent dans une attente déjà comblée:

> Ma chair s'étonne et s'épuise
> Sans cet hôte coutumier
> Entre ses côtes déraciné.

Notons que «déraciné» au singulier indique qu'il s'agit de l'«hôte», le même que dans «La fille maigre» (voir plus haut), arraché par la mort à sa forme vivante. On lit plus loin:

> O doux corps qui dort
> Le lit de bois te contient

et à la fin:

> Tristes époux tranchés et perdus (*TR*., p. 40-41).

La pièce qui vient immédiatement après, «La chambre de bois», reduit l'espace:

> Je me promène
> Dans une armoire secrète (...) (*TR*., p. 42).

Et, toujours dans l'ordre chronologique, «De plus en plus étroit» mentionne:

> Sa lente froide respiration immobile (*TR*., p. 44)

au dernier vers, et «Retourne sur tes pas» se termine par:

> O ma vie têtue sous la pierre! (*TR*., p. 46).

Nous sautons deux poèmes. «Il y a certainement quelqu'un» révèle l'incertitude du narrateur au sujet de l'identité de l'être qui prend chez elle la forme d'une présence quelquefois tactile:

> A oublié de me coucher
> M'a laissée debout
> Toute liée

Sur le chemin
Le cœur dans son coffret ancien
Les prunelles pareilles
A leur pure image d'eau (*TR*., p. 51).

Et, tournant les pages sur cinq autres poèmes, nous arrivons à la dernière pièce, «Le Tombeau des rois»:

Et la main sèche qui cherche le cœur pour le rompre (*tr*., p. 61).

Ce vers bouleversant se trouve parmi tant d'autres ayant une portée immédiate en ce qui concerne une présence dans l'absence. Nous nous en tiendrons, pour le moment, à ces passages cités, puisque nous allons plus loin reparler du recueil et faire une analyse très poussée du «Tombeau des rois».

Nous venons d'examiner brièvement à quel point plusieurs poèmes sondent les profondeurs, à la recherche de quelqu'un qui n'est plus là en chair et en os, mais dont la présence immanente devient une sorte d'envoûtement (mot fréquent dans les écrits d'Anne Hébert), clé des songes, un des doubles au centre de l'activité créatrice. A compter du revirement dans l'œuvre vers 1944, soit de la «rupture» avec une existence déterminée par le milieu et par les autres (*Les Songes en équilibre*), Garneau ayant joué pendant cette époque révolue un des rôles déterminants, un phénomène de transfert laisse percer, dans les œuvres de l'effacement, sous forme de mythe, des marques indissociables de l'écriture à cause de la continuité du fait psychique. Ces transferts sont quelquefois incorporés à une intention bien explicitée par l'auteur comme en témoigne le prochain chapitre. Le passage de la «solitude» à la «solitude rompue» marque, en effet, un transfert, ou renversement de valeurs, parfaitement compréhensible sur le plan de la logique. C'est la contestation du premier recueil dans le reste de l'œuvre.

Anne Hébert n'hésite aucunement à admettre qu'il y ait eu influence de Garneau «il y a longtemps»[44] (c'est ce qu'elle répondit quand je lui posai la question en 1975), mais elle semble surprise d'entendre suggérer la possibilité d'un transfert purement psychologique partiellement visible dans l'œuvre. Cependant elle devient songeuse et ne proteste pas. L'idée même a l'air de l'intéresser comme phénomène auquel elle est étrangère, aussi étrangère probablement que le lecteur. Il n'est pas alors question d'inclure Garneau parmi les

---

44 Après un dîner au *Provençal*, à Toronto, en présence de plusieurs personnes. A Paris, lors d'un dîner-interview en l'été 1976, Madame Hébert n'a rien ajouté à ce sujet.

révélations d'ordre biographique. L'auteur se désiste, faute d'y avoir jamais pensé. Quant à son cousin, on ne peut espérer l'interroger ou le blâmer d'incursions nocturnes dans l'œuvre de sa cousine, lui qui semble s'être largement désintéressé de l'une et de l'autre de son vivant.

Pourtant, sans explication susceptible de satisfaire personne de façon concluante puisqu'il revient à chacun d'interroger l'œuvre qui fait foi, il demeure que la vie de l'auteur a l'air de tendre de toutes ses forces vers une autre dimension, vers les ténèbres, immédiatement après la mort de Garneau, sous forme de choc d'abord (*Le Tombeau des rois*) combinant hallucination, obsession et même phantasmes, et par la suite sous l'aspect du mythe qui en découle et se perpétue dans les écrits. C'est le passage de circonstances exceptionnelles interrompues par une tragédie et se fondant dans l'immatérialité, là où se trouve désormais l'existence soumise à l'écriture plutôt qu'à une histoire épisodique. «Je crois que j'ai choisi profondément d'être écrivain»[45] disait Anne Hébert en 1963.

La mort de Garneau marque les débuts véritables de l'œuvre d'Anne Hébert. La poursuite de l'image et le combat contre l'image du disparu sont à la base de ce tournant mystérieux. Ce n'est pas l'éloge d'un grand malheur qu'il faut déceler ici, mais la puissance du tragique, son action de choc sur le psychisme débordant dans l'écriture pour raconter sans relâche sous forme d'épopée onirique la mort et le refus de la mort d'un jeune seigneur québécois, écrivain et penseur.

«La solitude rompue», sujet du prochain chapitre, marque le refus et la révolte libératrice au lieu de la fuite dans le pathos à la suite de cette tragédie. C'est une réaction profonde tendue vers la parole plutôt que vers la mélancolie. Garneau est comme le tremplin d'une prise de conscience du destin inaliénable de l'artiste qui se doit de vivre, quitte à le faire doublement, sa propre aventure et celle d'un autre s'il le faut, à l'encontre des conventions et, oserons-nous ajouter, *à l'insu de soi.*

Cette même solitude qui a, au dire des amis de Garneau et de la critique de son œuvre, détruit le jeune homme, a pris chez Anne Hébert la forme d'une volonté de puissance.

---

45 In *Châtelaine*, avril 1963.

La «solitude rompue»[1]

«Je songe à la désolation de l'hiver seul
Dans une maison fermée.»
(Saint-Denys Garneau, «Maison fermée»)

La solitude est une source négative d'énergie, un terme abstrait, ambivalent et indéfinissable. C'est l'éternel romantisme fondamental. Après la publication des *Songes en équilibre* (1942), recueil conforme à cette mélancolie subjective et institutionnalisée, Anne Hébert se ravise et fait éclater le mythe de la solitude par toutes ses œuvres. Nous partons alors d'un mal collectif égrené gracieusement d'une pièce à l'autre: «...partie liée avec la vie du poète...»[2], pour passer sans transition à la «solitude rompue», soit au *déséquilibre* provoqué dans «les Songes...». A cause de cette coupure par rapport aux écrits subséquents, la première œuvre marque une distanciation.

Plus tard, la «maison fermée», image constante partagée avec Garneau, sorte d'espace analogique du psychisme québécois et cercle-prison, sera soumise à l'étau analytique d'une contraction progressive. «La chambre fermée» (*TR*., p. 39-41) précise: «Qui donc a dessiné la chambre? / Dans quel instant calme / A-t-on imaginé le plafond bas / ...»; «Un mur à peine» (*TR*., p. 37-38) montre le cercle: «Un mur à peine / Un signe de mur / Posé en couronne / Autour de moi»; «La chambre de bois» (*TR*., p. 42-43) fait figurer encore le cercle: «Chambre fermée / Coffre clair où s'enroule mon enfance / Comme un collier désenfilé»; «De plus en plus étroit» (*TR*., p. 44), encore la

---

1 Hébert, Anne. *Poèmes*, «Poésie, solitude rompue». Paris, Seuil, 1960, p. 65-71 (texte d'une conférence de l'auteur sur la poésie).

2 *Ibid*., p. 67.

menace du mur: «N'a que juste l'espace / Entre cette femme de dos et le mur / Pour maudire ses veines figées à mesure qu'il respire / Sa lente froide respiration immobile.»; enfin «Le Tombeau des rois» (*tr.*, p. 59), pose la question fondamentale: «(En quel songe / Cette enfant fut-elle liée par la cheville / Pareille à une esclave fascinée?)». Cette contraction de l'espace connaît son ultime aboutissement dans la cellule dans laquelle sœur Julie de la Trinité, nourrie de rêves diaboliques, est secouée d'un rire dément.

Cet enfer de claustration provoquera l'obsession du plein air et de la lumière. Les écrits successifs émaneront d'une sorte de nuit, d'un cloître pour vampire: «Et l'aventure singulière qui commence dans les ténèbres...» (*Ps.*, p. 67), «...parole confuse qui s'ébauche dans la nuit, tout cela appelle le jour et la lumière.» (*Ps.*, p. 71), «Poésie, solitude rompue» propose ensuite une conclusion mystique: «Je crois à la solitude rompue comme du pain par la poésie (*Ibid.*)». Ce texte sert plus ou moins de préface au recueil *Mystère de la parole* (*M.*, p. 73-105), qui le suit immédiatement et où figurent des pièces montrant l'avènement du jour nouveau et de la lumière. Prenons, par exemple, «Naissance du pain» (*M.*, p. 76-79): «Si d'aventure le vent se levait, si de ferveur notre / âme se donnait toute, avec sa nuit chargée de racines / et rouée par le jour?» (*M.*, p. 78), (...) «Et nous allons dormir, créatures lourdes, marquées / de fêtes et d'ivresse que l'aube surprend, tout debout / en travers du monde» (*M.*, p. 79). L'objectif du poète est évidemment de rompre l'emprise des ténèbres après être descendu au plus noir de la nuit, après la plongée, pour ainsi dire, vers les profondeurs du jour. Le poème «Le Tombeau des rois», dernière pièce du recueil portant le même titre, se termine et ferme la descente par le début de ce jour nouveau et inattendu: «Quel reflet d'aube s'égare ici? / D'où vient donc que cet oiseau frémit / Et tourne vers le matin / Ses prunelles crevées?» Il y a une dialectique de la lumière dans les œuvres qui ont suivi *Les Songes en équilibre*. Il faut aller au bout de sa nuit pour atteindre à la «solitude rompue».

Les espaces sont donc réduits au plafond bas, au mur circulaire effleurant le dos de la proie, à la cellule du rire dément; de même la nuit se creuse comme un trou perpendiculaire; la descente en soi force l'avènement de la libération et de la lumière. C'est la riposte d'un grand écrivain contre une des conventions fondamentales de notre littérature et de notre milieu. Gilles Marcotte explique: «La solitude, l'isolement, qu'est-ce à dire? (...) «Ils», «on», «eux»: c'est la société globale qui est accusée. La solitude, l'isolement, pour ces poètes, n'est pas d'abord un choix, mais une condition subie, imposée: non seulement la séparation, mais l'exclusion. Et ce malheur ne relève pas de considérations psychologiques particulières, individuelles. L'exil géographique d'Alain Grandbois et l'exil intérieur de Saint-Denys Garneau figurent le divorce radical qu'éprouve le poète entre son langage et celui de la société à laquelle il appartient. Sans doute un tel divorce est-il un des lieux communs de la poésie occidentale depuis le romantisme, c'est-à-dire depuis que le poète a pris conscience de son individualité...»[3]. Justement, Anne Hébert émerge de cette contagion du pathos parce qu'elle la dépasse et la nie en toute lucidité au lieu de s'en servir comme drogue: «...une taupe aveugle creusant sa galerie vers la lumière» (*C.*, p. 179), dit Catherine, à la fin des *Chambres de bois*; «S'ébrouer bien vite dans la lumière. (...) Le salut consiste à ne pas manquer sa sortie au grand jour...» (*K.*, p. 23), enchaîne Elisabeth dans *Kamouraska*; «Le ciel haut est plein d'étoiles. La neige fraîchement tombée a des reflets bleus. Une paix extraordinaire» (*E.*, p. 187), conclut sœur Julie, après s'être évadée du couvent à la fin des *Enfants du sabbat*. Toutes ces héroïnes viennent d'explorer les confins du noir et de parcourir les labyrinthes mystiques de la solitude.

Née près de l'enceinte où Saint-Denys Garneau, pontife de la solitude, se trouvait aux prises avec le silence farouche et la parole presque éteinte, Anne Hébert n'a pas acquis au hasard son affranchissement. Toutes les influences semblaient contribuer à perpétuer l'atmosphère visible dans *Les Songes en équilibre*. Garneau lui-même souhaitait pourtant, dans son *Journal*, l'avènement de l'écrivain libérateur:

> Tout mouvement vers soi est stérile. Et surtout je crois pour un peuple. Un peuple se fait en agissant, en créant, c'est-à-dire en communiquant. Depuis le temps qu'on attend le créateur, le poète, qui donnera au peuple canadien-français son image. Il viendra à son heure sans doute quand la substance du peuple sera assez forte et réelle, et assez unique, différenciée de tout autre pour inspirer d'une façon puissante le génie attendu. Car le génie n'est pas le produit du peuple. Toutefois il participe à sa culture, son ambiance, et étant plus proche de ce peuple, c'est lui qu'il verra le mieux et pourra le mieux rendre. (...) Quant à une façon de concevoir canadienne-française, je ne vois rien encore dans ce sens... (...) Il appartiendra donc à ce créateur

3 Marcotte, Gilles. *Le Temps des poètes*, *op. cit.*, p. 38.

de présenter au peuple son visage reconnaissable et idéal. Cela l'aidera sans doute à prendre conscience de soi, à exister.[4]

Mais le jeune penseur ressentait davantage son aliénation en constatant l'absence de voix régénératrices autour de lui. Ce vide se trouve à la source du sentiment «d'exclusion» dont parlait plus haut Gilles Marcotte. On aurait tort de le minimiser. C'est plutôt y échapper qui devient mystérieux.

La solitude ancrée en permanence au centre de l'activité cérébrale se transforme en un sentiment de supériorité. Saint-Denys Garneau a éprouvé, vécu et analysé ce paradoxe. Seul un être d'exception peut atteindre aux plus hauts sommets de l'exclusivité par un mal intérieur indissociable de la pensée. Le combat entre le silence et la parole a beau être âpre chez nous, celui entre la solitude et l'appartenance au monde l'est encore bien plus. C'est une névrose fabriquée sur mesure qui enrichit pour ainsi dire la muse en lui apportant au départ une sorte de «mal du siècle» québécois.

Une fois emporté par ce courant de fond, l'idéal est de prouver que cette situation est sans issue. Dès lors l'agrément de s'entretenir dans la mélancolie farouche donne naissance à des sursauts d'euphorie créatrice. Le martyr se dévore dans la caverne de son mal. Il ne peut, comme l'a suggéré Garneau, dans l'extrait de son *Journal*, le partager avec le peuple «car le génie n'est pas le produit du peuple», ou avec une voix messianique «rien encore dans ce sens» n'étant visible. Il s'agit de remuer le sable du désert d'une main hostile à l'existence en général. Le poète veut répéter au monde entier son état de prisonnier.

L'écriture québécoise, c'est donc le pathos admirablement infusé dans les œuvres d'une élite fière de sa qualité d'esclave de l'histoire, isolée dans l'étendue d'une géographie lamentablement démesurée et incohérente. L'important est d'abord de ne pas s'identifier avec la masse. Une créature unique et perversement lucide, capable de souffrir, se retrouve échouée sur un continent dont l'immensité ne peut satisfaire ni son imagination ni son orgueil. Il n'accorde aucun prestige au fait que le soleil se couche trois heures plus tard au royaume des totems, en Colombie-Britanique. C'est au contraire un élément qui confirme sa solitude. De plus, il a du mal à savoir quelle est son identité. Ni Français, ni Américain, il habite un

4 Saint-Denys Garneau, Hector de. *Oeuvres*, *Journal* texte établi, annoté et présenté par Jacques Brault et Benoît Lacroix. Montréal, Les Presses de l'Université de Montréal, 1971, p. 551.

Québec récalcitrant et sans tradition artistique (ceux qui connaissent le succès s'en vont ailleurs), dans un Canada divisé et subdivisé par un régionalisme angoissant. Il cherche en vain à définir ce qui le distingue des autres. L'identité est pour lui une source de confusion. Il s'en sert pour exacerber sa mauvaise humeur.

Bientôt, armé de tous ses griefs en guise de philosophie, il se crée une mystique de la solitude. Il entretient, à juste titre, un sentiment aigu du profond chaos culturel et linguistique qui le cerne. Il en sent la menace et la contagion dans ses propres œuvres. Pestiféré unique, il puise son inspiration dans cette condition qui lui fournit à priori l'avantage d'exhiber une plaie énorme comme moyen d'entretenir sa muse et d'attirer l'attention. Depuis peu, la politique y entre pour beaucoup. Mais la littérature contestataire relève d'une identité négative, autre source de désarroi magnifié.

La littérature canadienne d'expression française a ainsi établi très tôt ses conventions, largement basées sur les récriminations d'une élite baignant dans un romantisme au sein duquel la ferveur et les thèmes étaient plus ou moins héréditaires. Pour faire partie du Club, il fallait avant tout être affecté d'une névrose typique et la cultiver en laissant échapper des plaintes sagement orthodoxes.

Anne Hébert a assisté et elle a même participé de près au martyre et à la mort d'Hector de Saint-Denys Garneau. L'ironie veut qu'il soit disparu avec *Les Songes en équilibre,* œuvre plus ou moins dédiée à la solitude, comme portrait poétique de sa cousine, elle qui était sur le point de révéler «le génie attendu» dans le passage du *Journal*. Mais comme il devait être effrayant à voir et à entendre pour la confidente qui avait l'air d'attendre religieusement qu'il sombrât dans l'abîme pour «rompre» avec la solitude, Moloch québécois, qui devait emporter Garneau dans la fleur de l'âge. Ses silences prolongés, sa mystique de l'écriture, son aspiration tendue vers la sainteté, tout concordait à faire de Garneau le stéréotype de celui pour qui la solitude était devenue une drogue, une condition d'échec supérieur, une maîtresse palpable. Tous les héros d'Anne Hébert semblent être modelés sur ce stéréotype: «Mon pauvre amour, je ne saurai sans doute jamais comment t'expliquer qu'au-delà de toute sainteté règne l'innocence astucieuse et cruelle des bêtes et des fous» (*K.*, p. 173).

Le «mal du siècle québécois» est donc la marque d'un esprit supérieur malgré les désavantages qu'il confère à celui qui en est affecté. Liée à un cousin comme Garneau, Anne Hébert a-t-elle fait éclater le mythe de la solitude parce qu'elle a joui des confidences du maître solitaire à un âge encore tendre où la plupart des contemporains fuyaient les livres et les idées au lieu de grandir sous la tutelle du plus grand écrivain de l'époque? Nous avons déjà étudié dans le premier chapitre ce que nous appelons *la présence de Garneau dans l'œuvre* d'Anne Hébert. A-t-elle voulu venger la mort du jeune homme, combattant l'attrait du vide qui l'a emporté, comme François sera hanté par le torrent (*T.*)? Comment se libère-t-on d'une condition aguichante pour l'artiste parce qu'elle propose des conventions quasi essentielles pour atteindre le lecteur sensibilisé à un pathos d'orphelin auquel il tient peut-être? Le séjour prolongé en France n'est pas la réponse. «Le Tombeau des rois», poème qui retrace notre mythologie de la solitude pour nous en affranchir, est antérieur à cet exil volontaire. Enfin, la réponse semble être liée au génie d'Anne Hébert, à l'écrivain que souhaitait Garneau.

Pour un Québécois, se libérer vraiment de la solitude est, dans le contexte socio-historique et culturel, un défi impossible à relever. Il reste à voir si Anne Hébert a aspiré vers cette libération ou si elle a, de fait, atteint à «la solitude rompue». Nous serions plutôt portés à penser que le lecteur est libéré par le poète. «Il appartiendra donc à ce créateur de présenter au peuple son visage reconnaissable et idéal. Cela l'aidera sans doute à prendre conscience de soi, à exister», comme le souhaitait Garneau. Le poète, lui, est lié à l'écriture qui lui fournit une double vie: «Pour voir. Inutile de se leurrer, un jour il y aura coïncidence entre la réalité et son double imaginaire» (*K.*, p. 23). Mais on peut se libérer considérablement en faisant appel à une insensibilité intentionnelle afin de l'opposer au pathos, son antithèse. C'est, semble-t-il, dans ce sens qu'évolue l'œuvre d'Anne Hébert. Des femelles de plus en plus coriaces se partagent les divers écrits. Leur révolte est méthodique, au-delà de toute culpabilité, sauvagement calme. On dirait que l'homme a sombré dans sa drogue d'aliénation et que la femme va l'en racheter en exerçant contre lui une puissance aveugle et diabolique: «les hommes de ce pays étaient frustes et mauvais» (*C.*, p. 36). «Eve», dans *Mystère de la parole*, attaque de front le compagnon incomplet: «Vois tes fils et tes époux pourrissent pêle-mêle entre / tes cuisses, sous une malédiction» (*M.*, p. 101). Des femmes enfin qui veulent sauver le monde par l'infamie. L'auteur ne cherchera jamais plus le calme du conformisme après le premier recueil.

Ce premier recueil mérite un bref examen. Il est issu de la solitude sucrée, des arbres, des feuilles, des oiseaux, des prières et des gouttes de pluie du Bon Dieu, tout «ce bataclan obscène» (*E.*, p. 72), qui va se transformer abruptement en violence, en agression, en révolte et en audace. Heureusement que nous disposons de l'œuvre impossible, *Les Songes en équilibre*, de l'œuvre ingénue, aérée de soupirs verlainiens pour nous guider de «la solitude à la solitude rompue». C'est l'écho des belles familles de la ville de Québec, allant, l'été, au lac Saint-Joseph s'approvisionner de vent, de coups de tonnerre et de discussions sépulcrales mouillées d'alcool et d'inquiétudes sur le temps qu'il fait et fera. Ce livre nous offre alors une justification du futur *déséquilibre* provoqué, de la cruelle lucidité qui remplacera brusquement la résignation typique de notre peuple.

C'est le livre impossible à cause du phénomène de distanciation qui le coupe absolument des autres œuvres. La courbe partant de ce recueil plonge immédiatement vers un autre univers. La téméraire Elisabeth (*Kamouraska*), et l'effrontée sœur Julie (*Les Enfants du sabbat*), sont entièrement irréconciliables avec n'importe quelle pièce du premier livre.

Que de chemin parcouru par Anne Hébert depuis son début conventionnel, sous la double tutelle des mythes consacrés et de son cousin et ami Saint-Denys Garneau! C'était d'abord systématiquement l'écrivain aux prises avec les conventions. Ce sera ensuite le procès longtemps remis d'un des obstacles au libre épanouissement de notre littérature: «Notre pays est à l'âge des premiers jours du monde. La vie ici est à découvrir et à nommer» (*Ps.*, p. 71) expliquera plus tard l'auteur dans «Poésie, solitude rompue». Donc, les poèmes de ce recueil sont généralement doucereux, à l'encontre de l'agression terrible et évidente dans les autres œuvres. La volupté n'y entre guère, autre dimension générique des écrits subséquents. Ce sont des pièces belles et bien rangées. Il gronde bien ici et là un désespoir humecté de larmes, mais c'est la prière contagieuse, la vénération de saintes reliques du mystique québécois d'un «mal du siècle». C'est le soupir et non le râle, et il est rendu lyrique par les sons et images de la nature, par les effusions de la demoiselle sans fringale ni curiosité pour les choses de l'esprit ou des sens; enfin par la résignation à la chambre de malade où l'auteur a eu le loisir de songer au bonheur et à la vie. Il y a des poupées, des fées, toute la pureté virginale de la jeune fille telle que décrite par les prédicateurs québécois de cette époque. C'est la première et dernière mélopée que dédiera l'auteur à son enfance cernée par le mur des interdictions. L'œuvre impossible devient, en fonction de ce qui suivra, le passage de la solitude à celui de la solitude rompue[5]. C'est une poétique assez compliquée[6].

Pour être sincère et pour donner un sens à son itinéraire, il fallait commencer par la résignation. La révolte précoce ressemble souvent à la résignation déguisée. C'est dans la sérénité rongée par la monotonie, par la fausse allégresse d'une enfance «normale» que l'auteur a puisé sa première ferveur. Elle s'est vite transformée en une caricature de notre romantisme obstiné. Notons pourtant qu'il restera des *Songes en équilibre* tout le côté grandiose et somptueux: rois, faucons, seigneurs, pharaons, chevaliers courtois, rêves de mutations fabuleuses. Mais l'ironie perce souvent: «Elle désira donner asile au rêve et devint lointaine, pleine de défi et de mystère comme celle que flaire un prince barbare et charmant» (*C*., p. 37) ou encore: «Les trois petites Lanouette s'abîment dans un rêve fou, non dépourvu d'angoisse. Comme si elles devaient elles-mêmes s'engager incessament dans une mutation charnelle, extravagante et libertine» (*K*., p. 60). *Le Torrent* doit être exclu des féeries et, quant aux *Enfants du sabbat*, œuvre essentiellement comique, «la cabane» remplace le manoir, et Léo Z. Flageole, l'aumônier, remplace le «seigneur». C'est plus le fond que la surface qui change. En effet, la première œuvre n'atteint pas vraiment le fond. La solitude vécue se doit de demeurer vague comme le sont les effusions obligatoires, essentiellement un refus de soumettre à la critique lucide un certain état entretenu par la névrose du vide.

Ainsi, Saint-Denys Garneau écrivait ses «Notes sur le nationalisme» à portée de voix de sa cousine, jeune femme emprisonnée dans

---

5 Robert, Guy. *La Poétique du songe*: introduction à l'œuvre d'Anne Hébert. Montréal A.G.E.U.M. Cahiers, no 4, 1962: voir le chapitre intitulé «De la solitude à la solitude rompue». Ce titre, emprunté à «Poésie, solitude rompue», laisse entrevoir quelque chose de clairvoyant. Loin de là, sous les apparences fausses d'une érudition impeccable, M. Robert présente une coquille fort décevante. Le chapitre en question compte treize pages dont 89 passages cités, soit 142 lignes de texte et 276 de citations. De plus, les thèmes du témoin, du chat, de la main, de la chambre et de la solitude y sont traités. Les deux derniers de ces thèmes le sont conjointement: «nous pouvons suivre les deux thèmes parallèles de la chambre et de la solitude, ...» (p. 100) affirme l'auteur. Voilà notre chapitre coupé en deux. Il reste sept pages contenant 58 passages cités, soit 42 lignes de texte et 191 de citations. Si nous allégeons ces 42 lignes des références à des titres et du galimatias des ponts et soudures de citations, nous pouvons dire sans exagération que le texte se trouve réduit à presque rien. C'est de la solitude par imitation. De plus, l'auteur passe des *Chambres de bois* au *Torrent*, puis il revient aux *Chambres de bois*, comme pour parler en cercle. Nous trouvons, à la fin de six citations consécutives, en chapelet, sans intervalle explicatif, deux passages tirés du «Tombeau des rois», les citations no 35 et 36, sans aucune mention du recueil dans le corpus frugal du texte. Ce genre d'éclaircissement n'est pas rare quand il s'agit des œuvres d'Anne Hébert.

6 Wyczynski, Paul. *Poésie et symbole*. Montréal, Librairie Déom, 1965, p. 151: «L'univers poétique d'Anne Hébert n'a été jusqu'ici l'objet d'aucune étude d'envergure». En dépit de thèses de doctorat et d'essais de toutes sortes depuis cette date, la situation demeure assez semblable. Anne Hébert s'est renouvelée plus vite et plus souvent que nos autres écrivains, même les meilleurs. C'est cette faculté de renouvellement qui fait d'elle un très grand écrivain et qui déroute en même temps la critique. Il faut arriver à une vision globale de sa démarche. *Les Songes en équilibre*, c'est l'ancre dans la mer étale de ce que fut et est encore notre peuple dans son conformisme farouche bien que déguisé à la surface.

les feuillages, dans les songes, dans les paysages d'eau et de pluie. Elle voulait à cette époque-là cultiver sa solitude:

> Le sable est blanc
> Et la mer d'émeraude.
> L'ombre court sur la mer,
> Comme la couleur;
> Alors la mer se raye
> De bleu et de violet (*S*., p. 48).
> («Tableau de grève»)

ou encore

> L'eau aux reflets de caillou,
> Sombres fonds rougeâtres
> des rivières,
> Leurre du bleu dedans
> Se penche,
> Et, lorsqu'on est tout près
> Noir de caillou,
> Tranquille remous
> de l'eau épaisse (*S*., p. 54).
> («L'Eau»)

Elle y réussira assez longtemps, grâce à la consigne du milieu qui n'invitait guère à l'approche contestataire. Il en ressortira un aimable recueil habilement faux, souplement triste. La solitude y prend quelquefois une tonalité tragique:

> Cette main d'enfant,
> Cette main de femme.
> (...)
> Ah! qui me rendra
> Mes deux mains unies?
> Et le rivage
> Qu'on touche
> Des deux mains,
> Dans le même appareillage,
> Ayant en cours de route
> Eparpillé toutes ces mains inutiles... (*S*., p. 15-16)
> («Les deux mains»)

Cette aliénation symbolisée par les deux mains serait fort réussie si la description du jeu de ces mains était rendue de façon moins superficielle.

A la campagne, dans une maison de bois, dans une chambre de bois, le poète se résigne à l'épreuve physique:

...qu'une
Qui ne danse plus,
Puisqu'elle est couchée (*S.*, p. 11-14).
(«Jour de juin»)

Et je suis restée seule
Avec un grand Christ
Entre les bras (*S.*, p. 80).
(«Mort»)

Et le bois de cette chambre (*S.*, p. 24)
(«Sous la pluie»)

Sept poèmes au moins parlent de l'enfant qui veut absolument survivre avec le charme de ses fées:

Les fées, les lutins (*S.*, p. 45)
(«Le Miroir»)

Mes fées sont venues
Me dire adieu.
(...)
Mes fées m'ont quitté (*S.*, p. 79-80
(«Mort»)

Or cette enfant trouvant refuge dans la féerie demeurera présente dans toutes les œuvres. Elle deviendra le miroir dans lequel le double adulte s'interroge déjà:

Une image me regarde.
Quelle est cette femme
Que je regarde
Et qui me regarde?
Quelle est cette image
Que je regarde
Comme une chose chère
Qui va m'être ravie?

Moi, cette partie qui pense en moi,
Je regarde cette autre qui est image,
Et je suis triste
En la regardant... (*S.*, p. 78)
(«Image dans un miroir»)

Simple miroir
Où je me retrouve
Entière et seule,
Sans aucun changement.

C'est mon cœur triste
Qui prend toute la place,
En premier plan.
Toute la féerie
Devenue figurante
A l'air triste aussi.
Derrière mon cœur (*S.*, p. 47).

Après la «rupture» avec les conventions, le double se multipliera et le miroir se transformera de reflet en regard lucide.

A ce stade, toute cette galerie de personnages marqués par la solitude aigre-douce, tristement polie, se glisse comme autant de bijoux miroitants qu'une main tremblante s'acharne à tenter de polir mais dont l'éclat est irréparablement faux. Autant d'épreuves stoïques portées avec autant de légèreté que possible, aussi transfigurées que possible. Tout, enfin, la chambre, l'enfant, la mort, le miroir, la pluie (l'eau de la termitière ravinée des lésions malsaines qui va bientôt suinter au fond des tombeaux), tout le calme héréditaire visible ici va subitement craquer.

Il y a des passages où la solitude frise l'éclosion d'une protestation non dissimulée:

Il vente
Le vent
(...)
Pas d'étoile,
Pas de lune;
Il n'y a que le vent (*S.*, p. 19).
(«Figure de proue»)

C'est un jour de vent,
(...)
Un jour de grand vent.
(...)

Mon cœur
Est une maison déserte,
Aux volets absents,

A la porte ouverte.
Et le grand vent,
Etrange et lent,
La traverse
D'un bout à l'autre (*S.*, p. 36-37).
(«Le Vent»)

vent plus tard énigmatique du «Tombeau des rois»:

Un frisson long
Semblable au vent qui prend, d'arbre en arbre,
Agite sept grands pharaons d'ébène
En leurs étuis solennels et parés (*tr.*, p. 61).

Le vent est-il une des clés de l'érotisme? Baudelaire ne se sert-il pas de la même image pour arriver à son équation érotisme, mort, culpabilité, enfer:

Et, quand nous respirons, la Mort dans nos poumons
Descend, fleuve invisible, avec de sourdes plaintes[7]

Pour Anne Hébert, cependant, à l'encontre d'un Baudelaire, l'érotisme deviendra régénérateur, la culpabilité est à dépasser. La danse macabre des sept pharaons soumettra la jeune aventurière, l'enfant curieuse, à sept viols par des défunts illustres, voyage mythique vers la libération.

On voit combien *Les Songes*... manifestent les normes et images de l'univers poétique hébertien, mais sur un plan d'inventaire plutôt que dans un contexte soumis à la conscience d'agir. C'est le même poète, dans deux univers entièrement différents. L'un ne mène pas logiquement vers l'autre quant au fond. La rupture sera si entière que le premier recueil est comme un panorama éteint d'une vie antérieure, celle de l'acceptation passive du «mal du siècle» québécois avant 1944. Il n'est que d'apposer quelques citations tirées de *Kamouraska* à côté des vers impressionistes et légers que nous venons d'extraire de *Songes*...:

> Je feins le sommeil. J'imite à merveille une pierre plate et dure (*K.*, p. 204).

> J'habite le vide absolu. Un désert de neige, chaste, asexué comme l'enfer (*K.*, p. 197).

---

7 Baudelaire, Charles. *Oeuvres complètes*. «Au lecteur», Paris, éd. Pléiade, 1954, p. 81.

> Se maintenir en équilibre au bord du gouffre (*K.*, p. 48).
>
> Bénis sommes-nous par qui le scandale arrive (*K.*, p. 131).
>
> Une seule chose est nécessaire. Nous perdre à jamais, tous les deux. L'un avec l'autre. L'un par l'autre. Moi-même étrangère et malfaisante (*K.*, p. 129).
>
> On ne peut pas toujours vivre dans la noirceur (*K.*, p. 103).
>
> L'âge, le malheur et le crime ont passé sur votre femme comme l'eau sur le dos d'un canard. Quelle femme admirable (*K.*, p. 15).

Cette litanie maléfique traduit la «solitude rompue», c'est-à-dire l'effort constant et systématique en vue d'abolir toute trace de résignation, toute espèce de culpabilité, toute forme d'entrave à la liberté dans la révolte et à l'action dans l'horreur.

Le premier livre laisse entendre ce cri de protestation enfermé dans l'être:

> Je porte ma douleur
> Dans mon sein.
> Elle est à l'étroit
> Dedans moi
> Et j'aiguise mes griffes
> Contre la porte fermée (*S.*, p. 70)
> («Minuit»)

et l'on pourrait déduire que ce genre de plainte laisse présager le revirement dans l'œuvre. Cependant, ces rares cris d'angoisse relèvent plus de l'ambiance traditionnelle que de la lucidité. Ils sont submergés par la conformité aux règles.

La dernière pièce des *Songes*... s'intitule «L'oiseau du poète» (*S.*, p. 151-156). C'est un art poétique visiblement inspiré de «Bénédiction» et d'«Elévation» de Baudelaire, exécuté avec une gaucherie digne de réjouir les collectionneurs de clichés autour des premières manifestations d'une œuvre rigidement impeccable par la suite. Le titre est comique. L'oiseau est la personnification idéalisée du poète, le messager du recueil, le symbole mystique du poème, enfin tout ce qu'il y a de plus conventionnel:

> Pour le premier vol
> De cet oiseau triomphant,
> Sorti de l'argile et du mystère

D'un poète en état de grâce (*S.*, p. 156).

Mais quel contraste avec la dernière pièce du *Tombeau des rois*, poème portant le même titre que le recueil, au centre duquel figure aussi un oiseau, un faucon aveugle qui représente le cœur du poète. Cet oiseau de proie, dressé sur le poing fermé, marque le défi, la solitude se changeant en agression, le poète cherchant *les morts en soi pour les assassiner* (vers 66). On peut ainsi, d'un recueil à l'autre, apprécier pleinement la coupure irréversible entre la solitude vécue et *la solitude rompue*. Le langage est tout à fait différent. Au lieu de se concevoir un rôle de prophète ou de mage, le poète effectue une descente perpendiculaire dans les tombeaux, dans les recoins de la culpabilité, métamorphosée en une enfant curieuse. Une mythologie de la solitude ressort de cette fascination de la mort, de la conquête de la nuit, du voyage en plongée vers la libération où la lumière naît des profondeurs.

De fait, puisque l'oiseau se trouve au centre de la symbolique des deux pôles de la rupture, du conformisme à la révolte, on assiste plus ou moins à «la mort de l'oiseau», au duel inégal de la colombe et du faucon. Après «Le Tombeau...», les romans abondent d'images d'oiseaux sinistres ou morts, que ce soit le père de Michel, seigneur tyrannique:

> ...l'obligeait à porter la gibecière lourde d'oiseaux blessés (*C.*, p. 30).

ou la vision d'une femme coupable:

> ...dit que la femme qui vivait là, en un désœuvrement infini, s'entourait souvent de faste et de cruauté. Il avait lui-même aperçu sa figure de hibou immobile (*C.*, p. 31).

transformée en fétiche par sa naïve belle-sœur:

> ...toute cette allure noble et bizarre d'oiseau sacré (*C.*, p. 96).

ou encore Elisabeth examinant ses rides:

> Autour des yeux, les griffes d'oiseaux en tous sens (*K.*, p. 9).

son mari, Antoine, autre seigneur, chasseur et cruel:

> ...l'oiseau pantelant, une étoile rouge sur la gorge (*K.*, p. 67).

ou la femme adultère en présence du meurtrier de son mari:

> ...mon cœur comme un oiseau fou (*K.*, p. 241).

ou la religieuse ensorcelée:

> Quand elle tourne la tête, on peut admirer son fin profil d'aigle (*E.*, p. 135).

ou la religieuse stupide:

> Je veux mourir de faim, n'être plus qu'une âme légère, transparente, un oiseau blanc, une colombe... (*E.*, p. 147).

Anne Hébert passe, grâce à la constance de l'image de l'oiseau dans son œuvre, de l'envol idéalisé des *Songes...* à l'orage de lucidité téméraire du poème «Le Tombeau des rois», pivot du revirement, puis à la cage concentrationnaire d'un mariage infernal, *Les Chambres...*, ensuite au martyr et à la vengeance de l'oiseau, *Kamouraska*, et, finalement, au rire dément dans une cellule diabolique dans *Les Enfants....* C'est comme la géographie symbolique de la «solitude rompue».

La contraction de l'espace, le cloître, les harpies au vêtement de deuil hantent aussi les écrits longtemps avant la publication des *Enfants...* La solitude s'y trouve en procès. *Kamouraska* met en scène la danse macabre des «petites tantes», le deuil intemporel de la mère, l'exil monstrueux dans lequel Elisabeth se détache du monde, vit la lucidité meurtrière du monologue du vide, se détériore dans l'insensibilité, s'adonne à la cruauté comme à une vertu théologale, au meurtre comme à un divertissement érotique. C'est une vierge de l'existence:

> Je suis indemne, ou presque (*K.*, p. 9).

Dans un tel contexte, la solitude est le mal qu'il faut extirper coûte que coûte. On peut considérer *Les Songes...* comme des aquarelles de couventine tracées sous l'œil sévère d'un Garneau omniprésent. Ce livre est essentiel en tant que panorama d'un conformiste surexploité. Il élabore notre variante de l'«absurde». On y découvre une Anne Hébert première manière, vulnérable pour un temps aux règles du milieu, comme nous. La hautaine Elisabeth et la coquine sœur Julie de la Trinité nous font, par la suite, respectivement horreur et peur; le songe de l'une magnifie la solitude en mythe maléfique, le rire de l'autre la transforme en délire du rire, de la sorcellerie, ou de la maladie chronique.

«Je crois à la solitude rompue comme du pain par la poésie» (*Ps.*, p. 71) affirme le poète. Rompre avec la solitude est un travail de démythification d'abord. C'est un lieu commun enraciné dans notre littérature comme si l'écriture en dépendait malgré nous. Il faut déraciner méthodiquement chaque aspect de ce «mal du siècle» avec force et témérité. Anne Hébert possède par exception ces normes de lucidité tragique. D'un livre à l'autre, son œuvre est impitoyablement tournée contre la solitude, qu'elle rend absolument insoutenable en l'analysant comme un travers vicié d'une psychologie collective.

Ecrivain sans histoire, alliée d'un jeune mort dont elle perpétue la vie et l'œuvre dans le secret, femme violemment opposée à toute complaisance dans le «mal du siècle», Anne Hébert a écrit «Le Tombeau des rois», notre voyage intérieur, avec tant de force, tant de beauté, qu'il faut reconnaître en elle la voix qui surgit du silence. Poème sinistrement grandiose, ce geste total enferme la commune mesure de notre «sainte barbarie», de notre imagination boréale habitée par la violence et l'extase, le diable et les lutins.

DEUXIÈME PARTIE

«Le Tombeau des rois»

Il faut aborder ce long poème avec toute la circonspection qui a manqué jusqu'ici[1]. Il représente l'avènement d'une sorte de «Bateau ivre» canadien-français. Il est plus vaste que toute analyse, et résiste particulièrement aux appréciations à vol d'oiseau même quand ces

---

1 Deux ouvrages récents parlent du *Tombeau des rois*, le recueil et le poème. Le premier est une thèse de doctorat: Lemieux, Pierre, *Entre songe et parole — lecture du* Tombeau des rois *d'Anne Hébert*, Université d'Ottawa, 1974 (non publié à cette date). L'auteur explique qu'il a fait un «...commentaire individuel de chacun des 27 poèmes du *Tombeau des rois*». Il voit entre «Songe» (référence au premier recueil publié par l'auteur) et «Parole» (troisième et dernier des recueils) ce qu'il appelle «L'hypothèse de base...» à savoir, et nous utilisons ses propres termes, «...que *Le Tombeau des rois* joue dans l'ensemble des trois recueils poétiques la fonction thématique d'une transition organisée, qu'il permet de passer logiquement des *Songes en équilibre* à *Mystère de la Parole*, c'est-à-dire entre un état de songe et un état de parole.» p. 361. Monsieur Lemieux emploie une terminologie assez personnelle: «transition organisée» et «recueils poétiques». Nous croyons comprendre qu'il veut démontrer de façon concluante qu'entre le premier recueil, *Songe*... et le troisième *Parole*, il y a un second recueil, *Le Tombeau des rois*, qui représente pour lui «une transition organisée». Nous n'avons aucunement été impressionné par les arguments de M. Lemieux. C'est une thèse étrangement basée sur l'évidence même.

Le second de ces ouvrages: Major, Jean-Louis, *Anne Hébert et le miracle de la parole*, Les Presses de l'Université de Montréal, 1976, 114 p., est sans doute intéressant. Lui aussi fait le pont entre les trois recueils: «De la conscience naïve et fascinée des *Songes en équilibre*, le *Tombeau des rois* a tiré la volonté d'aller à la limite de soi. Mais de l'exploration des «dédales sourds» naîtra, dans *Mystère de la parole*, une récupération créatrice, une parole de résurrection. C'est donc dans les poèmes mêmes de ce recueil qu'il faut en chercher l'origine et le sens» p. 23. Selon M. Major, le troisième recueil est déterminé par le second par un lien de contraste: «En fait, la différence est tellement radicale que rien dans *Le Tombeau des rois* ne préfigure ni ne prépare vraiment le ton et la forme du nouveau recueil, ...» p. 11. Il explique le second recueil en ces termes: «Poésie d'une rupture intérieure, parole sans cesse rompue, *Le Tombeau des rois* explore parcelle par parcelle un espace qui se referme sur soi» (*Ibid.*). Mais à la page 22 il modifie quelque peu ce dernier jugement: «Seul le dernier poème, poème titre en même temps qu'actualisation du sens de tout le recueil, seul *Le Tombeau des rois* se donne pour axe un mouvement et un changement véritable.» Et, dans une grande poussée d'enthousiasme en faveur du dernier recueil, M. Major écrit: «*Mystère de la parole* met en œuvre le mouvement originel d'une transfiguration de l'univers personnel et poétique, le passage décisif de l'enfoncement dans un espace fermé à un éclatement du monde sensoriel, du temps de la parole.» p. 31. Son utilisation vertigineuse d'extraits des poèmes du *Tombeau des rois* nous semble quelquefois déroutante. Loin d'expliquer un recueil par un autre, nous allons le plus directement possible aborder un poème clé en fonction de sa propre réalité. Le long essai de M. Major peut s'avérer complémentaire à notre propre étude en ce que nous consacrons assez peu d'espace à *Mystère de la parole* et que nous ne voyons pas ce recueil de la même façon.

En ce qui a trait au *Tombeau des rois*, M. Lemieux et M. Major n'apportent rien de vraiment significatif si l'on tient compte des travaux de Frank Scott qui allait beaucoup plus loin en traduisant avec acharnement, à trois reprises, le poème titre (voir *Dialogue sur la traduction*, Montréal, Editions H.M.H. 1970, 109 p.).

dernières sont astucieuses et plausibles. C'est un moment de plénitude qui porte en soi une inexplicable force, en dehors du temps, de l'espace, des normes de l'expression et des données ordinaires du langage. C'est un voyage mythique aux sources du mal dont la trame extraordinaire combine le sinistre et le fabuleux; une topographie allégorique de l'âme québécoise enfoncée dans la culpabilité, le silence, le «grisou» effrayant de l'enfer; une descente au plus profond de l'imaginaire polarisé entre les fétiches obscurs des interdictions et ceux de la féerie compensatoire, coloriage cruel conférant au noir oppressif un semblant de visage humain.

Tout comme quelques longs poèmes ont marqué la poésie française, «Le Bateau ivre», «L'après-midi d'un faune», et «Le Cimetière marin», par exemple, de la même façon «Le Tombeau des rois» surgit dans notre littérature:

> Notre cœur ignorait le jour lorsque le feu nous fut ainsi remis, et sa lumière creusa l'ombre de nos traits (*m.*, p. 73).

Nous n'avons pas su nous y mesurer ou nous y reconnaître:

> Car le génie n'est pas le produit du peuple. Toutefois il participe à sa culture, son ambiance; et étant plus proche de ce peuple, c'est lui qu'il verra le mieux et pourra le mieux rendre.[2]

L'art à un tel niveau d'excellence devient un accident de l'écriture, une transcendance par rapport à soi, et il se situe quelque part au-dessus de la vie. Le poème, désormais libéré pour ainsi dire des conventions de la poésie, innove sa propre réalité au sein d'une étendue plus vaste que toute tentative d'exégèse. Ce genre de réussite peut demeurer longtemps dans l'obscurité. On est rarement digne de ses plus grands chefs-d'œuvre. L'artiste lui-même ne les comprend pas toujours. Quand ils viennent à percer l'écorce fondamentalement hostile d'un public ignorant de son rapport intime avec le génie qui saura le délivrer, une grande ferveur éclate et le peuple tout entier se trouve rehaussé grâce à cette rencontre entre l'inquiétude séculaire et l'expression triomphale.

Cette mystique de la parole, une fois incarnée dans une œuvre unique, devient inépuisable. Le temps du dépaysement se transforme en celui de la possession du paysage intérieur. Aucun écrivain chez nous n'a approché, même de très loin, l'excellence d'un «Tombeau

2 Saint-Denys Garneau, Hector de. *Oeuvres*, *Journal*. Montréal, Les Presses de l'Université de Montréal, 1971, p. 551.

des rois». Anne Hébert n'a elle-même rien fait d'autre à l'égal de ce poème. C'est le sommet de son œuvre. C'est aussi un joyau delaissé et incompris. Son auteur a plus ou moins abandonné la poésie depuis 1960 pour se consacrer exclusivement au roman. Mais on n'a pas besoin de répéter un exploit du genre. Ce fut le moment furtif et indéfinissable de la fusion de toutes les ressources du poète accédant à la puissance où tout devient cohésion et plénitude. Les écrits antérieurs ont servi de préparation à ce geste mystérieux (y compris ceux des autres), et l'auteur ne pourra probablement plus jamais retourner à ce sommet essentiel.

Mais une fois le sommet atteint, il est dans notre condition de ne pouvoir y demeurer. «Le Tombeau des rois», par lui-même, est entier. Néanmoins, à cause de son hermétisme, il faut se familiariser avec l'univers poétique et romanesque d'Anne Hébert dans son ensemble. Plusieurs mots, images et symboles obscurs se trouvent clairement situés grâce à une perspective fondée sur l'appréciation des normes d'expression visibles d'une œuvre à l'autre. Il y a donc éclairage réciproque. Le long poème va aux confins mêmes de l'expression à cause de la tension d'un développement réduit à son essence mythique, noyau linguistique, sémantique, thématique et esthétique comme fixé dans la dureté pure du diamant qui diffuse tous les éclairages mais ne pourrait en absorber un autre puisqu'il est complet. Le dialogue entre toutes les œuvres de l'auteur est un formidable moment de notre littérature. Tout y est essentiel.

«Le Tombeau des rois» n'a pas trouvé son public véritable pour des raisons assez curieuses. En écrivant dans sa préface «...des poèmes comme tracés dans l'os par la pointe d'un poignard...», Pierre Emmanuel a plus ou moins fait pour notre littérature à notre époque ce que Voltaire avait fait jadis pour notre pays avec ses «quelques arpents de neige» (*Candide*). C'est la preuve évidente que nous devrons nous-même apprécier et situer une œuvre clé. Le Français nous détermine parce qu'il a lu *Maria Chapdelaine* et qu'il ne peut dissocier l'emploi de sa langue de sa propre culture. Or, nous avons contribué à entretenir le malentendu néo-colonialiste en emboîtant le pas, assez piteusement d'ailleurs, aux plus grands écrivains de ce pays d'une richesse artistique sans égale. Epouvantablement surclassés par nos modèles, nous avons négligé d'observer à quel point nous sommes intéressants, compliqués, mystérieux et même exportables. Anne Hébert a combiné ces attributs essentiels à l'expression de notre univers dans son poème. C'est à *Kamouraska* qu'elle doit sa notoriété. *Les Enfants du sabbat* lui feront probablement connaître le triomphe.

Malgré leur excellence, ces romans n'atteignent pas à l'originalité et au caractère unique du «Tombeau des rois».

Il est temps de clarifier la situation, chez nous d'abord, où les trois traductions de Frank Scott, en anglais, représentent jusqu'à présent le viol le plus courageux et l'hommage le plus sincère au poème. L'échange de lettres entre Scott et Anne Hébert jette une incertaine lumière sur cette œuvre hermétique. On y découvre un paternalisme papa-gâteau de la part du traducteur qui, peu à peu, transforme le poème en épopée de bilinguisme. C'est une autre forme de néo-colonialisme, mieux déguisé que celui des Français, mais la somme totale de ces obstacles, tout en confirmant notre paresse intellectuelle, n'aide en rien l'appréciation du poème dans son contexte «indigène». Les grandes œuvres appartiennent au monde entier, mais d'ordinaire on prend la peine de s'interroger sur le lieu et les conditions qui ont été propices à leur éclosion. Petit peuple de paysans, nous sommes à ce stade visiblement dépassés par notre littérature devenue autonome.

C'est avec une conscience aiguë de l'importance de la tâche à accomplir que nous acceptons de plonger dans cet univers. Vingt-cinq années se sont écoulées depuis la première publication du poème en 1951. Le Québec est passé de l'enfance à la maturité sur plusieurs plans au cours de cette période d'évolution accélérée. Nous croyons le moment opportun à la réintroduction d'un très grand chef-d'œuvre quasi oublié à cause de l'étendue de son excellence et des difficultés de son exégèse.

L'emploi d'une terminologie médiévale, rois, faucons, gisants; et légendaire, pharaons; d'un éclairage digne des vitraux gothiques; d'une héroïne à la conquête de la mort dans les tombeaux; d'un voyage souterrain qui frise la magie et la sorcellerie; tout un côté fabuleux confère au poème une qualité épique. Et l'emploi de la fantasmagorie, d'un hermétisme souvent très ardu à déchiffrer, maintient et complète cet aspect noble et grandiose par tout le poème. Enfin, le rituel érotique de la perte de l'innocence est une interprétation très moderne du besoin d'affranchissement dans un Québec encore visité quotidiennement par ses anciens démons.

Afin de poursuivre une démarche aussi linéaire que possible, nous allons diviser en quatre parties chronologiques et complémentaires ce cheminement vers le long poème, moment crucial de notre étude:

I. *le recueil;*

II. *structure verbale et fragmentation de la métaphore dans les deux premiers vers;*

III. *le poème*

IV. *le sens du poème.*

I. *Le recueil*

Anne Hébert a fait paraître trois recueils de poèmes, et elle a choisi de donner aux deux derniers le même titre qu'une des pièces conférant à l'un et à l'autre son sens profond. Ainsi, «Le Tombeau des rois» est le dernier poème du mince ensemble portant le même nom, et «Mystère de la parole» est le premier poème d'un ensemble encore plus mince, quinze en tout au lieu de vingt-sept pièces, portant le même titre. Le dernier de ces recueils n'a jamais paru séparément. Il a été publié avec *Le Tombeau des rois*, réédité en 1960, sous le titre global de *Poèmes*. Le texte d'une conférence sur la poésie, «Poésie, solitude rompue», sert plus ou moins de préface à *Mystère de la parole*, et sépare les deux recueils.

Autre lien intéressant, entre *Les Songes en équilibre* et *Le Tombeau des rois*, cette fois, les deux derniers poèmes de ces recueils font figurer des oiseaux symboliques: «L'oiseau du poète», dans le premier, comme personnification du poète, et le «cœur faucon» dans le second, sorte d'indication d'un bouleversement complet dans l'esthétique entre le premier et le second recueil.

Ces détails sont loin d'être attribuables à des fantaisies gratuites de l'auteur. Bien au contraire, en plus de compliquer le sujet auquel on se réfère: *Le Tombeau des rois* et «Le Tombeau des rois», ou *Mystère de la parole* et «Mystère de la parole», des questions fondamentales se posent. L'une d'elles, et la plus importante sans doute, consiste à se demander si le recueil est essentiel au poème? Pierre Pagé insiste beaucoup sur un «...mouvement de descente progressive qui fait l'unité logique de tout *Le Tombeau des rois*[1]»(le recueil) et il conclut en disant «Cette démarche conduit finalement au dernier poème, «Le Tombeau des rois», ...[2]»

---

1 Pagé, Pierre. *Anne Hébert*. Montréal, Fides, 1965, p. 97.

2 *Ibid*., p. 99.

Le même commentateur faisait le point encore plus haut sur la nécessité d'arriver à se réconcilier avec le problème d'unité du recueil: «...ne trouve pas son unité au plan formel mais au plan logique. Il forme en effet un tout cohérent à partir d'un «éveil au bord d'une fontaine» jusqu'au «Tombeau des rois», journée onirique de la naissance à la mort. Toutefois, les poèmes qui composent cette progression ont été écrits durant une période longue de dix ans. Il n'est donc pas étonnant que le recueil, malgré un développement homogène, s'exprime en deux langages poétiques distincts. L'un, alimenté par le thème de l'eau, prolonge et transforme l'esthétique des *Songes en équilibre*, l'autre, centré sur la terre et les métaux, est complètement neuf.»[3] Il y a une impasse latente dans tout ce que dit Monsieur Pagé, soit: le poète est-il déterminé par ce qu'il a écrit ou a-t-il la juste prérogative de se dépasser lui-même?

André Lacôte dit: «Ce poème unique qu'est tout le recueil, dans sa marche à pas comptés contre les pouvoirs de la mort, va au fond d'un drame provoqué par trois siècles de tradition janséniste qui ont fait vivre les Canadiens français comme n'étant pas au monde»[4] Un peu plus loin, le même critique poursuit; «Dans l'itinéraire du *Tombeau des rois*, après avoir affronté sa propre solitude et son propre destin, Anne Hébert a conduit son expérience jusqu'à l'affrontement des morts symboliques et souverains qui gardent sur les vivants cette emprise séculaire; elle est allée jusqu'au Tombeau des Rois pour arracher aux morts sa victoire, pour prendre le parti de la vie, pour avoir le droit et la fierté d'être vivante.»[5] On ne sait pas ici s'il s'agit du recueil ou du poème exclusivement, s'il y a jeu avec Tombeau des Rois, au sens littéral et non référentiel, allusion au titre du recueil ou du poème.

André Lacôte publie son livre trois ans après celui de Pierre Pagé, soit en 1969. Il formule son point de vue plus clairement que son prédécesseur. Dépourvu, cependant, de tout développement à l'appui de ces découvertes relativement évidentes, son commentaire ne suffit pas. Il demeure, lui aussi, ambigu. Il y a, semble-t-il, un jargon d'admirateur assez conventionnel qui a collaboré à entretenir des vues superficielles. L'unanimité des commentaires flatteurs ne fait en rien oublier l'absence de toute forme de justification acceptable d'une critique pompeusement lyrique.

---

3 *Ibid.*, p. 95.

4 Lacôte, René. *Anne Hébert*. Paris, Seghers, 1969, p. 56.

5 *Ibid.*, p. 56-57.

Le premier poème du recueil a paru d'abord en 1942[6]. C'est l'année de la publication des *Songes en équilibre*. Le dernier poème, «Le Tombeau des rois», a été lui-même publié en 1951, avant de servir d'ancre au recueil lors de sa parution en 1953. L'unité relève évidemment du fait que le même poète a, sur plus de dix ans[7], sondé son univers intime d'une manière exceptionnelle dans notre poésie. La confrontation avec les tabous québécois est graduellement plus serrée, la sincérité de l'auteur plus implacable, la fusion de la vie avec la poésie plus livrée à la révolte à titre de moyen unique de libération. Dans cette optique, le recueil entier semble descendre vers le poème. C'est pourtant nier tout le côté dynamique d'une série de renouvellement qui, une fois introduits sous même couverture, perdent leur qualité de tension individuelle pour se mettre à suggérer une direction globale au préalable. Un des aspects les plus importants des œuvres d'Anne Hébert est celui du renouvellement. Peu d'écrivains sont partis d'un actif aussi modeste pour déboucher sur une série d'effloraisons aussi remarquablement distinctes l'une de l'autre. L'hypothèse de descente relève d'un déterminisme des plus gauches. C'est même du réductivisme.

Et puisque «Le tombeau des rois» éclipse complètement le recueil, celui-là ne prend-il pas son sens par rapport à celui-ci, comme le double titre l'indique, plutôt que l'inverse? Alors, c'est la dernière pièce qui inaugure l'unité de l'ensemble, ainsi qu'elle demeure au centre des œuvres ultérieures comme une charnière absolument essentielle. Le grand moment sublime de l'éclosion du poème qui résume tous les poèmes, obsession de Mallarmé, ne peut ni ne doit être confondu avec la somme totale des créations qui ont collaboré au lieu de mener à cet éclatement dont la cause n'est attribuable qu'au génie.

Notre dilemme est alors complet. Les vingt-six premiers poèmes perdent leur sens de recherche dès qu'ils sont canalisés, comme dans la prose, vers une sorte de dénouement anticipé. C'est pour ainsi dire prétendre que l'auteur n'a pas évolué en dix ans. Mais ce n'est pas du tout le cas. L'opposé est l'évidence. Et puis, quant au long poème qui clôt le recueil et lui donne son nom, c'est une grossière simplification de lui attribuer un sens vague, dépendant des autres pièces, puisqu'il est beaucoup plus complet en soi que les vingt-six

---

6 Major, *op. cit.*, fournit une chronologie de publication des poèmes, p. 110-112. «Sous la pluie» paraît respectivement en 1939, *Canada français*, et en 1942 dans *Songes*... (le second poème du recueil *Le Tombeau des rois* portant le même titre est tout à fait différent).

7 M. Major signale quatre autres poèmes du recuil *TR*. publiés d'abord en revues «Les Petites Villes» (1944), «La voix de l'oiseau» (1949), «La fille maigre» (1951), et «Vie de château» (1951 et 1952).

autres poèmes pris dans leur ensemble ou séparément et qu'il ne leur doit rien. En effet, le vingt-septième poème contient cette étendue, ce cycle du voyage, cette unité resserrée jusqu'à la précision mathématique, cette universalité que ne possède pas vraiment le reste du recueil à la même échelle d'excellence. Pourquoi alors se donner la peine de chercher dans l'instrument de recherche, le recueil, avec beaucoup d'entêtement, ce que le grand poème seul possède? Un tel procédé aboutit à la confusion. Là où une seule pièce domine tout, on cherche à lui enlever sa qualité cosmique afin de tenter de la reconstruire subjectivement à l'aide d'autres pièces qui font souhaiter justement l'éclosion du poème *global*.

Mais on peut arguer que ce long poème, étant ainsi entier, ainsi chargé de sens dans un espace circonscrit au-delà des possibilités du lecteur, même averti, se referme sur lui-même dans une sorte d'impénétrabilité. C'est vrai. C'était vrai aussi pour «Le Bateau ivre», pour «L'Après-midi d'un faune», pour «Le Cimetière marin». On n'a pas pour autant reporté le lecteur aux autres œuvres de ces écrivains comme à une encyclopédie des divers sens possibles de ces poèmes. Il faut arriver à dissocier ce qui n'est pas essentiel au lieu que de s'y référer afin d'éviter le choc du dépaysement en inventant le faux-familier, refus de l'œuvre.

Nul doute, le recueil aide considérablement à familiariser le lecteur avec le développement du langage poétique d'Anne Hébert pendant ces dix années. De même, les jeux d'éclairages (par exemple cet intéressant clair-obscur du jour fondu dans la nuit, des espaces ouverts refermés sur les ténèbres des murs sans issue, enfin l'enfer intérieur faussement enjolivé par les aspects extérieurs d'un calme ironique) peuvent servir de point de repère susceptible de débloquer les lectures non fructueuses. Il y a certainement un rituel d'initiation à l'œuvre-clé. Mais, dans un sens, toutes les autres œuvres y participent, pas nécessairement un certain groupe de poèmes en particulier, surtout si ces poèmes ont précédé largement l'œuvre-clé. Si cette dernière est vraiment un aboutissement du recueil, alors elle sert à déterminer et à introduire ce qui sera écrit par la suite.

Mais Catherine, héroïne des *Chambres de bois*, essayant en vain de pénétrer dans l'enfer de désordre psychologique et moral de son mari Michel, aide probablement davantage à comprendre le long poème que ne le fait le recueil. Son aventure représente aussi un voyage complet dans les profondeurs de la nuit. Les péripéties des exploits oniriques d'Elisabeth dans *Kamouraska*, car elle nie maintes fois la réalité des faits, son érotisme vengeur, tout pour elle est attribuable au songe. Elle assiste au déroulement de sa vie comme à un spectacle qu'elle invente au fur et à mesure, exhubérante et incrédule à la fois. Cela n'aide-t-il pas à resituer la question centrale au poème, mise entre parenthèses comme en doublure du texte: «(En quel songe...)», au douzième vers, et formulée par un spectateur habitant le narrateur comme dans le roman? La même technique est encore présente dans *Les Enfants du sabbat*, roman où les faits et gestes sont plausibles dans l'invention et le délire autant que dans le souvenir d'une réalité vécue. L'enfant dans «Le Tombeau des rois» est doublée aussi de la femme qui lance l'imprécation du «cœur faucon» au début, et toutes deux se trouvent en dehors du temps, dans le noir, livrées à des hallucinations comme nées d'une surréalité dans laquelle le psychisme se libère; que ce soit avec «sept pharaons d'ébène» ou une inversion diabolique, le lien avec les romans demeure très étroit.

On pourrait citer beaucoup d'autres exemples à l'appui du rôle pivot du poème dans les œuvres, pièce qui innove au lieu de s'inscrire à la fin logique d'une étape, pièce qui jaillit au lieu d'être une sorte d'aboutissement calculé à un recueil, si excellent soit-il. Tous les romans s'en inspireront. Il est intéressant de noter aussi combien les retours vers l'enfance au sein du recueil, avant le dernier poème, représentent l'enfance perdue et non pas l'enfance récupérée sous forme d'aventure au-delà de toute culpabilité comme par la suite.

Il y a donc avant et après «Le Tombeau des rois», et le recueil du même nom se situe avant. Ce dernier est le cérémonial échelonné sur plusieurs années, montrant clairement une direction sans toutefois la cerner avec autorité pour ainsi dire. Elle est diffuse, connaît des moments grandioses, se cherche, ne s'abaisse jamais vers la petite poésie, frise quelquefois l'envergure et le ton du dernier poème. On sent l'angoisse, on assiste à l'effacement progressif du jour, de l'espace libre, des vestiges de mélancolie superbe, et les arbres se changent en quelque sorte en mains aux doigts fourchus, en mains tendues vers la quête. Les songes penchent de plus en plus vers l'érotisme, les morts vers le dialogue, le visage absent vers la rencontre quasi réalisée, le silence en lieux clos vers l'épouvante «De plus en plus étroit» (dix-septième pièce), fascination de l'inconnu en soi. L'eau vient avec le sel de l'amertume partout, le soleil est la variété «noir de la mélancolie» (*El desdichado*, Nerval); le château, la maison, la chambre; la nuit; l'amant mort (Garneau?). Tout le recueil explore l'envers des *Songes en équilibre*, devenus un *dés*équilibre provoqué en toute lucidité.

Vingt-sept poèmes en dix ans, c'est digne d'un grand poète.

Chaque pièce a été achevée en soi d'abord. On ne saurait trop applaudir la beauté, la maîtrise, l'harmonie de ces poèmes. S'ils n'égalent pas la bouleversante majesté du dernier, ils en sont dignes. Tout poète qui œuvre avec autant de précision mérite d'écrire un «Tombeau des rois»:

> ...comme un cœur ténébreux de surcroît (*m.*, p. 75)

miracle justement de l'écriture.

Au point où nous en sommes, ayant bien dit et redit que le superbe poème éclipse radicalement le recueil, que ce dernier n'est pas essentiel à l'autre, nous sommes sur le point de parler dudit recueil. C'est comme s'engager sur un terrain glissant. Mais non! Il n'y a et n'y aura jamais qu'un seul «Tombeau des rois». Il ne faut pas pour autant s'arrêter de lire. Et si les vingt-six premiers poèmes se trouvent surclassés par le dernier, oublions-le pour l'instant. Ces poèmes éclipsent eux-mêmes presque toute notre poésie, et c'est ample justification de leur accorder un attentif examen.

Les six premiers poèmes composent une fresque d'eau, d'arbres, d'air, de lumière, de vent, de mains, et l'éternel oiseau:

> Et l'oiseau
> Cette espèce de roi
> Minuscule et naïf (*TR.*, p. 19)
> («Les pêcheurs d'eau»)

C'est un symbolisme des éléments primordiaux sur un plan, mais c'est aussi une triple allégorie: poésie, solitude et amour. Le narrateur confère au paysage et aux objets la double identité, l'une extérieure, celle du symbole, l'autre subjectivement intériorisée, celle de l'allégorie. La combinaison du symbole et de l'allégorie devient ensuite le mythe. Par exemple, le symbole de l'eau:

> Solitude éternelle solitude de l'eau (*TR.*, p. 18).
> («Les grandes fontaines»)

vie, poésie, conscience, larmes, pluie, silence, devient, à cause de sa personnification graduelle un figurant plutôt qu'une fiction:

> Premiers reflets de l'eau vierge du matin.
> . . . .
> Pure à perte de vue
> D'une eau inconnue (*TR.*, p. 13).
> («Eveil au seuil d'une fontaine»)

«L'eau vierge du matin» est comme le baptême du poète, clown éternel:

> Où les gestes de peine
> Ont l'air de reflets dans l'eau
> Tremblante et pure (*TR*., p. 15).
> («Sous la pluie»)

«Les gestes de peine» sont des larmes de pluie *intérieure*, abrégé verlainien du paysage analogique;

> N'éveillons pas les grandes fontaines
> Un faux sommeil clôt leurs paupières salées (*TR*., p. 17).
> («Les grandes fontaines»)

«Fontaines» poésie, larmes, amour, fécondité, personnification du poète en fontaine;

> Les pêcheurs d'eau
> Ont pris l'oiseau
> Dans leurs filets mouillés (*TR*., p. 19).
> («Les Pêcheurs d'eau»)

personnification du poète en oiseau, mais en oiseau dans l'eau, allusion possible à la mort de Garneau, ou aux lecteurs des poèmes rédigés sous forme liquide, larmes, gouttes qui entrent dans les fissures les plus impénétrables de l'inconscient;

> La rivière a repris les îles que j'aimais
> Les clefs du silence ont perdues
> . . . .
> L'eau autant de secrets qu'elle chante (*TR*., p. 23).
> («Petit désespoir»)

l'eau est comme dépouillée dans le dernier vers; l'eau devient l'acteur d'un drame intime, comme le spectacle des multiples facettes de la vie et de la créativité, l'allégorie d'une solitude transformée en représentation théâtrale avec décor, acteurs, objets divers, personnages tragiques (l'oiseau qui est évidemment mort), et tout cet appareil de transformations de la réalité depuis le symbole vers l'allégorie, débouche sur le mythe de l'eau.

Le mythe de l'eau traverse toutes les pièces du recueil, à quelques poèmes près. A ce niveau, l'eau se revêt des élargissements sinistres ou fabuleux qui lui permettront de combiner le conscient et l'inconscient du poète, le jour et la nuit, l'amour et les suintements des profondeurs qui cernent les défunts.

Au lieu de la sérénité bien pensante des *Songes en équilibre*, on le voit, la transition ici même affectée, y compris dans les deux pièces publiées en 1942: «Eveil au seuil d'une fontaine» et «Sous la pluie», tend à accélérer la gradation ascendante du langage poétique: mot — image — symbole, à lui conférer alors une qualité de spectacle: allégorie, et c'est au fil des multiples effets de transformations, de personnifications, d'allusions de prismes reproduisant des visages inconnus, en soi, en le monde, que naît le mythe. A force de créer des mythes dans ce recueil, Anne Hébert possédera à la fin, pour en faire usage dans «Le Tombeau des rois», un fabuleux assemblage d'élargissement du langage apte à entreprendre le grand voyage vers l'inconnu avec les fétiches et les monstres, avec les géants et les morts, avec la peur et la culpabilité, avec l'audace et la témérité dont jaillira notre mythologie à nous.

On pourrait reprendre l'arbre, l'air, la lumière, le vent, les mains et l'oiseau pour en montrer les transformations, comme nous l'avons fait pour l'eau. L'opération en cours pourrait bien s'appeler *la reformulation d'un langage,* d'abord, dès le début du recueil. Les six premiers poèmes montrent donc l'étape primitive pour toute poésie, celle du symbolisme des éléments primordiaux.

Avec la septième pièce, «Nuit», on assiste au passage de l'extérieur vers l'intérieur. Désormais, les symboles diurnes ayant traversé la geste de leur transformation sur le plan du mythe, c'est leur équivalent nocturne qui entrera en jeu. L'eau se trouvera dans les ravins inconnus de l'âme du poète, elle coulera dessous la nuit:

La nuit
Le silence de la nuit
M'entoure
Comme de grands courants sous-marins.
Je repose au fond de l'eau muette et glauque.
J'entends mon cœur
Qui s'illumine et s'éteint
Comme un phare.
. . . .
La perpétuité du silence
Où je sombre (*TR*., p. 24).
(«Nuit»)

La nuit mythique est donc encore plus prenante que ne l'était le jour. L'introduction du «cœur» comme éclairage commence le déroulement étrange et bouleversant d'un érotisme communiqué sous forme de sublimation[8], sorte d'intériorisation de l'amour passion élevée sous forme de rituel grandiose et quelquefois barbare vers les sphères les plus interdites de la démarche poétique se confondant avec une rage de sacrifier l'innocence à tout prix, de laisser les dépouilles d'une virginité stérile chez les cadavres somptueux.

A chaque éclat de lumière
Je ferme les yeux
Pour la continuité de la nuit (*TR*., p. 24).
(«Nuit»)

L'oiseau chante sa plainte
A la droite
De ma nuit
. . . .
De moi à l'oiseau
De moi à cette plainte
De l'oiseau mort
. . . .
O Paradis déchiré (*TR*., p. 25-26).
(«La voix de l'oiseau»)

Fruit crevé
Fraîche entaille
Lame vive et ciselée
Fin couteau pour suicidés (*TR*., p. 29).
(«Inventaire»)

Et nous marchons
Dans cet abîme
Se creusant

Les pas des morts
Les pas des morts
Nous accompagnent
Doux muets.
. . . .
La rage
Qui oppresse notre poitrine
La corde que nous tenons

8 Voir notre troisième partie, («Vieille image»).

Et la poutre d'ébène
. . . .
Sous le poids léger
D'un seul pendu (*TR*., p. 31-32).
(«Vieille image»)

«La fille maigre» représente probablement le poème le plus sinitrement réussi en beauté et en *profondeur* (exception faite pour le «Tombeau...» bien entendu), de tout le mythe nocturne, sorte de quête nécrologique reportant les activités diurnes dans l'irréel tant les cadavres ont du mystère à partager avec passion.

Ce poème commence par l'ambiguïté de la jeune femme rejoignant le *charme*, pour ainsi dire, des défunts:

Je suis une fille maigre
Et j'ai de beaux os.
. . . .
Les bijoux et les fleurs
Sont hors saison.

L'ironie de ces deux premiers vers est mordante sur plusieurs plans. Ils évoquent un squelette coquet parlant de son point de vue. Ils évoquent une fille osseuse qui collectionne les squelettes. Enfin, ils évoquent le ridicule entourant la dépréciation de soi.

Les deux autres vers cités, composant la quatrième strophe, font côtoyer deux images antithétiques: *bijoux* (os) et *fleurs* (galanterie), refus de toute illusion explicité par «hors saison». Entre ces deux petites strophes légèrement repoussantes par le fond, il se trouve deux autres petites strophes de stérilité orageuse:

J'ai pour eux des soins attentifs
Et d'étranges pitiés,

Je les polis sans cesse
Comme de vieux métaux.

sinon de sexualité relativement compromettante. C'est la culpabilité elliptique prenant forme de solitude perverse. La témérité de ce tête-à-tête de soi à soi, entre le squelette et la belle, montre bien la puissance de débâcle poétique, d'invasion de la tranquillité diurne par les râles du noir gémissant, dont Anne Hébert dotera de plus en plus ses œuvres, sorte de conquête de la nuit.

Le désir de fossiliser l'amant, un mort en toute évidence comme nous le verrons bientôt, de lui polir lui aussi le squelette jusqu'à en faire une fétiche en métal funéraire, un riche ornement de mysticité:

Un jour je saisirai mon amant
Pour m'en faire un reliquaire d'argent.

après quoi elle rejoindra sa nuit:

Je me pendrai
A la place de son cœur absent.

Ce chagrin d'amour, ces rêves de destruction qui émanent de la nuit vont introduire le mystérieux visiteur nocturne qui occupe le centre de plusieurs poèmes:

Espace comblé,
Quel est soudain en toi cet hôte sans fièvre?

L'amant mort revit d'une présence mythique:

Tu marches
Tu remues;
Chacun de tes gestes
Pare d'effroi la mort enclose.

Il dispense une sorte d'émoi passionnel épouvantablement religieux:

Je reçois ton tremblement
Comme un don.

La fille maigre réussit même à l'entrevoir, à briser de ses yeux la paroi rigide des tombeaux en empruntant le regard fluide du défunt:

Et parfois
En ta poitrine, fixée,
J'entrouvre
Mes prunelles liquides

Les trois derniers vers du poème se prêtent à plusieurs interprétations:

Et bougent
Comme une eau verte
Des songes bizarres et enfantins (*TR*., p. 33-34).
(«La fille maigre»)

mais ce qui prime d'abord dans l'esprit du lecteur est probablement un certain cachet baudelairien:

Il n'a su réchauffer ce cadavre hébété
Où coule au lieu du sang l'eau verte du Léthé [9]

«Bougent» se rapporte à «songes bizarres et enfantins» plutôt qu'aux «prunelles». Ce sont aussi les «songes» qui ressemblent à «une eau verte». La conclusion de Baudelaire à «Spleen» LXXVII, histoire du «roi d'un pays pluvieux,...», en plus d'offrir la coïncidence certainement fortuite d'un «roi» très approprié au *Tombeau des rois*, semble également formuler l'échec de la fille maigre en présence d'«une eau verte / Des songes bizarres et enfantins», du Léthé de l'imaginaire au lieu des fruits de l'action[10].

Avec «La Fille maigre», le recueil a trouvé toutes les dimensions propices à l'approfondissement du mythe de la nuit. C'est le silence et la solitude d'une âme qui a fermé volontairement toutes les issues afin de créer son propre éclairage «Comme une eau verte» dans le noir. Le poème suivant, «En guise de fête», est comme un cérémonial de l'enterrement du soleil:

Le soleil luit
Le soleil luit
Le monde est complet
Et rond le jardin.

«Le soleil luit» deux fois à valeur de question, «le monde est complet» est réduit au cercle clos de l'éclairage de l'œil intérieur se substituant

---

9 Baudelaire, Charles. *Oeuvres complètes*. Paris, édition Pléiade, 1954, p. 146.

10 Anne Hébert est vraiment dégagée de l'influence des grands poètes français à ce stade. Il y a bien une corde verlainienne dans les premières pièces, mais c'est à s'y méprendre. C'est du Verlaine transposé. L'auteur du *Tombeau des rois* invente de toute pièce son langage et sa poésie. La référence à «l'eau verte du Léthé» pour élargir le cadre de l'interprétation de «Comme une eau verte» dans *La Fille maigre*, est un simple rapprochement fortuit d'éclairage très intéressant dans l'un et l'autre poème.

Il y a pourtant une exception qu'il ne faut pas passer sous silence. *Vie de château*, le vingt-troisième poème du recueil, donc aux portes même de la pièce capitale, à quatre poèmes près, est ce qu'il y a de plus baudelairien possible. C'est comme une tapisserie des *Fleurs du mal*. Cela confirme le fait que des poèmes écrits sur dix années reflètent des moments différents de l'évolution du poète canadien et leur classement ne peut être envisagé comme une descente volontaire et visible vers le dernier poème du recueil. Ce pastiche remonte peut-être à une époque antérieure, quant à la composition, aux *Songes en équilibre*? Quelques exemples suffiront puisqu'il s'agit d'images éparses dans les poèmes de Baudelaire, et que ce genre de recherche devient vite superflu:

«VIE DE CHÂTEAU»	BAUDELAIRE
«Vois, ces glaces sont profondes	«Les miroirs profonds» (LIII «L'Invitation au voyage)
«...ses miroirs polis»	«...meubles luisants» (LIII «L'Invitation au voyage»)
«...glaces... Comme des miroirs».	«...gorge... une belle armoire» (LII «Le Beau Navire»)
«Et couvre aussitôt ton reflet»	«...réfléchissant (...) ta belle âme...» *Le Spleen de Paris*, XVIII, «L'Invitation au voyage» (prose).

«Vie de château», et d'autres pièces peut-être, ont pu servir à étoffer un recueil particulièrement mince, ce qui n'est pas sans intérêt.

au soleil circonscrit dans «Et rond...». Les vers qui suivent recréent le dit «jardin» avec des lueurs de chandelles:

J'ai allumé
Deux chandelles
Deux feux de cire
Comme deux fleurs jaunes.

et la troisième strophe rejette les fleurs de feux de cire dans une progression systématique vers le noir:

Le jour pourrit
Les feux de nuit
Deux fleurs fannées,
Aux blanches tiges d'église (*TR*., p. 35).
(«En guise de fête»)

La lumière aussi devient le mythe de l'œil livré à son adaptation à la nuit, à son propre phosphore. Par la répétition parfaitement orchestrée de n'importe quel point de repère, de toutes les obsessions ressenties, le poète transforme le désordre des pulsations émanant de son inconscient, miroir de notre psychisme collectif, en découvertes qui embrassent au fur et à mesure des segments magnifiés d'un monde jusqu'alors imparfaitement exploré. Tout ce que touche le poète prend sa place dans cet ensemble recréé de toute pièce à l'échelle cosmique.

Une fois un tel cadre établi, la transformation des mots en images, des images en symboles, des symboles en allégories, des allégories en mythes, se fait automatiquement. Anne Hébert a réussi, dans *Le Tombeau des rois* (le recueil), à inventer les normes de l'expression de l'indéfinissable, de la communication globale.

Après le jour et la nuit fondus l'un dans l'autre, en même temps que l'éclairage cède sous la tension de l'œil qui l'efface et le recrée selon ses desseins, l'espace va se contracter:

Un mur à peine
Un signe de mur
Posé en couronne
Autour de moi (*TR*., p. 35).
(«Un mur à peine»)

De peur de heurter la paroi du silence derrière elle (*TR*., p. 44)
(«De plus en plus étroit»)

Vois la barricade face aux quatre saisons

Touche du doigt la fine maçonnerie de nuit dressée sur l'horizon
Rentre vite chez toi
Découvre la plus étanche maison
La plus creuse la plus profonde.

Habite donc ce caillou

. . . .

Visite ton cœur souterrain (*TR*., p. 45).
(«Retourne sur tes pas»)

Comme une boîte scellée toute sonore d'insectes prisonniers

. . . .

C'est ici l'envers du monde (*TR*., p. 53).
(«L'envers du monde»)

Vieux caveau de famille
Eventré
Cage de bouleau blanc (*TR*., p. 55).
(«Rouler dans les ravins de fatigue»)

«La chambre fermée» est probablement le cercueil:

O doux corps qui dort (*TR*., p. 39).

ainsi est-il de «La chambre de bois»:

Je me promène
Dans une armoire secrète (*TR*., p. 42).

et c'est ainsi que l'espace réduit à l'absence d'espace va engendrer le mythe de l'espace immatériel pour ne pas même conserver les vestiges d'un semblant de vide à explorer. En se refermant, l'espace se comble par l'absence d'espace. Puis l'espace se recrée, comme la lumière, sur un plan analogique, nettoyé de tout recours au connu qui s'ignore afin de découvrir le monde spatial *décontaminé*.

Puis, dans cette absence d'espace, il circule un visage à découvrir. Est-ce celui d'un Garneau mort mais demeuré l'amant nocturne ou celui du poète à la poursuite de son double à ravir aux ténèbres? Rien de concluant ne sera jamais écrit sur ce sujet. C'est le mythe de la quête, de la rencontre impossible, de la noce ressemblant à l'unité retrouvée:

J'entends la voix de l'oiseau mort
Dans un bocage inconnu (*TR*., p. 25).
(«La Voix de l'oiseau»)

Les morts me visitent (*TR*., p. 36).
("En guise de fête")

Ce mythe, on le voit, est étroitement lié à celui de la dissolution de l'espace. Les mêmes passages cités s'appliquent souvent aux deux. «Le Tombeau des rois» va fournir dans le séjour souterrain l'image colossale de cette rencontre avec l'autre se confondant avec soi:

Le masque d'or sur ma face absente (*tr*., p. 60).
(«Le Tombeau des rois»)

C'est vers ce même point de rencontre que semblent converger tous les mythes. On se voit, enfin; sinon, on découvre son visage perdu parmi tous les visages morts. C'est d'une beauté troublante.

L'itinéraire de cette quête est empreint d'effroi:

Ile noire
Sur soi enroulée.
Captivité (*TR*., p. 25).
(«La Voix de l'oiseau»)

Mon cœur sera bu comme un fruit (*TR*., p. 38).
(«Un mur à peine»)

Visite ton cœur souterrain
Voyage sur les lignes de tes mains
Cela vaut bien les chemins du monde

. . . .

A travers les murailles

. . . .

O ma vie têtue sous la pierre (*TR*., p. 45-46).
(«Retourne sur tes pas»)

Et trouve ce doux ravin de gel
en guise de mémoire (*TR*., p. 53).
(«L'Envers du monde»)

S'ajuste à toi, mince et nu,
Et simule l'amour en un lent frisson amer (*TR*., p. 54).
(«Vie de château»)

D'oiseaux imaginaires châtiés par le vent (*TR*., p. 56).
(«Paysage»)

L'érotisme impossible, les liaisons extra-terrestres et nocturnes, tout confère à cette quête les assises d'une mythologie en échafaudage:

> Dans nos mains peintes de sel
> (Les lignes de destin sont combles de givre)
> Nous tenons d'étranges lourdes têtes d'amants
> Qui ne sont plus à nous
> Pèsent et meurent entre nos doigts innocents (*TR.*, p. 53).
> («L'Envers du monde»)

Cette poussée mythique embrassant soudain la poésie d'Anne Hébert, dans *Le Tombeau des rois*, est un appareil fascinant d'éclosion d'une force immense née au milieu d'un peuple isolé. C'est comme la revanche spontanée de tous les silences, de toutes les solitudes. Ce recueil est une sorte de système mythique de tous nos démons assemblés de force dans un carnaval souterrain où ils sont forcés de se soumettre à l'épreuve de l'autocritique. Les poèmes se lisent comme des voix trouvant leur unité ultime dans notre collectivité qui les entend pour la première fois.

Le dernier poème du recueil, «Le Tombeau des rois», resserre toutes ces voix autour d'un noyau complet. C'est l'éclatement du silence et de la solitude dans un grand geste épique comme la re-création du monde pour nous. C'est dans l'abîme et le chaos, comme aux temps primordiaux, que se reconstruira une ferveur allégée du fardeau écrasant de nos peurs secrètes et toutes-puissantes.

II. *Structure verbale et fragmentation de la métaphore dans les deux premiers vers*

Nous allons insérer d'abord le texte du poème pour fins de références:

Le Tombeau des rois [1]

par Anne Hébert

J'ai mon cœur au poing
Comme un faucon aveugle.

Le taciturne oiseau pris à mes doigts
Lampe gonflée de vin et de sang,
Je descends
Vers le tombeau des rois
Etonnée
A peine née.

Quel fil d'Ariane me mène
Au long des dédales sourds?
L'écho des pas s'y mange à mesure.

(En quel songe
Cette enfant fut-elle liée par la cheville
Pareille à une esclave fascinée?)

L'auteur du songe
Presse le fil,
Et viennent les pas nus
Un à un
Comme les premières gouttes de pluie
Au fond d'un puits.

Déjà l'odeur bouge en des orages gonflés
Suinte sous les pas des portes
Aux chambres secrètes et rondes,
Là où sont dressés les lits clos.

---

1 Texte de l'édition originale: *Le Tombeau des rois*, Québec, Institut littéraire du Québec, 1953, 77 p.

L'immobile désir des gisants me tire.
Je regarde avec étonnement
A même les noirs ossements
Luire les pierres bleues incrustées.

Quelques tragédies patiemment travaillées,
Sur la poitrine des rois, couchées,
En guise de bijoux
Me sont offertes
Sans larmes ni regrets.

Sur une seule ligne rangés:
La fumée d'encens, le gâteau de riz séché
Et ma chair qui tremble:
Offrande rituelle et soumise

Le masque d'or sur ma face absente
Des fleurs violettes en guise de prunelles,
L'ombre de l'amour me maquille à petits traits précis;
Et cet oiseau que j'ai respire *
Et se plaint étrangement.

Un frisson long
Semblable au vent qui prend, d'arbre en arbre,
Agite sept grands pharaons d'ébène
En leurs étuis solennels et parés.

Ce n'est que la profondeur de la mort qui persiste,
Simulant le dernier tourment
Cherchant son apaisement
Et son éternité
En un cliquetis léger de bracelets
Cercles vains jeux d'ailleurs
Autour de la chair sacrifiée.

Avide de la source fraternelle du mal et moi
Ils me couchent et me boivent;
Sept fois, je connais l'étau des os
Et la main sèche qui cherche le coeur pour le rompre.

Livide et repue de songe horrible
Les membres dénoués
Et les morts hors de moi, assassinés,
Quel reflet d'aube s'égare ici?

D'où vient donc que cet oiseau frémit
Et tourne vers le matin
Ses prunelles crevées?

---

* *Ces deux vers ont été légèrement modifiés quant à leur disposition dans la réédition du recueil sous le titre* Poèmes, *Seuil, 1960.*

Et cet oiseau que j'ai
Respire
Et se plaint étrangement.

Nous allons expliciter la technique employée dans le développement du poème en examinant les deux premiers vers:

J'ai mon cœur au poing
Comme un faucon aveugle.

Est-il important de signaler qu'il s'agit d'un vers alexandrin désarticulé dans la première moitié: *J'*(e) *ai?* Non, puisque le poème dans sa totalité emprunte distinctement le vers libre. Plus important, on n'a pas encore appris à lire la poésie moderne; on s'acharne à la faire passer par le cadre traditionnel. «L'image initiale, selon André Rousseaux, est une création absolument neuve dans la littérature»[2]. L'éloge est mérité. C'est néanmoins bien au-delà d'un pressentiment de grandeur qu'il faut regarder. L'image se fond dans la multiplicité des images. C'est ce que nous avons choisi d'appeler: «fragmentation de la métaphore». Les mots sont plurivalents. La «structure verbale» dépend alors des cycles et métamorphoses en puissance à l'intérieur d'un ensemble de dix mots (si l'on compte «J'») perçus par le lecteur, non pas nécessairement dans tel ordre métaphorique mais dans un ensemble subjectif. Comme nous le verrons, les mots: *cœur, faucon, poing* et *aveugle* peuvent chacun servir de charnière à de nouveaux réseaux métaphoriques. De plus, le poème, comme nous allons le démontrer dès le début de la prochaine partie, repose sur un enchaînement verbal émanant des deux éléments du titre: «Tombeau» et «roi», reproduits et amplifiés par les quatre éléments charnière dans les deux premiers vers (substantifs actuels ou potentiels): *aveugle* et *poing*, se rapportant à «Tombeau», et *cœur* et *faucon*, se rapportant à «rois». Cet enchaînement verbal continue par tout le poème et devient essentiel à sa lecture.

La comparaison *coeur...comme...faucon* circonscrirait l'interprétation à une seule image centrale. Le rapport entre les dix mots est beaucoup plus dynamique, déborde complètement ce monde cerné par un outil incomplet. La métaphore devient mobile et soumise au langage en action. Chacun de ces mots est emprisonné par le poète dans un tourbillon transformant le langage ordinaire en éclatement de l'expression. Au lieu du poème émanant de l'image il faut chercher les images émanant des mots. A moins de sensibiliser le public à un retour au langage comme à priori dans la création et dans la lecture du poème d'Anne Hébert, on se bornera à dire que c'est beau et que c'est original. Une telle déficience mène à l'impasse. La poésie est soumise

2 Pagé, *op. cit.*, p. 99.

à des étiquettes depuis plus d'un demi-siècle. C'est pourquoi nous proposons une lecture conforme aux normes de sa variante moderne, celle qu'on qualifie souvent d'incompréhensible.

Les deux premiers vers servent à la fois d'introduction au poème, de résumé du poème, constituent un poème et jouent le rôle de chœur dont la voix n'est entendue qu'une seule fois mais augmente d'intensité et se transforme en obsession, en refrain fixé dans l'esprit du lecteur. C'est un poème à l'intérieur d'un poème, une imprécation incantatoire continue dans la menace permanente de l'oiseau de proie, personnification du poète, planant méchamment au-dessus du poème, sur un poing levé contre un monde souterrain.

Ce magnifique assemblage de force verbale confiné à dix mots collabore à ramener la poésie au langage multidimentionnel, soit à la source même de la poésie. Le vers libre a longtemps erré dans l'esthétique mi-prose, mi-poème. Le théâtre en prose a éprouvé la même incertitude en se débarrassant des rigueurs imposées par le vers. Mais le dit vers libre a rarement atteint son expression la plus entière, probablement à cause de son caractère expérimental, voué au perpétuel renouvellement; à cause aussi d'une pré-disposition à le lire selon le cadre poétique traditionnel.

Anne Hébert incorpore les vastes étendues de la poésie ultra-moderne en situant chaque mot à sa place par rapport à l'ensemble, resserré au point de ressembler à une science de l'expression s'imposant des règles strictes; «Aussi, peu de mots sont-ils employés, mais tous nécessaires et pris dans leur signification exhaustive»[3], dit Pierre Emmanuel dans sa préface.

Une compréhension minimale du poème exige au préalable l'étude attentive de chaque élément constitutif de ces deux premiers vers, mini-poème ou mime de ce qu'est tout le poème. Assez curieusement, un tel examen ne manque pas, s'il est mené sans frivolité, d'ouvrir l'accès, dès lors rendu facile, à cette œuvre hermétique. C'est que toute effusion lyrique ou transport de l'esprit, si ingénieux soient-ils; toute traduction, si tenace, si obstinément minutieuse soit-elle; tout ce qui est de près ou de loin extérieur au poème le complique plutôt qu'il ne l'éclaire. Or la critique vise d'ordinaire à reconstruire l'œuvre autour d'un choix, soit à l'aide d'une lecture «idéale», soit à l'aide de catégories plutôt fixes (malgré leurs tournures astucieusement nouvelles par le jargon des désignations *employées*). Il faudrait

---

3 Hébert, Anne. *Poèmes*, *op. cit.*, p. 11.

plutôt respecter dans ces deux vers la dynamique de chaque mot. Dans ce but, nous allons nous limiter au phénomène de l'écriture soumise à l'analyse; c'est le lecteur qui fera sa propre lecture «idéale» ou autre. C'est à lui que s'adresse le poème, et c'est lui qui en assurera la postérité.

Quelques précisions sur le rôle du chœur entendu une fois mais qui devient un refrain par tout le poème. Nous croyons que le choc de ces deux vers, leur étonnante nouveauté, leur qualité incisive, forcent le lecteur à les garder en mémoire, à les relire, à entrer dans leur atmosphère tragique et brutale, dans leur jeu puissant. Ainsi se fait jour un phénomène très fréquent dans les œuvres d'Anne Hébert, celui du double. Ces vers sont comme le double du poème. Ils personnifient le poète en tant qu'oiseau de proie, planant sur la jeune fille innocente, doublure de la femme, enfant qui descend dans les tombeaux pour y perdre et y chercher à la fois l'innocence, et donc proie de l'autre, de la femme-faucon, dont elle présente *un* des visages. La temporalité est celle d'un présent «absolu» dans les deux premiers vers, se maintenant par tout le poème, cependant que grâce au dédoublement, par une rétrospective en toute évidence, l'enfant fait le voyage mythique sous le regard perçant du dit «chœur» silencieux et sinistrement présent, permettant un double revirement, celui de la femme se regardant agir en enfant curieuse des secrets de la mort, culpabilité, et celui de l'enfant délivrée par le voyage interdit au terme duquel elle redevient la femme, comme le faucon, au lieu de personnifier l'agression aveugle dans les ténèbres, se transforme à la fin du poème en l'oiseau restauré tout d'un coup à la lumière. Dans ce prélude éclatant, le présent absolu tient lieu de temporalité figée par l'agression, par l'imprécation contenue dans ces deux vers. C'est la voix passive, éminemment active dans l'agression. Le poing levé demeure levé, immobile dans son geste actif.

Le chœur est alors une imprécation qui dure le temps de sa formulation, lequel est aussi le temps du poème par extension. Ainsi, les deux premiers vers demeurent présents, comme répétés par tout le poème qui dépend de cette formule incantatoire, imprécation avons-nous dit; nous aurions aussi bien pu dire «provocation». Dans un certain sens, les deux premiers vers servent de charnière au poème. La conquête de la nuit dépendra de la tension introduite dans ce prélude explosif.

Passons maintenant aux composants de ces deux premiers vers, aux dix mots susceptibles d'éclairer par leur agencement et par leur structure le poème tout entier. Nous verrons pourquoi cet alliage est inviolable, que ce soit par l'explication ou par la traduction. Nous allons procéder de façon à laisser les deux vers révéler leur propre identité et leurs multiples significations.

Ces mots sont ancrés dans la réalité du poète qui les a choisis pour traduire son univers intime et presque interdit. Ils témoignent d'un souci d'économie et de précision qui crée justement l'impression d'une intention exacte. Dix éléments aussi essentiels les uns que les autres, puisés à même le fouillis flottant du langage en désordre. Aucun décor ne distrait de l'incisive netteté d'une introduction écrite dans un code poétique des plus rigides. C'est le ciment d'une agression voulue, directe, sans compromis ni dans la pensée ni dans le style. L'âpreté de la scène atteint à une puissance éminemment sauvage. L'agression immédiate du cœur-faucon appelle déjà les ténèbres de la nécro-culpabilité qui vont envelopper tout le poème. «Je suis sorcière. Je crie pour faire sortir le mal où qu'il se trouve, chez les bêtes et les hommes» (*K.*, p. 131), dit l'héroïne de *Kamouraska*; «Je crie» comme dans «j'écris»!

Nous admettons la métaphore *cœur* = narrateur, qui se perçoit d'emblée en *faucon* = chasseur, comme étant celle qui s'impose à l'esprit du lecteur. Mais nous tenons comme absolument essentiel à la compréhension du poème d'explorer plus avant cette écriture mythique puisque la lecture traditionnelle s'est avérée insuffisante.

Notre *schéma no 1*, à la page suivante, illustre l'interaction du langage. Les mots rebondissent les uns contre les autres, déteignant sur la pensée aux prises avec leurs métamorphoses. Ils ont des ramifications multiples et ils changent de caractère selon leur place relative dans l'ensemble. Au lieu de lire le mot à mot, comme dans la prose, c'est le tourbillon des effets multipliés qui ordonne le spectacle métamorphique. En fractionnant la métaphore, la pensée repense les mots resserrés et absolument individualisés, engendrant de ce fait des réseaux pluriels réciproques que nous qualifions de «langage en action», de fractionnement métaphorique. La tension entre tous les mots, leur *inévitabilité*, leur solidarité forment un système unique, une entité nouvelle qu'il faut apprendre à lire dans ses rapports et dans ses mouvements qui composent une dynamique du langage:

Schéma no 1

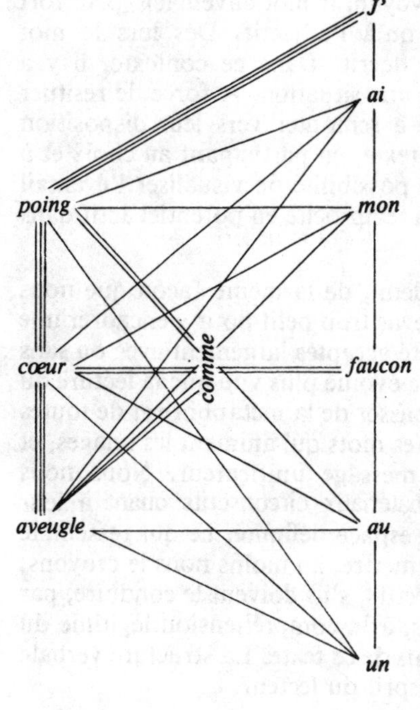

= pron. pers., passage du «moi» vers tous les autres mots qui transforment neuf fois «J'»; rebondissements, retour.

= verbe actif ou passif selon le mot auquel il se réfère, ex: «J'ai un poing, un faucon, un cœur», sont actifs; «j'ai» — je me retrouve ayant — «un coeur...», passifs.

= adj. poss., subjectif-concret, tournure enfantine, surprise, rapprochement, butin étrange, l'abstrait ramené à soi sous forme de jouets, monde d'objets, dédoublement, inquiétude latente dans cette tournure redondante.

= mot clef; possession à élucider; miroir de la triple identité: «poing», «faucon», «aveugle», agression, destruction, désespoir, amour, haine; objet étranger à la conscience; interdépendance avec poing, faucon et aveugle (comme).

= monosyllabe de distanciation opposé à «mon» par un renversement vers l'agression «poing» plutôt que vers le moi enfant; spatialisation, mouvement, passage du passif à l'actif.

= monosyllabe indéfini qui augmente la distance objective tout en rapprochant de ce fait de la conscience lucide de l'existence en soi du paradoxe tragique; «un» entre aussi en conflit avec «mon».

Nous allons situer les trois noms ainsi que l'attribut «aveugle» («un faucon **qui est** aveugle», copule implicite), capable d'un rôle de substantif, «un aveugle», par extension («un faucon **qui est** un aveugle», donc), tout comme les trois noms sont eux-mêmes réversibles en attributs («un aveugle qui est faucon», *et coetera*), en tant que charnières successives de la métaphore mobile. Chacun des schémas représente, à l'opposé de la «lecture idéale», des élargissements obligatoires afin d'atteindre éventuellement à la lecture globale. Nous voulons proposer que l'esprit du lecteur, s'étant heurté à l'imperméabilité des mots choisis et disposés par l'auteur dans un ordre provoquant une sorte d'impasse appelée «hermétisme», a le droit d'avoir recours à tous les subterfuges à sa disposition pour pénétrer à l'intérieur de ce langage qui se refuse à son accès. Tout comme le cubisme a depuis longtemps prouvé qu'on ne perçoit pas l'objet dans sa totalité mais sous forme de masses, nous voudrions également proposer que le lecteur, voyant le mot «aveugle», peut fort bien penser au substantif plutôt qu'à l'adjectif. Dès lors le mot «aveugle» nomme plutôt qu'il ne décrit. Dans ce contexte, il y a transformation d'une condition en une situation. A force de resituer subjectivement les mots, on arrive à remonter vers leur disposition primitive, celle de l'auteur dans le texte, en participant au choix et à l'ordre décidés par le poète avec la possibilité de visualiser l'éventail des autres options contenues dans la réciprocité en potentiel actif dans ces mots.

C'est tricher seulement à demi, de la même façon que nous reconnaissions un arbre sur un canevas trop petit pour y encadrer une *vraie* branche. Les arts visuels ont été acceptés largement avec ou sans leur propre hermétisme. L'écriture a évolué plus vite que la lecture du texte. Le langage en action peut se passer de la métaphore et de toutes les autres figures de style si ce sont les mots qui animent les images, et leur interaction qui remplace le message unificateur. Nous nous retrouvons donc en présence de matériaux circonscrits quant à leur nombre et fixés solidement sur un espace délimité, ce qui ressemble fort à la peinture. L'œil peut se permettre, au moins nous le croyons, de faire ses propres méandres subjectifs, s'ils doivent le conduire, par voie d'élargissements systématiques, à la compréhension légitime du texte, à la dynamique des composants de ce texte. La structure verbale est fixée sur le papier, pas dans l'esprit du lecteur.

Notre *schéma no 1* provoquera, bien sûr, des questions. On peut y lire «un poing au cœur», «mon faucon au poing», «comme un aveugle, faucon», «comme un cœur aveugle», et encore bien des combinaisons étranges et révoltantes. On ne peut cependant pas y lire «une douzaine d'œufs» ou même «un méchant faucon»! Nous sommes limités à dix mots, dont quatre monosyllabes: «mon», «comme», «au», «un»; deux autres formant un son unique: «J'ai»; trois noms et un attribut. D'où vient alors cette possibilité d'engendrer des pages entières d'impostures basées sur un aussi mince capital? C'est, nous le croyons, la découverte d'une poésie affranchie des étiquettes, imposant ses propres critères de lecture. C'est la poésie moderne, celle qui compte un grand nombre de poètes actifs et pratiquants (même accessibilité fausse dans la peinture) écrasés par le taux formidable des échecs. Tout l'art moderne paraît avoir ouvert grand les portes de la facilité. C'est une erreur. Les modèles n'existent plus. Les écoles ont disparu. Chacun doit découvrir sa propre originalité et l'imposer ou sombrer dans l'oubli. Les dix mots formant ce nucléus inépuisable sont compatibles, font bon ménage, sont dotés d'un pouvoir de mouvement presque infini. Ils sont liés par des fils invisibles reproduits dans le *schéma no 1*. C'est l'étape de la familiarisation avec les matériaux employés par le poète.

Il faut tout de suite passer à l'étape suivante, celle de la métaphore fragmentaire ou dite en mouvement. Nous allons donc au fil de cette progression à partir d'un langage en action vers l'image en métamorphoses. Les schémas suivants sont toutefois, à l'encontre des combinaisons jaillissant des mots, délimitables. Les mots charnières se doivent d'être des noms, si l'on ose, des parties du discours transformables en substantifs. Nous disposons alors de trois noms et d'un adjectif: *cœur, poing, faucon,* et *aveugle.* Compte tenu du fait que le *cœur-faucon* figure déjà forcément dans le *schéma no 1*, il nous reste moins de quatre multiples de trois; beaucoup moins même puisque l'imposture doit quand même exclure les combinaisons ridicules. *Cœur* dit affectivité, passion, amour, chagrin, solitude, *et cœtera*, avec ou sans le faucon; *faucon* dit noblesse, violence, féerie, richesse, chasse, goût médiéval, légende, mystère...; *poing* dit défi, verticalité, orage, révolte, barbarie, menace, cruauté, danger...; *aveugle* dit nuit, ténèbres, inaptitude, inconscience, souffrance physique ou morale, malheur, bornes, limites, enfouissement, *et cœtera*. Chacun de ces mots représentant un aspect linéaire du poème tout entier devient un pilier du mythe. Il n'est pas surprenant que le lecteur fractionne la métaphore, bon gré mal gré, selon le mot qui arrête automatiquement son attention.

Voici quelques exemples de multi-métaphores:

Schéma no 2

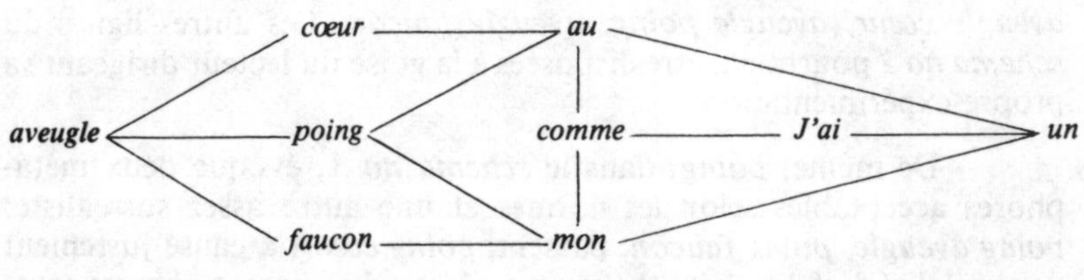

Schéma no 3

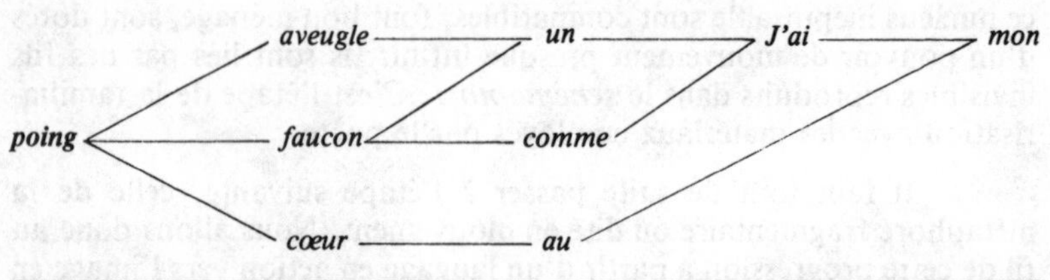

Schéma no 4

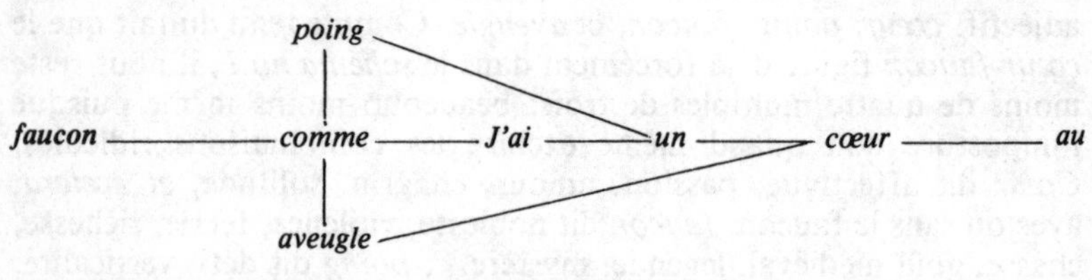

Schéma no 5

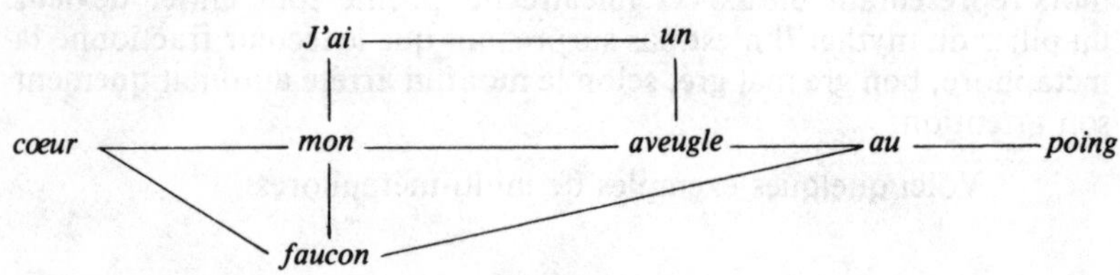

Aveugle utilisé comme charnière d'une métaphore issue de la fragmentation due à la subjectivité du lecteur évoque trois métaphores: *aveugle cœur, aveugle poing, aveugle faucon*. Les autres lignes du *schéma no 2* pourraient être disposées à la guise du lecteur dirigeant sa propre expérimentation.

De même, *poing*, dans le *schéma no 3*, évoque deux métaphores acceptables selon les normes et une autre assez surréaliste: *poing aveugle, poing faucon*, passent; *poing cœur*, à cause justement de sa qualité farfelue, crée son propre réseau d'images: *poing au cœur* (cliché médical), *point de cœur* (se lit au sens moral, s'entend doublement: *point de cœur* et *poing de cœur*), *poing-cœur* (cœur sauvage et cruel). Nous avons modifié la position relative du sujet et du verbe afin de démontrer que ces lignes sont absolument facultatives pourvu qu'on ait placé en relief le mot charnière. Le langage se restitue avec ou en dépit du consentement du manipulateur. C'est que cette combinaison de mots est dotée d'un potentiel non déterminable.

Faucon, dans le *schéma no 4*, propose deux comparaisons: *faucon comme aveugle* et *faucon comme poing*, assez acceptables en tant qu'images, et une troisième comparaison pleine de pathos: *faucon comme j'ai un cœur + au* qui s'entend comme *haut*. Les métaphores: *faucon poing, faucon cœur, faucon aveugle*, résultent du simple fait que le mot «comme» a été rayé, et elles fonctionnent aussi bien que la comparaison que nous avons insérée comme élargissement. Enfin, *cœur* figure dans le *schéma no 5* dans un ensemble aux lignes moins ordonnées: *J'ai mon faucon aveugle, J'ai mon faucon cœur, J'ai mon faucon poing*. C'est en poussant, on le voit, le formulé vers l'informulable, le conventionnel vers l'absurde, que l'on peut se familiariser avec le fonctionnement de l'univers verbal du poète. Il s'agit, à l'inverse des lectures retraçant l'enchaînement métaphorique, de pousser vers l'éclatement métaphorique, vers les métaphores contestataires par rapport à n'importe quelle pré-lecture pour ainsi dire, en faveur d'une multi-lecture. Ce travail achevé, on s'est approché de la démarche poétique de l'auteur autant qu'il est possible d'évoquer ce mystérieux rituel. Au lieu de l'explication, on entre dans l'action. Une sorte de complicité secrète se noue avec l'auteur. Au lieu de vouloir réduire le message, on veut le laisser jaillir et participer autant de l'informulable que du formulé. Les mêmes mots nous sont familiers.

Ainsi, *cœur, faucon, poing* et, substantivement, *aveugle*, se revêtent de sens nouveaux. Ils ont la faculté de se transformer en images. Des combinaisons extraordinaires surgissent de ces mots. En continuant l'accession ou l'ascension vers les élargissements du phénomène de l'écriture poétique, ils deviennent des symboles essentiels à la lecture du poème: *cœur* = amour, érotisme, poursuite du visage aimé; *faucon* = noblesse, loisirs cruels, proie; *poing* = révolte, défi; *aveugle* = nuit, absence de lumière, de vision. On peut, naturellement, interpréter tout à fait autrement ces symboles. Notre but est très visiblement de suivre le cheminement multiple des noms tout au long des amplifications poétiques, des mots arrachés à un langage peu propice à la communication exacte pour devenir, par une série de mutations, des piliers de l'expression totale. Le symbole étant une fiction abstraite, nous allons aussi parler, dans le cas de la langue poétique d'Anne Hébert, et cela au risque de confondre même les lecteurs réceptifs, de l'allégorie. Eh bien, chacun de ces quatre mots pris en substantif contient un aspect de représentation, de spectacle ou de visualisation théâtrale. Le *faucon* plane sur tout le poème comme un sympathique mauvais ange; sa cécité est celle du narrateur qu'il personnifie; on le situe avec les rois, les pharaons et la bête immonde qu'il faut tuer. Le *cœur* est tout meurtri, défait, et il erre dans les tombeaux à la recherche de quelqu'un que le jour interdit. On le voit déambuler dans les labyrinthes comme un conquérant qui cherche à tuer la mort. L'*aveugle* avance péniblement dans le noir, dans la nuit de la mort, de la culpabilité, de la passion. Le *poing* est le défi démoniaque de la chute. Encore une fois, on peut rejeter cette idée d'allégorie, mais elle nous semble parallèle aux symboles et probablement plus près du poème, parce que ce dernier est plus dramatique qu'intellectuel. Nous reprendrons cette démarche dans «le sens du poème».

Puis les quatre mots clés accèdent au mythe: *faucon*, mythe médiéval, quête, voyage fabuleux; *cœur*, mythe de l'amour, Iseut à la recherche de Tristan; *aveugle*, mythe de la culpabilité, de la faute, nuit, érotisme; *poing*, mythe du refus. A ce stade, nous avons atteint le langage du poème. Pour lire correctement «Le Tombeau des rois», il faudrait employer cette méthode d'un bout à l'autre. Naturellement, ce sont des multiples du *faucon*, du *cœur*, de l'*aveugle* et du *poing* qui ordonnent la thématique. Quatre lignes de fond descendent perpendiculairement par tout le poème, et elles prennent racine dans ces quatre mots qui, eux, prennent racine dans le titre.

J'ai, personne narative et avoir actif-passif; *mon*, double, l'enfant; *au*, mouvement, espace; *un*, objet indéfini, recherche, identité; *comme*, lien entre le narrateur et son double, entre le passif et l'actif, entre le lecteur et l'auteur, entre le jour et la nuit. *Comme* se situe au bas de l'échelle d'importance des mots parce que *tout est comme quelque chose*, analogique (Baudelaire).

Les deux premiers vers sont eux-mêmes un très beau poème, ils demeurent la clé du long poème, le cœur, la voix, l'imprécation qui provoque le voyage nocturne. Dans ce sens, l'œuvre devient un élargissement de ces deux premiers vers. Une telle symétrie peut paraître presque surhumaine et inventée après coup par la critique. Elle repose pourtant dans cet univers indéfinissable qui habite l'auteur. Ce que sa conscience n'achève pas, le génie s'en charge. Autrement, il n'y aurait pas de «Tombeau des rois». Quoi qu'il en soit, sans entrer dans le jeu structural des deux premiers vers, sans prendre part pour ainsi dire au processus créateur, il est douteux qu'on puisse aller beaucoup plus loin dans le poème. Le sens de ces deux premiers vers dépend aussi de la compréhension de l'œuvre, sorte de complicité à l'intérieur d'un monde clos, tout comme les autres écrits de l'auteur gravitent autour de ce poème central.

Muni d'une expertise relative aux matériaux utilisés dans les deux premiers vers, la lecture du poème peut se faire progressivement plus subjective. C'est une autre façon de lire: avec plus de confiance en son propre jugement. Apprendre à lire un poème, c'est d'abord et avant tout apprendre à redéfinir les mots en fonction de l'univers poétique de l'auteur. L'élément insaisissable demeure la puissance verbale émanant de dix mots choisis plutôt que de dix autres grâce à un talent poétique absolument remarquable.

Voyons maintenant le poème dans son ensemble.

III. *Le poème*

Nous avons l'évidence que les deux premiers vers se suffisent à eux-mêmes et qu'ils contiennent en substance tout le poème. Situons-les alors en fonction du titre d'abord et de tout le poème ensuite:

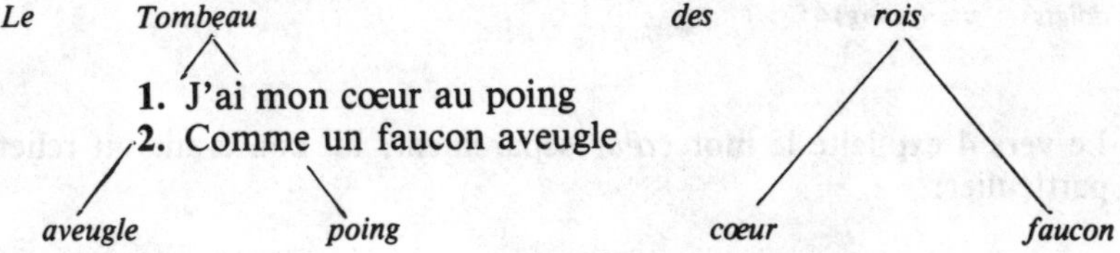

Il y a un rapport entre les deux principaux éléments du titre et les quatre mots clés dans les deux premiers vers, une symétrie d'antithèse: *Tombeau* = *aveugle* = *poing* (révolte); *rois* = *cœur* = *faucon* (grandeur). Puisqu'il s'agit d'un voyage mythique, chacun de ces éléments se revêt d'emblée d'une qualité d'élargissement au sein de laquelle tous ces mots deviennent des entités mythologiques. Il ne serait pas pratique de poursuivre strictement les facettes des quatre mots clés dans une analyse du poème. Il faut tenir compte du rapport intime de tous les mots, et le faire sur un plan aussi concret et abordable que possible. Le chapitre IV: «*Le sens du poème*» s'intéressera à l'écriture mythique exemplifiée ci-haut.

J' et *mon* sont les deux visages de la même personne, le narrateur et son double enfant; ai = actif-passif; au = mouvement.

Nous poursuivons selon l'ordre strophique instauré par l'auteur.

3 Le taciturne oiseau pris à mes doigts
4 Lampe gonflée de vin et de sang,
5 Je descends
6 Vers les tombeaux des rois
7 Etonnée
8 A peine née.

Le vers trois résume les vers un et deux dans un enchaînement où trois des mots correspondent parfaitement, sauf qu'un changement subtil est effectué dans le temps et dans la narration grâce à une réduction dans les termes:

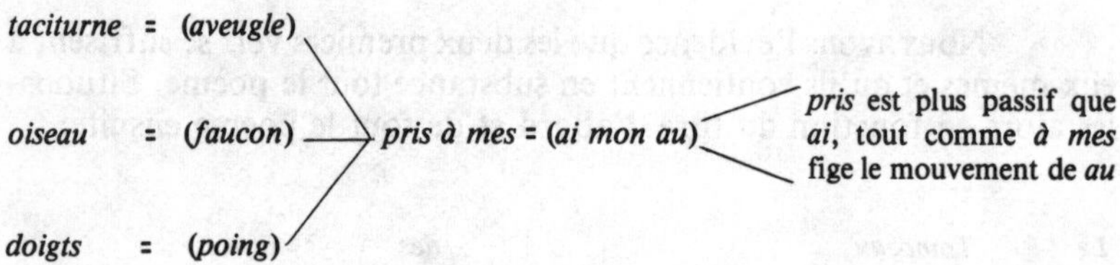

Le vers 4 explicite le mot *cœur* séparément, lui conférant un relief particulier:

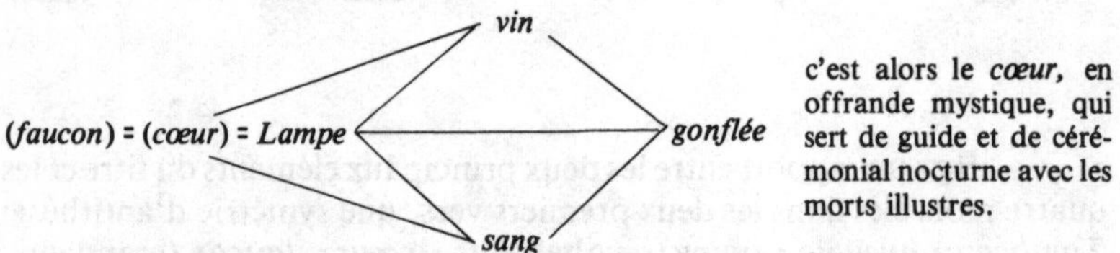

Les quatre vers suivants inaugurent le mouvement de descente, mettant ainsi fin à l'élement passif de la conscience se regardant pour inaugurer celui de conscience de l'action:

Je = différent du *J'*, en ce que le *Je* actif est justement un autre moi

descends = mouvement, intention, verbe transitif actif

vers = espace, direction, itinéraire

Les tombeaux = horizon perpendiculaire, situation de témérité et d'épouvante

des rois = élément fabuleux, amour grandiose, hallucination idéalisée.

Ainsi, les vers trois à huit (la deuxième strophe) introduisent plusieurs phénomènes intéressants. Il y a par exemple une réduction du mot *aveugle*, devenu *taciturne*, euphémisme pour *sombre*, nuit au sens psychologique; culpabilité au lieu d'agression, introduction d'un érotisme issu de la fatalité intérieure. De même *l'... oiseau* est une autre réduction par rapport à *faucon*, une personnification plus atténuée du poète en pleine révolte, double perspective du *Moi*, auteur et spectateur, et symbole moins amer. *Doigts* est une réduction de *poing*, sorte de dépréciation du poing ouvert en *doigts*. De même le verbe *pris* est un participe passé adjectival, verbe intransitif, passif, diminution de *ai*, immobilité et permanence d'une condition de servitude à la passion déjà si bien rendue par *taciturne*. Les mots du vers suivant sont tous symboliques et comme amplifiés, après réduction il y a de nouveau comme un gros plan sur le coeur permettant de le situer en relief: *lampe* = feu, éclairage de sanctuaire, passion; *vin* = offrande du Christ, transsubstantiation, et par extension bacchantes brûlantes d'orgie, lieu commun de tous les cultes primitifs et barbares; *sang* = *vin*. C'est comme l'initiation à *Je descends*, itinéraire lucide, premier pas vers l'abîme de la culpabilité. *Vers* introduit le mythe de la quête, le pèlerinage nocturne. *Les tombeaux* = mort, culpabilité, mal, solitude; *des rois*, fascination, noblesse, mystification (l'amant?).

Etonnée introduit un revirement nouveau. On apprend soudain que l'héroïne n'est pas entièrement maîtresse de la situation. le *Je descends* devient presque aussitôt *je me laisse descendre*. Un dynamisme incroyable se dégage du jeu actif-passif, le narrateur-spectateur laisse parler son double: *A peine née*, sentiment d'exclusion, de néant du temps et de l'action; conscience de la confrontation avec le mal, la chute symbolisée par le mouvement de descente. En élargissant un tant soit peu les perspectives, on comprend qu'il s'agit dès maintenant de la confusion entre le bien et le mal, entre l'amour et la culpabilité, entre l'amant fabuleux et la mort ténébreuse qui font depuis toujours partie du jansénisme québécois. Ainsi, après la deuxième strophe le lecteur est complètement engagé dans un voyage vers l'inconnu psychique d'une collectivité en proie à des monstres formidablement puissants. Chaque strophe va donc collaborer à émietter au mot à mot les visages mythiques du co*eur*, du *faucon*, du *poing* et de l'*aveugle*. C'est une expédition de recherche au fin fond de l'âme.

Les deux prochaines strophes posent deux types de questions relatives au dépaysement, conséquences de cette descente. La première de ces questions se situe dans le présent:

9 Quel fil d'Ariane me mène
10 Au long des dédales sourds?
11 L'écho des pas s'y mange à mesure.

la seconde complète la première en ce qu'elle est vraiment en dehors du poème, entre parenthèses, et qu'elle interroge les sources de la culpabilité, la chute, la tare héréditaire, soit tout le passé:

12 (En quel songe
13 Cette enfant fut-elle liée par la cheville
14 Pareille à une esclave fascinée?)

Ces deux strophes reproduisent une symétrie de la pensée et du style, règle visible dans tout le poème.

Quel fil d'Ariane du vers neuf = (*En quel songe...*)	La première question est mythique, la seconde est psychologique, les deux se rapportent à la plongée du faucon, c.-à.-d. à la descente en soi.
mène et s'y *mange* *liée* et *fascinée*	verbes qui accentuent l'ambiguïté entre l'actif et le passif de *ai*, de *pris*, de *gonflée*, d'*étonnée*, de *née*, et même de *descends*. Les actions sont des états et vice versa. Le mouvement est vers l'intériorisation de la descente, spectacle vertigineux et condition d'immobilité comme le faucon est au poing, immobile mais aussi en mouvement.

Les vers 10 et 13 correspondent aussi *Au long des dédales sourds*, devient *assourdissant*, puisque: *Cette enfant* (...) *liée par la cheville*, longue *Au long*, dans des conditions illustrées par les vers 11 et 14 respectivement; *L'écho des pas s'y mange à mesure* est un jeu de sonorités de crypte se rapportant au mythe de l'*aveugle* traversant le bruit *sourd*, assourdissant, et de là *Pareille à une esclave fascinée*, vers jumelable à *Comme un faucon aveugle*. La complexité de ces rapports suggère des élargissements de l'aventure désormais située sur plusieurs plans, présent — antériorité simultanée, c.-à.-d. temporalité abolie en faveur du temps du mythe, sonorité sourde comme le passif est actif, comme le *fil d'Ariane* (...) *mène* dans un mouvement perpendiculaire, double fiction, analogie, mythologie devrions-nous dire, des bornes du psychisme peu à peu dépassées grâce à l'abolition graduelle du temps, de l'espace, des sensations tels que nous les concevons. La double question des strophes trois et quatre embrasse ainsi le dépaysement de l'auteur, des doubles de la narration, de l'enfant-*esclave* déjà suggérée dans le *mon* du premier vers, du lecteur, et plus particuliairement de tout Québécois à la recherche des *morts en lui* (voir le vers 60: *Et les morts hors de moi, assassinés*).

Notons que les mots *fil d'Ariane* (...) *mène* (...) *Au long des dédales*, entre autres, indiquent que la descente s'accentue au fil des deux questions, et que ces dernières sont provoquées par le dépaysement. Finalement, le mot *esclave* (*liée par la cheville*) introduit un sens profond à l'effort de libération. La narratrice est enchaînée, la femme par l'enfant et l'enfant par *le songe* qui est la culpabilité. L'envergure de cette poésie en dehors d'un cadre réel évoque les chansons de geste, les légendes fabuleuses, le développement des grandes mythologies. La surabondance de ce langage mythique ouvre des mondes fermés à l'expression directe en innovant la lumière inépuisable de la poésie épique.

Les deux strophes qui suivent sont aussi deux unités de trois vers tournant autour d'un aspect unique. Au lieu de questions réciproques, il s'agit de mouvements réciproques. Il y a simultanéité ambivalente des pas de l'héroïne vers une présence autre qu'elle-même et les pas de cet être mystérieux, hôte des tombeaux, se confondant avec son propre mouvement à elle, rencontre:

15 L'auteur du songe
16 Presse le fil,
17 Et viennent les pas nus

18 Un à un
19 Comme les premières gouttes de pluie
20 Au fond d'un puits.

Les vers 15 et 16 suggèrent que la personne pressant *le fil* n'est pas nécessairement la même que celle ou celles de la double interrogation sur l'origine du fil (vers 9) et sur celle du songe (vers 12). Toutes les œuvres d'Anne Hébert qui sont postérieures à ce poème absolument essentiel multiplient les dédoublements du narrateur. Ainsi s'expliquent les identités successives du «double imaginaire» (*Kamouraska*, p. 23) instruisant la narration, ainsi que du compagnon phénix «...un seul homme renaissant sans cesse de ses cendres» (*K.*, p. 31). La structure même du vers 15 est impersonnelle au point d'effectuer tous les transferts imaginables, y compris la participation du lecteur.

Les verbes *Presse* et *viennent* accouplent une fois de plus le transitif-actif et l'intransitif-passif plus ou moins réversibles. Si les pas émanent du narrateur, c'est actif; si, par contre, ils prennent leur source ailleurs, c'est passif; si, par extension, ils sont non identifiables pour une raison ou pour une autre, ils peuvent être soit actifs, soit passifs, selon l'interprétation qu'on leur donne. La sensation tactile dans *nus* introduit l'eau, sorte de baptême des profondeurs: *gouttes de pluie / Au fond d'un puits. Un à un* suggère à la fois les précautions que prend le protagoniste afin de ne pas glisser dans le noir humide, une progression lente et incertaine, mais aussi l'attente de l'autre, de l'inconnu venant vers soi, du défunt terriblement feutré dans son avance épouvantablement *nue*! On sent déjà, bon gré mal gré, la distance parcourue entre le réel et l'imaginaire, entre le langage prosaïque et la langue mythique. Plus rien ne porte sur des prémisses existant à priori. Nous sommes au sein de l'inconnu et chaque mot est rempli de tension et de présages.

Les deux strophes suivantes, de quatre vers chacune, confirment l'aboutissement de la descente et commencent le mélange d'horreur et d'émerveillement qui séduiront la jeune aventurière dans un rituel nécromane qui laisse présager pour qui veut voir, les audaces des *Enfants du sabbat* sous déguisement:

Déjà l'odeur bouge en des orages gonflés
Suinte sous les pas des portes
Aux chambres secrètes et rondes,
Là où sont dressés les lits clos.

L'immobile désir des gisants me tire.
Je regarde avec étonnement
A même les noirs ossements
Luire les pierres bleues incrustées.

odeurs, bouge, orages, suinte et *gonflés* (ce verbe, au quatrième vers *Lampe gonflée de vin et de sang*, se rapportait au *cœur*) rendent tactile le baptême passionnel, olfactive l'atmosphère nauséabonde des tombeaux. *Orages* se rapporte à *poing, gonflés* à *cœur, bouge* à *aveugle*; c'est le mythe du tombeau, culpabilité. *Sous les pas des portes* situe le narrateur dans un autre jeu ambivalent, intérieur-extérieur cette fois, autre dimension essentiellement générique des œuvres. Les vers 23 et 24 décrivent les *chambres secrètes et rondes,* donc vues de l'intérieur, tandis que *pas des portes* les décrit de l'extérieur. Vrai, la chronologie est logique puisque le vers 22, extérieur, précède les vers 23 et 24, intérieur. C'est que le passage d'une dimension à l'autre semble précéder toute espèce de mouvement. C'est comme un autre dédoublement, un œil à l'extérieur et l'autre à l'intérieur.

gonflés et *suinte* sont des adjectifs verbaux, des descriptions d'états du sujet reportés sur les objets, en l'occurrence sur le décor; *bouge* est un astucieux jeu verbal, actif, mettant en mouvement l'odeur, mais c'est plus vraisemblablement un nom: *bouge*, c.-à.-d. lieu exigu, espace d'horreur, prison de décomposition; enfin, *sont dressés*, spectacle fixe, passif, actif pourtant dans la curiosité du narrateur et du lecteur, achève très heureusement l'esquisse fantasmagorique du décor souterrain. Les vers 23 et 24, à l'encontre des deux qui précèdent, transforment le ton sépulcral, *tombeau*, en fascination, *rois*: *chambres secrètes*; animent le désir d'entrer dans ce monde inconnu; *rondes* ainsi que *lits clos* suggèrent l'un la perfection l'autre l'exclusivité (Anne Hébert, dans *Dialogue*, explique l'existence de *lits clos* en Bretagne, pour satisfaire à la curiosité de Scott, multi-traducteur du poème), quelque chose qui relève du luxe, soit de la famille de la fauconnerie, des fictions grandioses, contraste formidable avec le suintement et les images des deux premiers vers de cette strophe. Le mouvement s'étant interrompu, la descente étant arrivée à son terme, la double restructuration du paysage va remplacer le dépaysement, le décor s'élabore à partir de l'antithèse initiale, *tombeau* et *rois*, et continue de faire figurer la révolte (*poing*), la passion (*cœur*), la nuit (*aveugle*) et la bête royale (*faucon*).

Un élément de première importance vient cependant de surgir. Il s'agit de l'éclairage. Qui voit tout à coup dans le noir les *chambres* (...) *rondes* et *les lits clos*? Au terme de la descente, la conscience voit. Appelons ce soudain éveil aux formes et aux détails visuels un autre élément d'ambivalence. Le cœur-faucon est aveugle au début et le narrateur se demande pourquoi il voit à la fin du poème. Nous pouvons arguer qu'il commence à s'habituer à l'obscurité, qu'il s'adapte peu à peu au fil de l'expérience à développer une vision nouvelle issue des ténèbres de jadis. C'est la lumière mythique. Les objets et phénomènes naturels se revêtent d'une surréalité épique, tout comme Escalibur, l'épée magique, avait une personnalité redoutable.

Le vers 25 montre la réaction de cette enfant téméraire qui a l'air de choisir l'aspect fabuleux et de l'amplifier, renonçant à l'aspect terrifiant qu'elle semble effacer. De fait, ce vers est capital et presque impossible à fixer. Les *gisants sont immobile*(s). Le narrateur aussi.

Dans toutes les oeuvres, le mime de la mort est une clé («Catherine faisait la morte. ...comme si elle eût été envoûtée sur place» *Les Chambres...*, p. 137; «Nous jouons aux gisants de pierre. Nos deux corps étendus. Simulant la mort.» *Kamouraska*, p. 151; «En pleine possession de nos privilèges de vivants, nous pénétrons le domaine des morts et le lieu sacré de leur refuge. Ce froid dans nos veines et cette odeur poignante de la terre dans nos bouches. Nous absorbons avec une facilité étonnante, la nuit des morts, leur froid excessif, toutes ténèbres, terreur et horreur cachées. Elevés à une très haute puissance, tous tant que nous sommes, la vie et la mort n'ont plus aucun secret ni tourment pour nous.» *Les Enfants...*, p. 44; «Philomène, pour la première fois, apprend à faire la morte...» *ibid*., p. 116). Il y a complicité entre vie et mort. De la même façon *le désir* (...) *me tire* attribué aux *gisants* est réversible et signifie dans la totalité du vers: l'immobilité des gisants se transforme en moi en désir et me tire (vers eux) comme dans m'attire. Pour l'héroïne, c'est le passage de la vie à la mort, l'anatomie pour ainsi dire des limites de la culpabilité. L'érotisme et la mort côtoient dans tous les romans mentionnés plus haut dans la parenthèse («Il la porta sur le lit comme on porte un enfant qui va mourir» *Les Chambres...*, p. 183; «L'apaisement qui suit l'amour. Son épuisement. Nous refusons encore d'ouvrir les yeux. Dans un chuchotement d'alcôve nous discutons la mort d'Antoine.» *Kamouraska*, p. 163). Ce vers 25 est comme le noyau du poème et aussi des oeuvres qui lui sont postérieures. Un *gisant* est, nous le savons, une sculpture funéraire placée sur le sarcophage, mais c'est par extension une survie sous forme d'objet, de fac-similé étrangement mystérieux. Dans *Les Enfants du sabbat*, il y a des reliques mortuaires: «...des os brunis du révérend père, fondateur du couvent,...» (p. 47); la Goglue, Philomène: «La curieuse petite tête, le curieux petit corps, ratatinés et carbonisés. Une poupée de bois noir gît, à moitié enfouie dans le matelas crevé,...» (p. 129), entièrement dérisoires. A la lumière du comique présent dans le dernier roman publié à ce jour, on pourrait voir la possibilité d'interpréter la stucture compliquée du vers 25 et surtout son harmonie perchée sur cinq *i* «L'*i*mmob*i*le dés*i*r des g*i*sants me t*i*re» comme un jeu phonologique où perce l'ironie. Mais le poème, dans son ensemble, rejette cette interprétation en faveur du tragique. C'est un vers néanmoins fort intrigant à entendre.

Au vers 26, le *Je regarde* rejoint le *Je descends* du vers 5, c.-à.-d. *Je* me vois *regarder*, car, *avec étonnement* (*Etonnée*, v. 7, qualifiait *Je descends* de la même manière), reprend l'atmosphère de dépaysement ou de *re-paysement* décrite dans les contrastes, *tombeau* et *rois, noirs ossements*, d'une part, et, à l'opposé, *Luire les pierres bleues incrustées*, d'autre part. La relation *noirs-Luire* et *ossements-pierres bleues incrustées* est assez explicite. Notons toutefois que l'éclairage: s'accentue. On voit maintenant les reflets: *Luire*, les teintes: *bleues*, et les reliefs: *incrustées*. A la strophe précédente, introduisant cet éclairage mystérieux, on ne voyait guère que les formes et objets énormes: *chambres ... rondes ... lits clos*. Il y a eu augmentation de l'éclairage et rapprochement minutieux (gros plan) dans la progression de l'examen du décor ambiant.

Ces deux strophes se soldent par un sentiment d'opulence, voire de volupté immanente. La strophe suivante, cinq vers, fait le pont entre l'appréciation du décor et la participation active de l'héroïne, désormais apprivoisée, à l'orgie libératrice, à la conquête de la mort, du mal, de la solitude, du marasme, de l'hérédité inscrite au chapitre des «interdictions» (voir *Le Torrent*, p. 25). Cette épopée de la perte de l'innocence, d'une virginité indécente «Les étoffes noires, mates. Les bijoux d'améthyste et d'argent. Trois corps d'oiseaux modifiés dans leurs plumes ternies» (il s'agit des tantes dans *Kamouraska*, p. 97) «Une profonde et mystérieuse solidarité féminine:.. Chaque ovule perdu de sa vie stérile va-t-il incessamment être fécondé?» (*ibid.* p. 55). «*Le mal des cloîtres*, il a déjà lu ça quelque part. Il faut l'empêcher de nuire» (*Les Enfants...*, p. 72). Nul doute, nous sommes en plein centre de l'œuvre dans sa totalité, mais la subtilité du poème, sa qualité mythique, condense les thèmes en essence mythologique.

29 Quelques tragédies patiemment travaillées
30 Sur la poitrine des rois, couchées,
31 En guise de bijoux
32 Me sont offertes
33 Sans larmes ni regrets.

Quelques représente l'inconséquence des *tragédies*, explication de *Sans larmes ni regrets*, puisque c'est le riche et fabuleux décor: *patiemment travaillées*, (*tragédies ... travaillées*, allitératifs avec nœud sémantique antithétique) c.-à.-d. sculptées, transformées en beauté et en art. Les *rois* (médiéval) aux effigies *couchées*, (au vers 46: *...sept grands pharaons d'ébène*, antiquité, art funéraire égyptien, pyramides grandioses) se réfère aux *gisants* (v. 25), aux *chambres secrètes et rondes /...où sont dressés les lits clos* (v. 23-24). C'est, par un effet de complicité, l'héroïne qui se trouve prête au mime de la mort, à la faute assumée jusque dans ses plus profondes ténèbres. Cette enfant rejoint les *tragédies* se trouvant *Sur la poitrine des rois*, allusion certaine au *cœur*. Il y a inversion aux vers 31 et 32. On doit lire *Me sont offertes / En guise de bijoux* (*...les pierres bleues incrustées* v. 28); *Des fleurs violettes en guise de prunelles* (v. 39); du bleu au violet, même structure *En guise de*, suggestion que ce sont les yeux de l'enfant dont il s'agit), mais on doit aussi lire auxquelles (les *tragédies*) je m'*offre* (*L'immobile désir des gisants me tire*, v. 25). Le *Je regarde* (v. 26) établissait la distance, *me sont offertes* crée la réciprocité tout comme *me tire* (v. 25) se lisait comme *m'attire*.

Les verbes *travaillées, couchées* et *sont offertes* sont intransitifs, passifs. Le mouvement est complètement arrêté, la descente arrivée à son but. Le décor *chambres secrètes* (v. 23), *lits clos* (v. 24), *couchées* (v. 30), *tragédies* (v. 29), *Sans larmes ni regrets* (v. 33) mène à l'*Offrande rituelle et soumise* (v. 37), non plus des *rois* mais de *ma chair* (v. 36). Ainsi le décor morbide transformé en hallucinations pavées de splendeurs va donner lieu à cette *Offrande rituelle et soumise:*

34 Sur une seule ligne rangés:
35 La fumée d'encens, le gâteau de riz séché
36 Et ma chair qui tremble:
37 Offrande rituelle et soumise.

Ceux qui ont lu *Les Enfants du sabbat* apprécieront davantage l'assemblage mystico-érotique de cette strophe. Le premier vers décrit l'autel, le second l'appareil du culte: *fumée d'encens* (parfum âcre dans les *tombeaux*) tout à côté du symbole de la fécondité: *le gâteau de riz*, plus *séché* qui fait peut être un calembour avec: stérilité, sûrement les morts sont secs, il s'agit de les ravigoter. «Catherine lui prépara un peu de riz, comme on offre aux morts» (*Les Chambres...*, p. 104). Ce passage coïncide avec Lia rompant avec son amant, donc mort de la passion.

A la strophe précédente, l'offrande venait des rois: «...de la ressemblance (...) qu'elle eût avec un portrait d'infante, une pure fille de roi» (*ibid.*, p. 85), c'est-à-dire de l'amant d'abord sous forme liquide lors de la première rencontre (v. 17-20), ensuite rigide, sculpture de *gisant* (v. 29-33); maintenant l'offrande vient de l'héroïne, les phénomènes du décor extérieur se transforment en un mouvement, système actif, émanant d'elle-même: *Et ma chair qui tremble: / Offrande rituelle et soumise.* Les deux qualificatifs se rapportent à *Offrande* et aussi à *chair qui tremble*; de plus *rituelle* rejoint *encens* et *soumise* rejoint *riz*. Le *cœur-faucon* des deux premiers vers, le *poing*, l'*aveugle*, tout préside au cérémonial de la perte de l'innocence, au viol des rêves, à un sabbat intensifié.

Les quatre strophes qui suivent sont essentiellement le déroulement dudit sabbat. Examinons-les brièvement. Elles sont plutôt explicites. La première de ces quatre strophes détaille l'acte érotique à son prélude:

38 Le masque d'or sur ma face absente
39 Les fleurs violettes en guise de prunelles,
40 L'ombre de l'amour me maquille à petits traits précis;
41 Et cet oiseau que j'ai respire
42 Et se plaint étrangement.

ma face absente conjure le mime de la mort dont nous avons déjà parlé; *Le masque d'or* conjure, comme dans les deux éléments du titre, l'idéal, le fabuleux, la nostalgie de l'amour libéré de l'obsession de la faute. Le vers suivant est explicité, nous semble-t-il, très bien dans *Les Chambres...* «— Comme c'est drôle, Catherine, tu as maintenant l'air d'une idole, avec tes prunelles bleues enchâssées dans le noir comme des pierres précieuses» (p. 92). Le troisième vers introduit une série de trois emjambements: *précis* (v. 40), *persiste* (v. 48) et *rompre* (v. 58), entités détachées, faisant toutes trois partie du paroxysme de ce sabbat nécromane. Le mot *ombre* y est juxtaposé à *amour*, mort donc à idéal comme au vers 38; *me maquille* est passif, le *masque d'or* et la *face absente* soumis à l'acte atteignant sa pleine éclosion; *à petits traits* est un détail de maquillage encore une fois présent dans *Les Chambres...* «Lorsque Catherine parut, fière, innocente et parée, Michel tint à souligner lui-même le tour des yeux d'un trait noir bien dessiné» (p. 92), et dont la signification exacte prend son sens justement dans le premier des trois enjambements: *précis*. Cet attribut: *traits* (qui sont) *précis* suggère un moment rigoureux du rituel. *Les Enfants du sabbat,* où figure à la fin une bibliographie sur la sorcellerie, donne une idée de l'importance du rituel pour Anne Hébert. Le *masque* et la *face* sont doublement soumis pour le moment au mime de la mort: «J'imite à merveille une pierre plate et dure», dit l'héroïne de *Kamouraska* (p. 204). C'est le *masque* figé par l'extase, tout comme les yeux sont *Des fleurs violettes en guise de prunelles*, fixation des *pierres bleues incrustées*. Le luxe féerique des images distrait de la nécrologie. Toute l'œuvre d'Anne Hébert emploie des subterfuges empruntés au merveilleux pour faire passer les aspects orgiaques. *Les Enfants du sabbat* renverse ce procédé, utilisant l'orgie pour faire ressortir le comique. Plusieurs ont l'air de s'y perdre. On n'est jamais entre les pôles du réel; l'auteur ne s'intéresse pas au conformisme. Au milieu de l'orgasme, on se croirait dans un coffre à bijoux. C'est digne de «l'Après-midi d'un faune» de Mallarmé, poème parmi les plus érotiques jamais écrits, pourtant récit somnambulesque d'un innocent petit faune qui essaie de violer Vénus, gentiment.

Les deux derniers vers de cette strophe font allusion à l'*oiseau*, le *faucon*, alors le *cœur,* mais avec une distance intéressante: *que j'ai*, comme dans: je ne savais pas que j'avais! C'est l'innocence écorcée et la découverte de la libération, de soi; *respire* est vu encore par les yeux de l'innocence, ce *vent* sera amplifié aux vers 43 et 44; *Et se plaint étrangement* continue la découverte ingénue, la distanciation entre le double de moi, celui qui se voit encore avec les yeux d'avant l'expérience et celui qui se verra bientôt avec ceux de la conquête de la mort en soi, de la chute.

La seconde des quatre strophes consacrées au sabbat nécrologique est de beaucoup la plus fantastique, et cela va de soi puisque c'est l'instant crucial du rituel:

43 Un frisson long
44 Semblable au vent qui prend, d'arbre en arbre,
45 Agite sept grands pharaons d'ébène
46 En leurs étuis solennels et parés.

Le *frisson long* est duratif par rapport à *respire / Et se plaint étrangement*. Tout l'être est secoué brusquement: *Semblable au vent*, c.-à-d. *frisson long, qui prend, d'arbre en arbre,* est une formidable hallucination relevant du symbolisme de la virilité (il n'y a ni vent littéral ni arbre dans le fond des tombeaux), une sorte de «joie de descendre» (Baudelaire, double postulation) où les *rois* se transforment en héros des plus formidables cultes funéraires de l'histoire du monde, en *pharaons d'ébène*, métamorphose aussi des *noirs ossements* (v. 27). Notons que c'est la hiérarchie gradationnelle: *respire* (v. 41), *se plaint* (v. 42), *frisson long* (v. 43) et le *vent qui prend* (non pas *souffle*) à laquelle on doit attribuer le verbe *Agite*, activité parallèle au *frisson*, concert assourdissant; *Agite sept grands pharaons d'ébène / En leurs étuis solennels et parés.* Or *sept* transforme plus ou moins les *sept pharaons noirs* (*d'ébène*) en mystère médiéval: les *sept* péchés capitaux, nombre symbolique; *En leurs étuis*, s'appliquerait plus à des poignards qu'à des *gisants*, réduction du cercueil en *étui; solennels et parés* fait partie du grandiose: *pierres bleues incrustées* (v. 28), *bijoux* (v. 31), *fleurs violettes* (v. 39), *bracelets* (v. 52), du *rituel* des vers 34 et 35, mais ces deux mots se rapportent aussi à la mort «affreusement laurée» (Valéry, *Le Cimetière marin*).

La troisième de ces quatre strophes révèle effectivement qu'il s'agit du mime de la mort:

Ce n'est que la profondeur de la mort qui persiste,
Simulant le dernier tourment
Cherchant son apaisement
Et son éternité
En un cliquetis léger de bracelets
Cercles vains jeux d'ailleurs
Autour de la chair sacrifiée.

Le premier de ces vers affirme que l'aventure était lucidement prévue: *Ce n'est que* comme s'il s'agissait d'un fait quotidien. Un certain comique noir se dégage lorsque l'on reporte cette boutade à la strophe précédente, surtout au vent et au vacarme épouvantable des pharaons se débattant dans leurs *étuis*. Le verbe passif *persiste*, deuxième enjambement, porté en relief donc, accentue la situation ambiante explicite dans: *la profondeur de la mort*, comme si l'auteur voulait rappeler au lecteur les normes extraordinaires du voyage.

Simulant le dernier tourment revient au *masque*, à la *face absente* (v. 38), au mimétisme de la mort. Sur ce plan, le poème est une allégorie. Mais *le dernier tourment* ne veut pas seulement dire la mort mais aussi et surtout l'enfer, la faute. Le poème revient ainsi à la mythologie d'une âme aux prises avec l'abîme de la culpabilité à dépasser. Cela est clairement établi aux vers 50 et 51: *Cherchant* veut dire quête; *son apaisement* veut dire la sécurité; *Et son éternité* veut dire la maîtrise de son destin. Les vers 51 et 52: *En un cliquetis* est assez péjoratif comme *apaisement* et *éternité; de bracelets*, par contre, revient au luxe, au cercle *chambres rondes*, et est suivi du mot *Cercles*, qui devrait signifier *éternité*, perfection, ou, *apaisement*, mais est suivi de *vains*, probablement, comme chez Mallarmé, au sens étymologique, vanité, c'est-à-dire ambition du poète à franchir les frontières de l'absolu, expliqué par *jeux d'ailleurs*. Nous retournons aussitôt au rituel, au sabbat nécrologique: *Autour de*, autre image circulaire, comme s'il y avait des fidèles; *la chair sacrifiée* revient à *offertes* (v. 32), à *Offrandes rituelle et soumise* (v. 37).

Cette troisième strophe de la séquence est comme une sorte de méditation au beau milieu de l'orgie. Ce phénomène de lucidité est visible au plus sinistre du *Torrent* quand la mère, Claudine est piétinée par le cheval mythique, Perceval, sous les yeux du fils, François, qui constate que sa mère était plus grande qu'il ne l'avait pensé. De même, dans *Kamouraska,* Elisabeth aime bien se voir penser, pour ainsi dire; jouir de l'acte et aussi du spectacle de la mine de celui qui assiste aux péripéties des événement en voyeur fasciné. Cet aspect se rapporte à la solitude, au monstre que veut conquérir Anne

Hébert. En forçant la névrose, on peut abolir la névrose. Ainsi, la lucidité surréelle des personnage hébertiens est la destruction systématique du double en soi qui jacasse pendant que l'on agit. C'est une tentative visant à retrouver l'unité en soi, tout comme le poème sous examen est une tentative visant à instaurer la liberté, entreprise majeure pour celui qui cherche à s'affranchir des tabous héréditaires.

La quatrième et dernière strophe du sabbat nécromane fait sortir les pharaons de *leurs étuis solennels et parés*, et ils violent sept fois l'héroïne:

54 Avides de la source fraternelle du mal en moi
55 Ils me couchent et me boivent;
56 Sept fois, je connais l'étau des os
57 Et la main sèche qui cherche le cœur pour le rompre.

Avides de la source nous reporte aux premières manifestations de l'érotisme dans le poème, la rencontre avec le visage vers qui on va mais qui peut-être est celui qui vient plutôt vers soi: *premières gouttes de pluie / Au fond d'un puits* (v. 19, 20), *bouge* (...) *orages gonflés* (v. 21), *Suinte,* mot particulièrement fort en suggestions, et plus avant, remonte tout au début du poème, *taciturne oiseau* (v. 3), *oiseau* coupable de sa nuit: *aveugle* (v. 2) décrit comme une *Lampe gonflée de vin et de sang* (v. 5). La *source fraternelle du mal en moi* est l'unique mention d'une collectivité symbolisée par les *sept pharaons d'ébène, fraternelle* en le *mal en moi*, c'est-à-dire désir de l'auteur de faire participer autrui à son poème libérateur. C'est très subtil, c'est une mythologie en devenir. Tout autre plan serait une diminution du poème. Alors le *mal* est *fraternel, source* à tarir: *Ils me couchent*, acte de violence perpétrée par les *fraternels pharaons*, par les *sept* péchés capitaux; *et me boivent,* me libèrent. Cette communion dans le mal, ce surcroît d'activités confère à la fin du poème une cruauté bienfaisante.

Sept fois je connais l'étau des os / Et la main sèche qui cherche le coeur pour le rompre, ce dernier mot est le troisième en relief. On pense tout de suite à « Poésie, solitude rompue», consécration du mot rompre. Le mot *coeur* figure deux fois directement: vers 1 et 57, une fois en *faucon* (v. 2), deux fois en *oiseau*, allusion au *faucon* sans doute (v. 3, 65), et une fois par allusion: *sur la poitrine des rois* (v. 30). C'est l'histoire d'un coeur qui accepte de connaître *l'étau des os* (...) *la main sèche*, tout l'appareil des obstacles à la libération morale. Il s'agit d'ouvrir quelques pages des *Enfants du sabbat* pour voir en gros plan *la main sèche* et aussi *l'étau*, le couvent et la cabane.

Le cauchemar provoqué délibérément s'arrête ici. La strophe qui vient clore le poème est l'analogie des suites bienfaisantes d'un érotisme débarrassé de toute notion de culpabilité, la lumière issue des ténèbres:

> **58** Livide et repue de songe horrible
> **59** Les membres dénoués
> **60** Et les morts hors de moi assassinés,
> **61** Quel reflet d'aube s'égare ici?
> **62** D'où vient donc que cet oiseau frémit
> **63** Et tourne vers le matin
> **64** Ses prunelles crevées?

Livide et repue se rapportent respectivement au *masque,* à la *face absente* et au *maquillage,* d'une part, et à l'effondrement causé par le voyage, d'autre part. Le *songe*, (*En quel songe...?*) au vers 12, répond *horrible* (v. 58), qualificatif non péjoratif, signifiant plutôt grandiose et dépassant l'imagination. Il s'agit, on le voit d'un songe unique, qui dure, et pas de *songe*(s) au pluriel. C'est intentionnel, le *songe* poétique, la quête sous forme d'introspection. *Les membres dénoués* (v. 59) témoigne d'un sentiment de conquête, de relaxation. Le vers suivant est la clé mythique du poème: *Et les morts hors de moi assassinés*, c.-à.-d. *les morts*, culpabilité, interdiction, chute, jansénisme, etc., tout le cortège québécois du mal installé dans la solitude angoissée, la faute et plus particulièrement l'érotisme étant chez nous, comme à l'époque médiévale, l'analogie de la *mort*; au pluriel, *les morts* signifient tous *les morts*, donc libération complète explicite dans *hors de moi*, exorcisme pratiqué sur soi-même, et complété par assassinés. Cet acte violent est doublement perpétré. Il y a le sens commun du mot (implicitement politique, anti-traditions), mais *assassinés* en tant que participe passé: (qui sont) *assassinés* amplifie la libération: *hors de moi* en y ajoutant le double mort, la disparition absolue, l'impossibilité de réapparition de ces tabous délogés, flétris et abolis. C'est l'aboutissement du *poing* levé au début du poème, le couvercle refermé sur les *tombeaux*.

Quel reflet d'aube s'égare ici? est la lumière trouvée dans les profondeurs, surgissant: *aube* = matin, aurore d'un jour inconnu, récompense à la conquérante que la lumière *égare*, autre inversion possible de sens comme par tout le poème. L'héroïne est encore en plein dépaysement, en pleine découverte. La lumière et le jour libre ne sont pas en haut mais en bas, dans les profondeurs. L'ascension est la descente en soi. Le point d'interrogation transmet la surprise et provoque la réévaluation des normes consacrées.

La dernière partie de cette strophe revient aux deux premiers vers. Le *faucon* (*oiseau*) *frémit* parce qu'il n'est plus *aveugle*, que le *poing* ne le retient plus: *Et tourne vers le matin,* sorte de transformation du *faucon* en *oiseau,* changement de nature, soit en un oiseau du matin au lieu de la mort (nuit, proie); il se trouve libéré de ses pentes agressives et racheté: *Ses prunelles crevées?* Ces trois vers sont aussi sous forme de question. C'est la suite du vers 61, de l'éclosion spontanée de la lumière. Cependant la dernière image a été très piteusement interprétée (voir *Dialogue sur la traduction*). Le mot *prunelles* figure au vers 39: *Des fleurs violettes en guise de...*, mais au vers 26, il y a *Je regarde*, et le *coeur* qui est le *faucon* voit dans le noir. C'est la lumière qu'il ne pouvait voir. Soudain elle lui *crève* les yeux: *ses prunelles crevées* de lumière. Cette expression tirée de la langue populaire: «Ça crève les yeux» s'applique à toute personne se trouvant en présence de la totalité d'un fait ou d'un concept. Le *faucon aveugle* du début était la personnification du poète; l'*oiseau* libéré par la lumière éclatante d'une *aube* insoupçonnée auparavant est aussi le poète libre.

Le voyage mythique fut épouvantable et grandiose, la conquête pleine et entière. La révolte des deux premiers vers dure tout le poème et se résorbe en *...les morts hors de moi assassinés* (v. 60) et ensuite en l'*aube*, purification et renaissance. Le *poing* fermé: *oiseau pris* (v. 3) devient l'*oiseau frémit*, libéré puisqu'il *tourne*, acte autonome, *vers le matin*, envol symbolique.

La continuité épique des obstacles, rencontres, jeux de style, renversements du temps, de l'espace, réciprocité du mouvement, passage de l'intérieur vers l'extérieur (constante dans les œuvres), double de la narration, enfant esclave-enfant aventurière, éclairage sombre, joyaux, cercles, éclairage spontané, libération par la faute, tout collabore à situer ce poème parmi les plus fantastiques exploits de l'imaginaire superposé au réel, à lui conférer un cachet médiéval au milieu d'une époque pragmatique. «— Lia, il ne faut pas pleurer, vous êtes si belle, comme une reine d'Egypte...» (*Les Chambres...*, p. 106). L'élément fabuleux contrebalance très harmonieusement sa contrepartie sauvagement révoltée. Nous avons en essence dans ce poème toute l'oeuvre de Anne Hébert. Mais nous avons aussi un certain élargissement du réel, une plénitude de l'expression qui peuvent seulement entrer dans une œuvre unique dépassant toutes les autres du même auteur, du même milieu. Pour lire à fond «Le Tombeau des rois», il faut se servir des autres écrits comme introduction. En revanche, une fois ce travail fait, le grand poème éclaire de sa vaste majesté tout ce qu'a dit l'auteur.

IV. *Le sens du poème*

Anne Hébert emploie l'écriture mythique pour traduire la complexité du psychisme québécois d'il y a quelque vingt-cinq ans. C'est pourquoi les tentatives de lire le poème selon les normes de la communication traditionnelle ont échoué. Les mots deviennent des signes cabalistiques apparentés à la tradition hébraïque des ghettos où l'imaginaire, le surnaturel, et les rites secrets, collaborèrent à imposer les conditions d'un univers hostile et fermé. La féerie, premier terme du titre: «rois», augmentée des mots «coeur» et «faucon» dans les deux vers d'ouverture, ordonne une des lignes de fond. Par opposition et de façon symétrique, la culpabilité, second terme du titre: «Tombeaux», augmentée des mots «poing» et «aveugle» dans ces deux mêmes vers, ordonne l'autre ligne de fond. L'écriture mythique devient la confrontation des deux pôles de l'imaginaire. La solitude séculaire d'un Québec, sorte de ghetto de l'histoire, trouve ici sa formulation épique. Le langage est codifié à l'exemple de la pensée.

La féerie est une compensation sans laquelle l'âme en quarantaine ne saurait survivre. Les exemples abondent. *Le petit prince* fut écrit par un homme d'action en exil à New York, véritable revirement dans son œuvre jusqu'alors retraçant l'épopée de l'aviation. Saint-Exupéry ne parlait pas un mot d'anglais, son pays venait de sombrer dans le silence de l'occupation nazie, il crée la fable d'une planète perdue (la France) et d'un voyageur non soumis aux limitations humaines, le prince, d'une rose (son amour), et d'un monde de richissimes, de mauvais ogres et cupides imbéciles. On a appelé cette oeuvre le testament spirituel d'un géant subitement réduit au cachot du grand hôtel new-yorkais. Le petit prince meurt de la piqûre d'un serpent. La féerie est une compensation au sein de laquelle surnage la cruauté. Les contes de fées sont pleins de violence, de personnages difformes, de barbares, mais ils donnent raison à la *belle* aux prises avec la *bête*. *Les Visiteurs du soir*, film créé pendant l'occupation allemande. C'est le mal transfiguré.

La culpabilité est d'abord une forme de la mélancolie. C'est une détérioration particulièrement néfaste en milieu fermé au sein duquel l'élite ecclésiastique possède une emprise démesurée sur un peuple de paysans. Les ghettos juifs ont inventé la cabale dans des conditions identiques. On est coupable d'exister dans une situation d'infériorité. La pauvreté, la superstition, la démesure mêlées à un jansénisme intransigeant et mortel, tout a collaboré à institutionnaliser pour nous le mal de vivre. L'exaltation entre le péché et le confessionnal a longtemps marqué la périphérie morale de notre collectivité silencieuse.

La féerie se retrouve aussi sur le plan religieux. Anne Hébert a évité, quitte à se reprendre dans *Les Enfants du sabbat*, tout ce qui pouvait vexer les âmes sensibles. Au lieu d'emprunter les excès du culte de la Vierge Marie, les revenants, les feux-follets, la chasse-galerie, «les peurs» (pour parler en langage québécois), c'est aux cultes funéraires que l'auteur se réfère, aux «gisants», aux sculptures de rois d'abord, et, par un mouvement subtil de son esprit de précision, aux pharaons ensuite, les plus imaginables défunts de l'histoire du monde. L'Egypte à son apogée s'était tournée vers l'immortalité. Les pyramides, autant par leur forme triangulaire que par le secret encore incompris de leur construction, sont un puissant talisman de l'imaginaire. Dans «Le Tombeau des rois», «sept grands pharaons d'ébène», jumelés aux sept péchés capitaux[1], mélange de «rois», tradition médiévale, et de «pharaons», antiquité nord-africaine, tout collabore à abolir le temps, l'espace, l'histoire et l'ordre ordinaire des classifications grâce auxquelles nous compartimentons les connaissances. Le nombre «sept» vient de la symbolique biblique, traverse la morale chrétienne, et finit sur les dés, entre les mathématiques du jeu, mystique des nombres, et les mathématiques du destin, signes cabalistiques. La gradation ascendante qui passe des «rois» aux «pharaons», est une descente en soi, ligne perpendiculaire. La logique repose dans l'éclatement des valeurs. Le poème abolit l'actif et le passif, le mouvement *vers* est réversible, confond le sujet et l'objet comme source d'activité; l'éclairage nocturne innove des gros plans d'abord, des détails minutieux ensuite, et soudain la variété spontanée, le regard des objets. Un luxe fantasmagorique entoure ce monde de la mort transfiguré en magie, en fabuleux. Tout y devient scrupuleuse-

---

1 Rimbaud, dans «Villes», *Les Illuminations*, parle d'«Un Nabuchodonosor norwégien», mêlant la bible à la mythologie nordique, abolissant à l'aide de deux mots la chronologie temps, espace, histoire. Il évoque ainsi un monstre biblique soudain à la proue d'un bateau de Viking, jetant probablement du tabac dans l'eau. Le code linguistique ainsi aboli, l'expression jaillit de la restructuration de la pensée laquelle est inéluctablement liée aux mots.

ment analogique aux cultes religieux qui ont tenu en extase les fidèles: pompe, vitraux, chant grégorien, grandes orgues, statues miraculeuses, scapulaires, pénitence, et, naturellement: reliques (ossements de saints), gargouilles, images grotesques (les premiers chrétiens déchirés par les lions, Jeanne d'Arc au bûcher, et les orgies bibliques illustrées).

La culpabilité, symbolisée par la mort, est l'envers de la féerie, sur une autre octave seulement, en noir au lieu d'en couleur, en anges déchus (diableries) au lieu de la variété lumineuse (chérubins, *et caetera*). C'est la mort qui change de face. Anne Hébert juxtapose cette dualité avec de savantes combinaisons mythiques. L'horreur de cet univers souterrain est modulée entre les mots catastrophiques: «taciturnes», «sourds», «puits», «bouge», «Suinte», «ossements»... ; et les mots exaltés: «pierres bleues», «bijoux», «Offrande», «or», «solennels et parés», «bracelets»... On est dans une atmosphère médiévale, sauf que le mystère joué au fil du poème a pour objet de délivrer les fidèles en leur proposant que la culpabilité, la perte de l'innocence, sont des divertissements sans égal une fois la source du mal atteinte au terme du voyage intérieur.

En combinant la féerie, face idéalisée de la peur, et la culpabilité, face morbide de l'effroi, le bien et le mal pour ainsi dire, le poète vise à délivrer nos imaginations torturées en incarnant le visage double de nos monstres, les deux extrêmes d'une mythologie de ghetto. Malraux affirmait que tout art est moral (il était agnostique), et que le fait d'incarner nos démons intérieurs, de leur donner une forme et un visage nous en débarrasse.

Le double est fondamentalement l'effet d'une névrose. Le double pôle de l'imaginaire, ancré comme un équilibre de cette névrose, exclut toute forme de pensée autonome. Un extrême se déverse dans l'autre. Il n'y a pas de juste milieu pour les proies de la tyrannie morale. Quand elles cessent d'adorer, elles augmentent leur déséquilibre en épousant le blasphème qui ne réussit pas à sortir de la féerie. «Le Tombeau des rois» est un poème encore incompris dont le sens profond est une forme d'exorcisme. En descendant en soi, tombeau pavoisé d'ornements de magie et empesté par la culpabilité, on passe d'un jalon à l'autre par les fétiches de notre psychisme de réprouvés sans sursis. En voyant déferler des cadavres galants, des objets grandioses, des ossements ornementaux, on déterre peu à peu «les morts hors de moi, assassinés» (v. 62) au long d'un cérémonial nécrologique étant effectivement la conquête de la mort, de la mort *noire*, abolissant de ce fait l'autre dimension, la mort *coloriée*, car l'une ne peut subsister sans l'autre dont elle est justement le double obligatoire. La féerie toute seule est la folie. *Les chambres des rois* et *Les Enfants du sabbat* font ressortir, de façons fort différentes, cet aspect du double, tandis que *Le Torrent* et *Kamouraska* analysent la culpabilité toute seule, démence là aussi montrée sous deux éclairages distincts. *Les Songes en équilibre*, l'œuvre de jeunesse, illustre le conformisme sans l'intervention de la pensée lucide.

«Le Tombeau des rois», pivot de la dualité des œuvres, fait éclater la névrose du double. L'enfant innocente va perdre son innocence avec des morts, «Sept fois, je connais l'étau des os» (v. 58). Au fond du cauchemar, il y a la libération et la lumière. Mais il faut voir de très près les monstres, connaître leur étreinte et sentir combien leur puissance repose sur des images magnifiées par l'imagination.

L'écriture mythique était probablement la seule ressource apte à cerner le fond du problème sous déguisement acceptable, d'une part, et à sonder notre univers le plus secret, le plus informe, d'autre part. La solitude est une tare héréditaire liée à la culpabilité. Le concept d'une virginité encombrante se trouve au centre du poème, mais aussi des autres œuvres. C'est une forme de la stérilité qui subsiste en dépit de la pratique même déréglée de l'exercice des sens (Elisabeth dans *Kamouraska* se dit «intouchée» bien qu'elle soit mère de onze marmots). L'héroïne du poème perd cette innocence catastrophique sans le secours d'aucun homme vivant, grâce à l'important cortège des défunts les plus sublimes. Cette orgie solitaire franchit démesurément le mur des interdictions, instruit le procès de l'imaginaire. Le jour nouveau qui filtre à la fin naît spontanément, surprend l'enfant: «Quel reflet d'aube s'égare ici?» (v. 63). Faut-il interpréter le message comme étant la nécessité de pratiquer sur soi-même la plongée mortelle du faucon? «Peut-on s'extasier dans la destruction, se rajeunir par la cruauté!»[2] avait dit Rimbaud. Anne Hébert répond affirmativement dans ce poème, et elle élabore dans les autres œuvres.

Il y a, de fait, un lien de réciprocité essentielle entre le poème et les autres écrits. Seul, le poème est relativement onirique et quasi impénétrable. Dès qu'on lit attentivement les autres œuvres, «Le Tombeau des rois» y puise son paysage familier. Puis ce sont les autres œuvres qui ont besoin des élargissements mythiques inhérents au poème pour trouver la cohésion de l'ensemble:

---

2 Rimbaud, dans «Conte», *Les Illuminations*, parle aussi de «la promesse d'un amour multiple et complexe!».

J'ai mon cœur au poing (v. 1)
Comme un faucon aveugle (v. 2).

Voilà la combinaison clé. Jamais l'expression directe ne pourrait ainsi réduire à dix mots une esthétique vengeresse.

L'essence mythique semble naître de l'histoire héroïque de la fusion de la féerie et de la terreur, en l'occurrence de la culpabilité, vers l'aboutissement à un équilibre effectif et cérébral. La dualité des deux pôles de l'imaginaire qui précède l'affranchissement pourrait s'appeler l'étape mythologique. La grande poésie peut naître de cette situation dès que l'esprit lucide capte l'étendue de la superstition illustrée pendant des siècles comme des images sans langage efficace. C'est même curieux de noter combien le premier recueil, *Les Songes...*, situé à l'étape primitive ou dite mythologique, est encombré de fées, de lutins, d'accidents de l'imagination livrée aux contes et légendes pour échapper à la solitude et à la peur. Parmi les œuvres ultérieures, dans *Les Chambres de bois*, Catherine vit la féerie. Elle est insatiablement liée au rêve du «seigneur», du chevalier de la folie des grandeurs: «un seigneur hautin, en botte de chasse,...» (p. 40), «...d'avoir à répondre à la pressante invitation d'un seigneur oisif et beau» (p. 43). Cependant l'auteur nous met en garde contre son héroïne: «Et l'on parle de toi aussi comme d'une douce niaise qui court après les grandeurs» (p. 53). Mais Catherine est incurable: «...un portrait d'infante, une pure fille de roi» (p. 83). Son mari joue dans son jeu: «Nous passerons ensemble le portail, ta main sur mon bras, tous deux en vrais seigneurs et maîtres de ces lieux» (p. 90). A la fille vénale, Lia, liée à la chute, Catherine dit: «Lia, il ne faut pas pleurer, vous êtes si belle, comme une reine d'Egypte» (p. 106). La jeune fille est déjà la parodie de l'aspect féerie, sorte de pendant au long poème. Le pendant opposé, *Kamouraska*, est cruellement ironique: «Sept sacrements plus un. Sept péchés capitaux, plus un» (p. 20). «L'impudeur des mourants» (p. 27). «Sangsues et cataplasmes, bouillottes et lait de poule, compresses et extrême-onction, larmes et linceul. Rien ne manque ni ne manquera. Vous pouvez vous fier à Florida. Madame pourra pleurer en paix. Je m'occuperai de tout» (p. 49). «Ses larmes vont remplir la maison, noyer tout le monde dans une eau sale, pleine de poudre de riz» (p. 38). Elisabeth vit le pôle extrême de la culpabilité cependant que Catherine vit celui de la féerie.

Même situation dans *Le Torrent*, confrontation de la faute et du rejeton, et *Les Enfants du sabbat*, monologue de nonne enfermée dans une cellule, coupée du monde au point de se regarder penser comme on assiste à un film («Une litanie dégoûtante qui parle d'urine et de sang, d'excréments, de boyaux éclairés par le baryum, de squelette visible à travers la chair et la peau, de crâne scalpé, dénudé jusqu'à l'os par rayons X. — Vous êtes en parfaite santé, ma soeur. — Je ne puis plus supporter la coiffe» p. 13), trouve sa féerie dans la sorcellerie, dans la démonologie, dans la magie infernale.

«Le Tombeau des rois» récupère en deux pages toute notre mythologie et occupe le centre des œuvres de l'auteur ainsi que celui de notre littérature. Une fois le message capté, il n'y a plus qu'à le traduire en plénitude. La féerie et la culpabilité se partagèrent notre univers clos par le silence et le mutisme d'un peuple dont l'histoire est celle de son attachement obstiné à ses valeurs morales. Le voyage ténébreux de l'enfant curieuse des secrets de la mort est en même temps celui de notre double échéance face au monde moderne où le mariage de la féerie et de la culpabilité ne peut plus payer notre dette vis-à-vis de l'histoire. En les incarnant, Anne Hébert nous en a délivrés, malgré nous. Le poème est le catéchisme de nos mythes. Il est déjà un de nos plus magnifiques monuments.

TROISIÈME PARTIE

I. *Erotisme et sublimation*[1]

Le cheminement de l'œuvre d'Anne Hébert, depuis *Les Songes en équilibre* (1942), jusqu'aux *Enfants du sabbat* (1975), est interrompu vers 1944 par un revirement brutal. Nous avons déjà maintes fois avancé l'hypothèse Garneau[2]. La féerie des *Songes*... cède la place à une bi-polarité des extrêmes de l'imaginaire, à un univers décentré en faveur de la simultanéité des exploits de la belle, d'une part, et de la bête, d'autre part. Ces pôles magnifiés de l'imaginaire se manifesteront sur plusieurs plans. En étudiant «le sens du poème», «Le Tombeau des rois», nous avons traité la culpabilité et la féerie. Nous allons poursuivre cette exploration de l'imaginaire en abordant l'*érotisme*, extériorisation du thème, et ce que nous avons choisi d'appeler la *sublimation* (*érotique*), intériorisation du même thème.

Le Torrent, première œuvre en prose, plante aussi le premier jalon de cet érotisme ayant comme base justement la culpabilité, les nerfs à fleur de peau. Il fait passer sans transition de la solitude vécue: féerie et mélancolie, à la «solitude rompue»: agression et mystifications compensatoires, soit à l'effondrement des *Songes*... *Kamouraska* est l'aboutissement de l'érotisme visible dans *Le Torrent*. *Les Chambres de bois*, celui de la sublimation présente dans «Le Tombeau des rois». *Les Enfants du sabbat* font la synthèse de l'érotisme, la *cabane*, et de la sublimation, le *couvent*, avec inversion possible mais le rire ramène vers un point d'équilibre central les deux segments magnifiés de l'imaginaire désormais soumis à leur dissolution par ce comique démolisseur.

---

1 «Erotisme et *érotologie*» est le titre d'un article paru in *Revue du Pacifique*, California State University at Sacramento, automne 1975, p. 152-167 (nous remplaçons ici le néologisme par «sublimation»).

2 Marcotte, Gilles. *Le Temps*..., *op. cit.*, ajoute: «Une rumeur de suicide à laquelle les démentis les plus formels n'ont jamais pu enlever tout crédit», p. 41.

Deux grands courants se développent ainsi au fil des écrits, celui d'un érotisme qui tend vers le spectaculaire poussé jusqu'à l'outrance, et celui, non moins puissant, d'un ferment, sublimation, qui se trouve enfermé dans l'être comme la culture onirique des phantasmes. *Mystère de la parole* se situe à part[3]. Magnifique recueil de poésie engagée, c'est Eve apportant son message humain (et en même temps hautain) au Québec. Publié aux Editions du Seuil en 1960, c'est comme le premier écho de la révolution tranquille. Mais une fois la poussière retombée sur l'histoire de cette époque, ces joyaux brillent indépendamment par leur valeur de témoignage et par leur beauté. Ils en disent trop pour faire partie du courant érotique et pas assez pour faire partie de celui de la sublimation (érotique), ce dernier étant basé sur l'envergure d'une mythologie dont la subtilité ne laisse de place pour le transitoire.

Ajoutons pour plus de précision que la dualité présente dans ces deux courants, division arbitraire peut-être à première vue, relève de la structure fondamentale des œuvres de Anne Hébert. Tout, en effet, y est dualité: jour et nuit, bien et mal, imagination aux fruits grandioses, imagination aux prises avec la mort, sensibilité et insensibilité, amour et haine, lumière et ténèbres, espaces extérieurs et intérieurs, ouverts et clos, etc... C'est essentiellement *sous* cette optique que nous abordons les deux visages de l'érotisme.

Comme nous le verrons dans notre bref examen du *Torrent* et de *Kamouraska*, le premier aspect de ce thème ne pose pas de difficulté d'interprétation. Il se trouve étroitement lié au modernisme et *Les Enfants du sabbat* en témoigne sous forme d'apothéose ironique. Par contre, le second aspect, la sublimation, ne se prête pas à l'explication à cause de son caractère inviolable. Chacun y voit comme il peut. Le lecteur trop peu averti tombe dans le piège et se retrouve vite en train de parler de lui-même. Ce sont les remous de l'inconscient collectif qui s'agitent dans cet aspect de défoulement. Ce sont eux qui propulsent le mouvement de descente en soi, là où toute une mythologie jaillit des tombeaux, du silence, de la faute lucide et solitaire. Le tout a pour base le rêve savant, unique voie à emprunter quand il n'y a pas de réalité définissable. C'est le discours sur Eros, divinité emprisonnée en soi dans la féerie traîtresse des Sirènes et des Fées.

---

3 Major, Jean-Louis, *op. cit.*, M. Major, nous l'avons déjà mentionné, voit bien autrement ce recueil, surtout la première pièce «Mystère de la parole». Nous trouvons son point de vue légitime et intéressant sans toutefois y souscrire. Le «verset» qui l'enchante manque pour nous de «sainte barbarie» (*K.*).

La sublimation (érotique) est vouée essentiellement à l'agression muette. L'érotisme en montre l'extériorisation. Nous allons constater que le Québec est ce double visage d'Eve, la fillette nécromane et la femme demeurée vierge dans son esprit, les deux à la recherche de cette éclatante poussée d'idéalisme pervers frustré par la catastrophe de l'homme-enfant, du partenaire impuissant, de la promesse impossible d'un érotisme mystique que chaque cierge autour de l'autel avait pourtant entretenu. Les héros sont des ratés parce qu'ils se trouvent en face de femmes qui cherchent l'absolu dans l'amour. Le Québec ne s'est-il pas ainsi enfermé pendant très longtemps dans l'attente d'un miracle pluriforme? Ces anormaux ne sont pas autant la parodie que le mime de la conscience ou de l'inconscience d'un peuple.

La sublimation est une science sociale de l'érotisme chez la femme qui exige au moins l'égal du rêve. De ce point de vue, il y a dans les écrits d'Anne Hébert une portée universelle, un sens aigu du dilemme de son sexe dans le monde d'aujourd'hui. Le côté un peu insaisissable de l'œuvre respecte par analogie celui d'Eve, titre de deux magnifiques poèmes de l'auteur[4].

Le Torrent commence donc le cycle de l'érotisme, celui de la tare héréditaire. Cette nouvelle est datée immédiatement après la mort de Saint-Denys Garneau. La destruction par la mort violente peut, seule, semble-t-il, effacer la contagion de la culpabilité et alléger le fardeau de la haine cruelle. Un cheval apocalyptique, Perceval (l'auteur fait figurer le cheval comme symbole dans *Kamouraska*), piétinera la mère. Le fils plongera dans le torrent (autre image particulièrement fréquente dans *Kamouraska* — retenons aussi que Saint-Denys Garneau est mort près de l'eau), après avoir contemplé cet abîme à plusieurs reprises. La destruction de la mère (le Québec?) par le cheval mythique (la révolution?), et peu après celle du fils, François (forme archaïque de Français?), sont dans l'ensemble un rituel érotique, libérateur et politique.

La faute de la mère est d'avoir accouché d'un petit bâtard. Le supplice qu'elle lui impose est représentatif de la culpabilité et du châtiment du vieux Québec: abandonné par les Français envers lesquels il conserve une mystique du retour; abâtardi par les Anglais envers qui il maintient une méfiance sourde (comme François est sourd); replié sur soi comme dans une forteresse vouée à l'érosion par

---

4 *Les Songes... et Mystère de la parole.*

l'intérieur à cause de l'isolement devenu masochisme, névrose historique, destruction. Le fils illégitime serait alors le symbole de tous les Québécois.

La mère ne parle pas directement au lecteur. Elle est néanmoins d'autant plus accablante (Mère-patrie, Garneau?) qu'elle est montrée par les yeux de son fils:

> Ma mère travaillait sans relâche et je participais de ma mère, tel un outil dans ses mains (*T.*, p. 10).

Puisqu'il deviendra sourd sauf pour le torrent, voit-il les mots de sa mère plus qu'il ne les entend — on le dirait:

> Sa bouche se fermait durement, hermétiquement, comme tenue par un verrou tiré de l'intérieur (*Ibid.*).

Le fils se sent traqué, vu, réduit:

> Juste au moment où je croyais m'échapper, elle fondait sur moi, implacable, n'ayant rien oublié, détaillant jour après jour, heure après heure, les chose mêmes que je croyais les plus cachées (*T.*, p. 11).

et cette bouche sans pitié le dévore:

> ...des lèvres minces qui prononçaient, en détachant chaque syllabe, les mots de «châtiment», «justice de Dieu», «damnation», «enfer», «discipline», «péché originel», et surtout cette phrase précise qui revenait comme un leitmotiv:
> — Il faut se dompter jusqu'aux os (*T.*, p. 10-11).

La solitude de cet enfer est totale:

> Nous étions toujours seuls. (...) Quant à ma mère, seul le bas de sa figure m'était familier. Mes yeux n'osaient monter plus haut, jusqu'aux prunelles courroucées et au large front que je connus, plus tard, atrocement ravagé.
> Son menton impératif, sa bouche tourmentée, malgré l'attitude de calme que le silence essayait de lui imposer, son corsage noir, cuirassé, sans nulle place tendre où pût se blottir la tête d'un enfant; et voilà l'univers maternel dans lequel j'appris, si tôt, la dureté et le refus (*T.*, p. 12-13).

Ayant réduit sa vision de la mère à la bouche, sorte d'abîme freudien d'où émanent des jugements effroyables, François nous la fait entendre comme si elle était la voix même de la morale du vieux Québec:

— Le monde n'est pas beau, François. Il ne faut pas y toucher. Renonces-y tout de suite, généreusement. Ne t'attarde pas. Fais ce que l'on te demande sans regarder alentour. Tu es mon fils. Tu me continues. Tu combattras l'instinct mauvais, jusqu'à la perfection... (*T.*, p. 19).
Tu seras prêtre (*T.*, p. 19).

Or nous savons que la solitude agressive, le tête-à-tête infernal entre mère et fils, bourreaux et victimes tour à tour, prend sa source dans l'érotisme, dans la faute de la mère qui se trouve incarnée dans le fils illégitime. C'est l'impasse d'une culpabilité irréversible, réciproque et affaissée dans un mélange confus d'expiration et de revanche. La torture morale entraîne le chaos psychologique où s'entredévorent des victimes désignées par la féroce subtilité d'une contagion ordonnée par les liens du sang comme dans les tragédies antiques. Claudine, la mère, voit dans son fils sa rédemption et sa chute. François lui, est un puits d'amertume, produit avorté de la conscience de représenter la faute, le mensonge et la déchéance physique: surdité. Sa mère devient pour lui l'obstacle à franchir. C'est un nœud pernicieux qui doit être coupé. Il l'est. François n'a pas un instant cessé d'être lucide:

Moi, je ne connaissais pas la joie. (...) C'était plus qu'une interdiction. Ce fut d'abord un refus, cela devenait une impuissance. Mon cœur était amer, ravagé (*T.*, p. 25).

Notons que l'impuissance sexuelle dont François fait l'aveu s'applique à Michel des *Chambres de bois* et dans une certaine mesure au docteur Nelson de *Kamouraska*. C'est une question de degré puisque ce dernier se laisse séduire par Elisabeth, mener au meurtre de son copain de collège par Elisabeth, et exiler par Elisabeth. S'il se rehausse un peu dans l'échelle de la virilité, c'est qu'il réussit à faire avec sa maîtresse un petit bâtard brun foncé — un petit François! Antoine Tassy seigneur de *Kamouraska* est viril d'une façon fauve, coureur de jupons et de filles sales, grâce à l'alcool.

Ainsi, la mère, dans *Le Torrent*, servira de modèle à presque toutes les héroïnes d'Anne Hébert et le fils aux anti-héros. C'est une collection de femmes martyres d'une sexualité frustrée qui transforment en rage vertueusement diabolique l'érotisme abîmé dans des mâles impuissants, leur proie, vulnérable et décadente, capable seulement de fantaisies inspirées d'horreur.

Je regardais ma mère et la certitude s'établissait en moi, irrémissible. Je me rendis compte que je la détestais (*T.*, p. 27).

La haine de François devient visiblement un substitut érotique d'impuissant:

> Je vis le sang monter au visage de ma mère, couvrir son front, son cou hâlé. Pour la première fois je la sentis chanceler, hésiter. Cela me faisait un extrême plaisir. (...) Ma mère bondit comme une tigresse. Très lucide, j'observai la scène. Tout en me reculant vers la porte, je ne pouvais m'empêcher de noter la force souple de cette longue femme. Son visage était tout défait, presque hideux. Je me dis que c'est probablement ainsi que la haine et la mort me défigureraient, un jour. (...) A partir de ce jour, une fissure se fit dans ma vie opprimée. Le silence lourd de la surdité m'envahit... Aucune voix, aucun bruit extérieur n'arrivait plus jusqu'à moi (*T.*, p. 29).

On le voit, l'admiration physique du fils pour sa mère augmente, par sa suggestion d'inceste, l'impuissance du jeune homme; son jubilement de dénaturé face à cette femme la moitié dominée par Perceval, le cheval, auquel il se sent inférieur et dont il est jaloux, montre le sommet érotique que peut atteindre le terrible rejeton. L'inceste se trouve à peu près de la même façon entre le frère et la sœur, Michel et Lia, dans *Les Chambres de bois*. Lia, comme la mère, a commis la faute. Michel, comme François, est jaloux et victime. Les deux jeunes hommes sont corrompus par celles qu'ils aiment incestueusement malgré eux; ils sont assoiffés de vengeance à cause de leur impuissance.

C'est le cheval, Perceval, qui accomplira le matricide:

> Ce cheval quasi sauvage, (...) Claudine qui en avait dompté bien d'autres. Il lui résistait avec une audace, un persévérance, un rouerie qui m'enchantaient. Toute noire (le cheval du docteur Nelson dans *Kamouraska* est noir aussi et il passe durant la nuit sous la fenêtre d'Elisabeth), sans cesse les naseaux fumants, l'écume sur le corps, cette bête frémissante ressemblait à l'être de fougue et de passion que j'aurais voulu incarner. Je l'enviais (*T.*, p. 31).

Ce dernier aveu est un témoignage d'infériorité pernicieuse à cause de la lucidité et de l'admiration sexuelle qui s'y trouvent confondues. François sait que Perceval va accomplir pour lui l'acte viril complet de réduire au néant sa mère. C'est le rituel érotique de la mort comme spectacle de voyeur.

> ...le spectacle de la colère de Perceval m'attirait à un tel point

> que je ne me décidais à m'éloigner que lorsque le fracas du torrent en moi me saisissait et m'interdisait toute autre attention (*T.*, p. 32).

La haine et la névrose montent en François comme le torrent mugit derrière sa surdité. Il assiste au piétinement de sa mère par le cheval auquel il s'identifie, terrible preuve de son infériorité. Il est en même temps analytique et lucide. Enfin, nous l'avons dit, il assiste à un spectacle de voyeur qui essaie d'absorber vite tout l'impact du matricide triomphal. Rien du détail visuel ne lui échappe:

> Oh! je vois ma mère renversée. Je la regarde. Je mesure son envergure terrassée. Elle était immense, marquée de sang et d'empreintes incrustées (*T.*, p. 36).

Même ivresse de sang dans le meurtre du mari perpétré par le docteur Nelson dans *Kamouraska*. Même insensibilité forgée par un climat de sauvage béatitude.

Le message de François est très significatif. Il doit être aussi celui de l'auteur à la plupart des Québécois de sa génération:

> J'ai porté trop longtemps mes chaînes. Elles ont eu le loisir de pousser des racines intérieures. Elles m'ont défait par le dedans. Je ne serai jamais un homme libre. J'ai voulu m'affranchir trop tard (*T.*, p. 36).

Martyr d'un enfer de solitude (comme Garneau?), le jeune homme ne peut survivre. Il est marqué pour la mort:

> Je me penche tant que je peux. Je veux voir le gouffre, le plus près possible. Je veux me perdre en mon aventure, ma seule et épouvantable richesse (*T.*, p. 65).

Suicide. Un suicide entouré d'une fatalité où l'esprit contemple sa propre destruction comme un paroxysme érotique, paradoxe de lucidité et de folie simultanées.

Le Torrent est une œuvre imparfaite sur plusieurs plans. Nous voulons, plutôt que d'en faire la critique, signaler combien les types représentés dans cette fable québécoise reviendront dans les autres œuvres. L'érotisme de la violence et de l'insensibilité qui s'y trouve introduit atteindra son point culminant dans *Kamouraska*. Quelle part la disparition soudaine de Saint-Denys Garneau a-t-elle dans le personnage de François? Le revirement depuis *Les Songes en équilibre*, œuvre fleur-bleue et douce comme l'amour platonique accroché à chaque feuille et à chaque voix, ne se pourrait plus absolument entier. Quelque chose a craqué. Le courant érotique et vengeur se manifeste pleinement dans une œuvre pivot et pourtant assez modeste par rapport à ce qu'accomplira Anne Hébert. La mère est une géante symbolique. Le fils est l'échec. La confrontation de ces deux entités hostiles et irréconciliables approfondit une dimension de l'érotisme de la solitude.

Kamouraska, se déroule dans un rêve qui semble avoir pour objectif d'éprouver la résistance nerveuse du lecteur tant l'outillage érotique et pervers est complet. C'est un roman poétique et stylisé. L'action se déroule dans l'esprit de l'héroïne, comme un cinéma onirique, au chevet de son second mari dont elle se moque. Ce dernier agonise en clown, hanté par la terreur que sa femme ne l'empoisonne. Elle joue avec lui la comédie de cette terreur. Mais, en fait, il ne compte pas. C'est le souvenir du meurtre de son premier mari, sa liaison avec le docteur Nelson, qui trottent dans son esprit. Elle se voit sinistre, indifférente, adultère, révoltée et, ne l'oublions pas, vierge et innocente et mère dans le crime. Elisabeth est plus sympathique que Claudine dans *Le Torrent*. Pour elle la faute n'existe pas. Elle est majestueusement imperméable. Sa liberté consiste à faire ressortir la bête de l'homme, à le mener à tous les excès, et à faire comme si c'était à cause du climat. Elle est fière de son aliénation, absolument capable de tout, capable surtout de se racheter elle-même en refusant simplement d'interpréter le mal autrement qu'en vierge dont l'innocence frigorifie toute notion de culpabilité.

C'est une œuvre plus achevée que *Le Torrent*, plus puissante encore; mais les concessions à la mode, à cette neige éternelle qui ressemble tant au Canada vu par les Français la rendent un peu moins près des Québécois. Anne Hébert vit en France plus ou moins définitivement depuis une vingtaine d'années. Les emprunts aux grands auteurs français ne manquent pas de gêner: «Je dis 'je' et je suis une autre» (*K.*, p. 115) (Rimbaud); «Tu respires la pourriture de l'automne jusqu'à la nausée» (*K.*, p. 171) (Sartre); «...sur les quelques arpents de neige,...» (*K.*, p. 44) (Voltaire); «La vraie vie qui est sous le passé» (*K.*, p. 104) (Proust); «Le temps retrouvé s'ouvre les veines» (*K.*, p. 115) (Proust); au docteur Nelson «Vous combattez le mal» (*K.*, p. 128) (Camus); «Le meurtrier a ensuite frappé à coups redoublés avec la crosse de son pistolet...» (*K.*, p. 232) il s'agit du docteur Nelson frappant sur le cadavre du mari qu'il vient de tuer (Camus, *L'Etranger*); «Un jour pourtant, il faudra bien nous résoudre à abolir le hasard?» (*K.*, p. 149) (Mallarmé). De plus, la caricature du Québec y est souvent trop peu subtile en comparaison avec *Le Torrent*, où l'ardeur encore naïve souffrait avec le sujet et surtout en comparaison avec les œuvres d'intériorisation, ou de sublimation: «Le Tombeau des rois» et *Les Chambres de bois*.

Ces quelques réserves faites, l'érotisme est plus que jamais un instrument de choc dans *Kamouraska*. Nous sommes à la fois près et loin d'un Flaubert traduit en justice pour avoir porté atteinte à la morale publique en écrivant *Madame Bovary*. L'une et l'autre œuvre est l'histoire d'un adultère de province prenant sa source dans la réalité. C'est l'érotisme qui a évolué jusqu'à perdre tout intérêt à moins de le bien cuisiner. *Kamouraska* est l'histoire d'un adultère de province, compliqué de scènes d'exhibitionnisme, du meurtre d'un mari et de la mort ironiquement attendue sans qu'elle ne se réalise d'un second époux, d'expérimentations de sexualité de groupe. Le rituel devant mener au meurtre d'Antoine Tassy met en scène la servante Aurélie, petite sorcière vicieuse, deshabillée par Elisabeth et le docteur, se pavanant nue, très érotique:

> Elle se retourne vers le docteur, très excitée (*K*., p. 179).

Lui, entièrement sous l'empire de la femme adultère qui mène le bal, fait le pas vers la jeune fille nue. En retour pour ses attentions, il est entendu qu'elle empoisonnera le mari. Entre temps, c'est la torture entre amis:

> La corde au cou, transportée de force, dans ma chambre de la rue Augusta. Près du feu de bois. Alors que ma mère et mes tantes sont aux vêpres. Je nie qu'une pareille scène soit possible entre George Nelson et ma servante, Aurélie Caron (*K*., p. 180).

Retour au présent. L'héroïne blâme le rêve afin d'atténuer un peu le macabre de la situation:

> Le cauchemar tenace me colle à la peau, me poursuit et m'empoisonne. Dès que je ferme les yeux. Si parfois j'appelle cette fille à mon secours, c'est pour qu'elle me délivre du mal, m'absolve et me lave. Me décharge, ainsi que mon amour, d'une histoire démente (*K*., p. 180).

Elisabeth attend la libération des mains du plus vil et du plus inconséquent des personnages féminins du livre. C'est que pour elle la corruption est le chemin de l'innocence retrouvée. Et le second mari, M. Rolland, agonise cependant que le souvenir du cérémonial érotique, prélude au meurtre du seigneur de Kamouraska, le premier mari, trotte dans l'esprit délirant de l'Eve des ivresses morbides.

Si près de Flaubert (*Madame Bovary* étant peut-être l'archétype de l'adultère de province), Anne Hébert renouvelle l'érotisme en le poussant vers le spectaculaire par l'outrance. D'aucuns y voient quelquefois un onirisme assez hermétique. Nous abandonnons d'emblée cette hypothèse en faveur de celle d'une esthétique fidèle à l'aboutissement d'un des grands courants visibles dans les œuvres précédentes, plus particulièrement dans *Le Torrent*. L'agression poussée très loin ressemble à un rêve. La névrose de François ressemblait aussi à un rêve quand elle dépassait les bornes de ce qui est acceptable. C'est un truquage grâce auquel le lecteur est induit à refuser de situer l'action dans le réel et à blâmer l'imaginaire afin d'éviter de faire face au cauchemar qui risquerait d'ébranler ses plus chères illusions. Qui veut se retrouver avec la Bovary réincarnée en diablesse, souriant d'un rire pur et indifférent, virginal! A Québec, comme en enfer: l'érotisme d'Anne Hébert est sournois et probablement est-ce qu'il comporte des éléments d'analyse très poussée sur un milieu, une solitude.

La sublimation érotique est, à l'opposé de ces perspectives démesurément grossies, un érotisme miniaturisé par l'intériorisation. Il s'adresse à la perspicacité du même lecteur qui tantôt, dans une œuvre diamétralement opposée, s'efforçait de ne pas voir. Mais il se peut qu'à ce stade il ne puisse plus voir même en essayant. Cette double orientation tend à imposer des méandres à l'esprit, et les frontières du réel et de l'imaginaire se superposent de façon compliquée. Ce n'est pas une lecture facile, et elle est très souvent incomplète. On ne peut la faire, ou bien on se perçoit autrement par un acte de défense.

Les Chambres de bois n'est cependant pas un livre bien compliqué. Une jeune femme, blonde et blanche et innocente comme l'aurore, rencontre, au cours d'une promenade à la campagne, un seigneur chasseur qui accorde à sa sœur des regards de vieux satyre. Selon l'avis de sa tante, carnivore de monastère (type hébertien), Catherine est trop plate pour son âge. Mais un grand amour platonique se noue éventuellement avec le fils du seigneur (est-ce encore l'image de Garneau?), sorte de chien battu, de bête traquée, qui se cherche une victime pour partager son infériorité et son impuissance. Une lettre et des rendez-vous provoquent le sinistre père de Catherine à accorder la main de la fille pauvre au jeune inconnu du manoir qui joue du piano et qui rêve de donner un jour un concert qu'il ne donnera jamais. Il a les doigts propres!

Le mariage devient la torture d'un impuissant en lutte avec l'immense rêve d'une jeune vierge. Michel, le mari, a une sœur, Lia, très érotique. Elle est noire et ses secrets sont obscurs comme un tombeau. Un triangle infernal s'établit. Michel observe sur le visage de sa femme le résultat des frustrations qu'il lui impose. Il en éprouve une forte satisfaction sexuelle. A la fin, Catherine s'évade de la cage intérieure vers la lumière et la vie, tout comme à la fin du «Tombeau des rois», l'enfant qui vient d'explorer les tombeaux émerge vers la lumière. Dans tous les écrits, c'est, on le voit, la faute qui rachète.

En tant que roman, *Les Chambres de bois* (le mot «roman» se trouve en sous-titre) entre difficilement dans ce genre. N'est-ce pas plutôt encore un fable, cette fois sur l'érotisme sublimé plutôt que sur l'érotisme? On y trouve tout l'idéalisme des amours platoniques, mélange de seigneurs, de chasseurs, de manoir, de rendez-vous, d'ogres et de chevaliers imaginaires. Bruno, le bon bougre, enlèvera la belle par un baiser à la fin. A un niveau plus profond, car la sublimation est étagée en profondeur dans l'inconscient, tout comme la Bovary dont nous avons tout à l'heure parlé est l'archétype de toutes les femmes dans une certaine mesure, Catherine se doit d'être celui de toutes les jeunes Québécoises si souvent admirablement pures et innocentes, trop hélas pour croire à autre chose qu'à un grand amour soudain et unique. Le type Bovary confond l'adoration mystique et charnelle, refuse d'accepter qu'un homme soit réduit à son dû, à son repas et à roupiller d'aise comme un pourceau. L'autre compte les agneaux de sa bergerie, en choisit un qui ne semble pas comme les autres afin de l'aimer, de le protéger, de se faire combler des joies divines de l'amour, de pratiquer ensemble toutes les choses interdites et de transformer au fur et à mesure en de sublimes prières érotico-mystiques.

A un autre niveau encore, Catherine passe de la terreur du milieu ouvrier avec son silence écrasant et l'image terrifiante du père:

> Le père cria avec une voix qui n'était pas de ce monde. Il grondait très fort contre une terrible girouette rouillée grinçant dans la ville pour appeler les morts. Puis il pria avec sa voix ordinaire qui devenait suppliante, que l'on fermât bien toutes les fenêtres et la porte (*C.*, p. 49).

au rêve libérateur voué à demeurer enfermé en soi:

> Et elle cherchait en vain sur le visage fraîchement rasé la trace d'un drame, d'un mal, d'une fièvre. «Comme le voilà calme, distant, rangé», pensait-elle. Et du coup, il sembla à Catherine qu'on voulait laver son cœur d'un ardent, fabuleux château d'enfance, prisonnier d'un pays de brume et d'eau (*C.*, p. 45).

Ainsi Catherine échappe à son père, homme raté imbu de la violence incohérente d'une brute primitive:

> Lucie fit couper ses nattes et les porta à son père. Lorsque l'homme vit devant lui la première chevelure tombée, la première enfance insoumise avec son front bouclé de bélier têtu, il frappa la fille au visage avec les longs crins noirs empoignés comme des fouets (*C.*, p. 36).

pour se donner au chevalier bon, doux et propre qui se doit d'exister puisque sans lui le monde serait un mensonge:

> Elle y retrouvait un seigneur hautain, en bottes de chasse, une fille noire, affilée comme une épine, tandis qu'un petit garçon effrayé s'illuminait soudain et prenait taille d'homme (*C.*, p. 40).

La jeune fille n'hésite pas à mentir aux autres afin de dissimuler la part incertaine de son rêve platonique:

> Pourtant Michel n'était pas revenu au rendez-vous et l'adolescente feignait, tous les soirs, face à ses sœurs et à Anita d'avoir à répondre à la pressante invitation d'un seigneur oisif et beau (*C.*, p. 43).

La sublimation est un substitut qui peut devenir réel. C'est une solitude supérieure à la consommation béate de l'acte d'union impossible. Tout le potentiel angélique de Catherine contient en puissance la férocité d'Elisabeth. En même temps, la terrible virginité de l'héroïne de *Kamouraska* reflète l'impasse où se trouve Catherine. On ne peut satisfaire des femmes pour qui l'amour est un absolu.

Catherine se retrouve dans une cage pleine de désordre physique, psychologique, de mal et de névrose. Elle étouffe dans cette solitude. Elle tombe bientôt malade et se voit menacée de mort. Quand elle quitte Michel, le cercle se referme sur l'impossibilité d'échapper au marasme ambiant. Elle s'en va avec une bonne brute du peuple. C'est le passage vers l'érotisme, de l'intérieur vers l'extérieur, littéralement et figurativement. Le chevalier était dément. Elle retourne où elle a commencé. Il n'y avait nulle part où se réfugier.

Ainsi, la tension psychologique qui transforme Catherine depuis la jeune fille aux éblouissantes rêveries en la Bovary latente (n'importe quel homme convient, celui qui est le moins mauvais pour le moment), en la femme vengeresse qu'en fait Anne Hébert, nous donne un tableau assez exact, malgré sa qualité de porcelaine frêle, du dilemme de la Québécoise dans une société où elle se sent submergée par un encombrement d'hommes peu exotiques:

> Les hommes de ce pays étaient frustes et mauvais (*C.*, p. 37).

La tigresse émerge pure parce qu'elle est vraiment vierge encore.

A un autre niveau, celui de l'interprétation ou de la clef des personnages, nous pouvons présumer qu'Anne Hébert a été Catherine, sans, bien entendu, l'opprobre d'un père grotesque, et qu'elle a souhaité, comme son héroïne, pénétrer l'univers secret de la passion:

> Elle évoquait ces femmes de grande race, cruelles et oisives, maintenant couchées en leurs moëlles crayeuses, et soudain, l'image vivante et aiguë de Lia, sœur de Michel, se dressa dans le cœur de Catherine (*C.*, p. 59).

Et la voix de Saint-Denys Garneau semble percer dessous celle de Michel:

> — De la boue, voilà ce qu'elle est devenue, cette fille sacrée entre toutes. La faute est entrée chez nous avec elle (*C.*, p. 60).

Michel aiguise la curiosité virginale de Catherine en parlant de la vénalité de Lia. Le lien avec la vie intime de l'auteur et de son illustre cousin ne peut être qu'un objet d'hypothèse. Cependant, il semble y avoir plus que de simples coïncidences. La part de déguisement et de métamorphose due à l'art de l'écrivain nous coupe de la réalité telle qu'elle s'est manifestée. Néanmoins, Michel souffre sans raison apparente si ce n'est le même jansénisme que dans *Le Torrent*, la même culpabilité que François. Or c'est un fait déjà bien connu que le cousin a été un mystique jusqu'au bout des ongles, à l'encontre peut-être des rêves de sa cousine d'à côté:

> — Lia est revenue, ce soir même, et cet homme qui est son amant est avec elle (*C.*, p. 61).

Michel entretient Catherine de ce qu'a pu dire Saint-Denys Garneau à son aimable voisine, probablement à l'affût des émerveillements de la passion comme Catherine, cependant que le cousin se prenait peut-être au sérieux:

> Michel supplia Catherine de l'écouter. Il parla de la solitude de la ville pierreuse, du vent sur la place, de l'homme qui est sans gîte, ni secours, de la violence du sang chez les filles qui se damnent (*C.*, p. 63).

Le jeune époux a bien des caresses froides à dispenser:

> Les mains calmes effleuraient maintenant le cou de Catherine, sa taille, sa gorge et son visage, comme si Michel eût voulu susciter, sans hâte ni passion, un corps solide et doux, dans la nuit (*C.*, p. 64).

Jusqu'à quel point Anne Hébert a-t-elle inventé sa sublimation (érotique)? C'est, et cela restera ouvert aux conjectures. Mais on n'écrit pas à partir du vide. L'expérience personnelle y est pour quelque chose, si subtilement voilée soit-elle. Nous pourrions discuter plus avant combien les cousines — pauvre Gide! — peuvent s'amouracher des cousins — pauvre Madeleine! L'analogie n'est pas sans mérite.

Michel est exaspérant:

> A ce moment il caressait volontiers Catherine, tout contre sa peau, à la limite du linge. Il demeurait un instant immobile, les traits tirés, ses larges paupières fermées, et elle pensait: «Je lui suis soumise, mais faites, ô mon Dieu, qu'il me prenne sans me faire de mal!» Mais bientôt toute chaleur se retirait de Michel. Catherine entre ses bras, désertée, devenait pareille à une jeune offrande sur la table de pierre (*C.*, p. 70-71).

La solitude de la jeune femme rejoint celle de l'enfant immensément plus complexe dans «Le Tombeau des rois». Les mots «offrande» et «pierre» reviennent de la même façon. Il y a une suggestion d'onanisme dans le comportement de Michel. N'insistons pas. Catherine elle-même est pourtant réduite à ses propres effervescences solitaires (rejoignant une fois de plus l'héroïne du «Tombeau...» qui est effectivement seule avec des morts illustres qui la possèdent «sept fois»), à une sexualité de l'imaginaire pour fillette abandonnée:

> Elle imagina une façon rituelle de quitter ses jupons, en un tour de main, laissant tomber à ses pieds un rond parfait de tissu précieux. Catherine enfilait ensuite ses grands cerceaux défaits sur son bras, comme des trophées, avant de tout

> ranger dans ses armoires parfumées (*C.*, p. 78).

Et une allusion indirecte aux «sept pharaons» du «Tombeau...»:

> — Lia, il ne faut pas pleurer, vous êtes si belle, comme une reine d'Egypte...

Catherine voudrait apprendre à sortir de son rêve en pénétrant le secret érotique de Lia:

> Elle aurait voulu questionner Lia au sujet du tendre visage de l'amour perdu. Mais elle se taisait, se contentant de regarder avidement Lia, interrogeant le jeune corps bistre et sec, y cherchant la piste du feu, le secret de l'être qui s'est donné et qui a été reçu (*C.*, p. 107).

Elle se résout à parler:

> — Lia, je vous en supplie, répondez-moi, c'est à *lui* que vous pensez, n'est-ce pas? C'est *lui* qui vous donne soudain un visage si pâle, comme s'il vous entraînait au bout du monde?
> — Jusqu'aux portes de la mort, Catherine. Et si je te disais cela, tu ne me comprendrais pas (*C.*, p. 111).

Une fois de plus nous nous retrouvons en plein cœur du «Tombeau...» où l'amour se trouve enfermé dans la mort. L'erreur de Lia est de ne pas savoir que les vierges ont une façon particulièrement entière de comprendre et de fonctionner au sein de ce qui est interdit. Elles écorcent le réel jusqu'à ce qu'il ressemble à leur mythologie de la sexualité, à la sublimation sans issue.

Catherine est un cas certain de raffinement de la virginité platonique. Son érotisme est singulièrement intériorisé. Elle est prisonnière du cloître intime, peut-être d'un penchant presque héréditaire pour la sublimation, dans un milieu peu propice à la réalisation du parfait amour.

Les Chambres de bois, œuvre d'intériorisation des tabous du vieux Québec, servent de pendant en prose au poème «Le Tombeau des rois», et, par extension, à tout le recueil du même nom. Le poème paraît pour la première fois sept ans avant la fable. Il éclipse tout ce qu'a écrit Anne Hébert; il représente aussi le sommet de la sublimation érotique. Une enfant curieuse descend seule dans la féerie morbide des tombeaux. Elle n'a pas peur. Elle cherche quelque chose de précis. Elle cherche à dépasser à la fois le sentiment de culpabilité et celui d'une virginité indécente. Son itinéraire de descente fourmille de symboles de fécondité, de luxe, d'audace et d'épouvante. Elle est accompagnée d'un faucon, son cœur, aveugle. La clef de l'énigme de l'œuvre relativement onirique d'Anne Hébert se trouve dans ce poème. Au-delà d'un certain niveau, la virginité devient un état permanent. La femme comme objet se perd dans la femme insaisissable. Au lieu de se donner, elle tue. Ensuite elle prétend attendre encore le seigneur du manoir en tenue de chasse qui vient l'enlever doucement afin qu'elle puisse offrir à la stérilité un autre sacrifice humain.

Où Anne Hébert a-t-elle puisé son sens expert et raffiné de l'érotisme sublimé? A Québec, dans la vieille capitale toute pavée d'images saintes et quelque part dans le village de Sainte-Catherine? Pourquoi non! Emma Bovary n'a-t-elle trouvé sur le crucifix, depuis son énorme prie-Dieu gothique, son premier amant? Mais, ne l'oublions pas, si près de la vie de Saint-Denys Garneau, mystique de la pureté comme Michel, et victime de la pureté comme François, le poète avait de quoi explorer les phantasmes; si près de la mort de Garneau, le poète a découvert ce qu'il avait tant cherché: le visage convulsé de l'écrivain qui vient de pénétrer le sens profond d'une solitude. Le fait d'explorer l'agression libératrice s'étend également à la condition de la femme d'exception dans une société d'hommes soudain détrônés.

II. *La cruauté*

Tout érotisme implique au départ un élément de cruauté. Cela devient d'autant plus intense quand il s'agit d'êtres meurtris par ceux qui auraient pu leur apporter l'amour. Les héroïnes d'Anne Hébert sont monstrueuses et solitaires, en marge de la vie. «...Claudine fait l'effet d'une pestiférée, d'un monstre»[1], Elisabeth est la doublure vengeresse d'une Catherine blessée mortellement par l'amour impossible, Julie de la Trinité est la sorcière qui ravage le domaine sacré de la fée du premier recueil. Des hommes impuissants, mystiques et déséquilibrés, sont détruits impitoyablement, partenaires inégaux, par des femmes sanguinaires.

Les personnages sont pour la plupart des êtres dominateurs ou dominés et ils ont l'occasion d'exercer une forme ou l'autre de la cruauté. L'amour est absent. Chacun est aux prises avec son démon intime qui le rend inhumain. Les joies de l'amour sont remplacées par d'hostiles et implacables affrontements. C'est la description d'une société infernale. Plusieurs personnages sont au-delà de tout rachat; ils sont contaminés au point d'exister en dehors du monde, dans un cauchemar. La cruauté est inhérente à leur condition d'abord puisqu'ils se trouvent tous dans des situations d'échec, échec confirmé ensuite par leur comportement. Ils ne connaissent rien d'autre.

Une joie sauvage émane des actes de tourment, des pernicieux stratagèmes, des spectacles de destruction: «La sainte barbarie instituée. Nous serons sauvés par elle. Nous sommes possédés» (*K.*, p. 158). C'est comme le tragique visage de l'amour perdu, irrécupérable. Le sang devient un leitmotiv de la «sainte barbarie». Il coule à flot d'abord, puis spontanément, pour ainsi dire, chez les dames du Précieux-Sang. Le lecteur écœuré se demande pourquoi tant d'orgies.

---

1 Paradis, Suzanne. *Femme fictive Femme réelle*. Québec, Garneau, 1966, p. 131.

Il est désorienté. Le sang est un fétiche lié à la cruauté. C'est aussi le corps mystique du Christ, la couronne des martyrs, le sommet de l'héroïsme et le vin de la vie: virilité, fécondité, accouchement. Il y a le *bon sang* et le *mauvais sang*[2]. «Peut-on s'extasier dans la destruction, se rajeunir par la cruauté! (...) La musique savante manque à notre désir.»[3] «...viande saignante sur la soie des mers et des fleurs arctiques...»[4] La révolte d'Anne Hébert surprend comme celle de Rimbaud, l'une et l'autre sont les produits d'un cataclysme de lucidité: «...dans la pièce de bœuf frigorifiée. — Vous mettez ça à dégeler entre vos cuisses, toute la nuit, ma sœur. (...) Elle est assise au bord de son lit, jambes pendantes, cuisses ouvertes, dégoulinante de sang. Elle mastique avec effort une bouchée de viande crue. (...) C'est pourtant dans la chambre de sœur Julie qu'on découvre, peu après, hachette et couteaux maculés de sang (...) Elle est debout au milieu de la pièce, toute nue et barbouillée de sang.» (*E.*, p. 146). Tout une tranche de *Kamouraska* est rouge sur blanc, sang sur neige, «viande saignante (...) fleurs arctiques», disait Rimbaud plus haut. Boucherie!

Quelle calamité abominable descend ainsi au beau milieu du bastion de nos plus chères traditions: famille, époux, enfants, religion, parents, ainsi que nos préoccupations d'angoisse néo-carnavalesques: maladie, mort, enfer, purgatoire. Tout est cruellement dépeint avec dérision: «L'abbé a passé l'étole et la chape violette. Il a préparé l'eau bénite et le rituel de l'exorcisme» (*E.*, p. 159). L'atmosphère de démence n'est pas une simple liberté d'artiste. Ce tournant irrévérencieux s'adresse à un public loin d'être sans reproche. Bien au contraire, la fresque totale des œuvres dresse le portrait redoutable d'une société marquée par la cruauté.

Le Torrent ne mettait-il aux prises mère et fils, la femme coupablement pudibonde et le petit bâtard qu'elle veut innocent, châtié dans l'esprit et dans la chair, prêtre et Christ crucifié par elle? Le jeune homme la voit comme si elle était immense, démesurée, plus grande et plus forte que ses propres ressources d'affranchissement. Cette domination maternelle l'anéantit complètement; elle se dresse devant lui comme une puissance secrète et épouvantable. Il a grandi dans le déséquilibre au point d'avoir dépassé tout espoir de réhabilitation. Le cheval, Perceval, symbole probable d'un père absent, piétine Clau-

2 Rimbaud, Arthur. *Oeuvres complètes. Une saison en enfer*, «Mauvais sang». Paris, éd. Pléiade, 1954, p. 220.

3 *Ibid.*, *Les Illuminations*, «Conte», p. 179.

4 *Ibid.*, «Barbare», p. 198.

dine: «Elle était immense, marquée de sang et d'empreintes incrustées» (*T.*, p. 36). Le fils est possédé d'une joie sauvage devant ce spectacle de fausse libération. Sourd et lucidement pervers, il plongera dans le torrent. Le sacrifice de la mère est inutile. Il vient trop tard. Son sang mortel empoisonne le fils déchu.

Cette *nouvelle* est l'histoire d'une haine matricide, premier jalon d'une série de confrontations sanguinaires entre le milieu, la mère, et les victimes du milieu représentées par le fils détruit par une culpabilité héréditaire. La cruauté de la mère à l'égard de son fils est systématique et vise à éliminer ce garçon rampant autour de ses jupes noires, à lui enlever toute autonomie. Il est l'objet de torture sur lequel cette mère toute-puissante assouvit ses propres ressentiments contre la faute, symbolisée par le fils. En revanche, François déteste la mère démesurément grande avec une impuissance hypocrite et sinistre qui fait frémir. C'est une haine qui siphonne tout son pouvoir de vivre. Il est cruel, incapable d'action, d'extériorisation de sa cruauté. Il est figé dans le rêve sanglant.

Si cette fable est la vision soudaine d'un Québec révélé à l'auteur, c'est pour sûr le déclenchement de forces aveugles et brutales assoiffées de destruction. Au risque de créer un paradoxe, on pourrait dire que c'est l'explosion d'un excès de sensibilité, chez la mère et le fils, entraînant, au fil du même déséquilibre, un excès d'insensibilité chez l'un et chez l'autre. Ce sont des désaxés voués au chaos affectif destructeur. La mère exagère sa propre faute, sensibilité démesurée, mais elle en fait porter le poids à son fils. De même le fils exagère l'emprise de sa mère, la puissance de sa mère, sensibilité qu'il aurait dû mater au fil des ans, mais il applaudit au carnage spectaculaire. Un tel échec de l'amour maternel et filial porte un dur coup à notre idée de la famille. Une famille cruelle et entièrement dépourvue d'amour est un phénomène inconcevable chez nous. La nouvelle d'Anne Hébert reçut fort mauvais accueil de la part des éditeurs. Trente ans avant la crise de «la famille», le poète montrait l'impasse sous le double visage du foyer et de la collectivité.

On pourrait arguer que Claudine est une garce et François un fils illégitime, qu'ils sont tous deux tarés. A la lumière des écrits ultérieurs, ce serait vraiment naïf. Retenons bien la question de sensibilité-insensibilité introduite dans *Le Torrent*. C'est une des clés de la cruauté de tous les personnages des écrits subséquents. L'idée même d'un groupe hypersensible pour des détails et totalement insensibilisé à l'exercice de la cruauté est effrayante. Ce genre de collectivité existe si l'on en croit Anne Hébert. Il faut naturellement faire la part de l'art qui tend à magnifier les perspectives, mais il faut aussi se montrer attentif aux problèmes soulevés par l'auteur. Sommes-nous tous bâtards ou tarés?

«La Fille maigre» (*TR*., p. 33), manifeste une ironie cruelle envers la femme stérile, envers le vieille fille. Le monologue avec ses os prend une forme insolite. Ossifiée par le sort, se confondant avec les reliques, bibelot inutile qu'elle époussète chaque jour, une explosion de rage la secoue. Elle menace de mort et de pétrification l'amant inexistant, et se menace elle-même de pendaison, scène macabre d'une beauté sauvage. Puis on dirait que le Christ vient calmer la demoiselle solitaire: «Espace comblé / Quel est soudain en toi cet hôte sans fièvre?» (v. 13, 14). Ce portrait mystico-érotique de la vierge titulaire introduit un type redoutable et pernicieux dans les œuvres d'Anne Hébert. Il s'y trouve des attroupements de demoiselles vertueuses et coriaces jusqu'à l'apothéose de l'espèce dans le couvent des *Enfants du sabbat*. Entre elles, ces femmes pratiquent un genre de cruauté lié à la vie souterraine: «...chaste, asexué comme l'enfer». Dans *Kamouraska*, Elisabeth combat en toute lucidité cette atmosphère héréditaire: «Cette petite a poussé dans un cocon de crêpe» (*K*., p. 51). «Sa fille mise au monde, Mme d'Aulnières quitte le grand deuil pour entrer en demi-deuil, pour l'éternité. Costumée en grand-mère, malgré ses dix-sept ans, robe noire, bonnet blanc, col et poignets de lingerie fine, elle entreprend de vieillir et de se désoler.» (*K*., p. 52). La cruauté de cette héroïne fatale est liée à la mélancolie d'être née au milieu du deuil de son père, d'être entourée de femmes en noir, les trois tantes, de vivre en dehors de la vie: «...feignant d'appartenir au monde des vivants» (*K*., p. 248). Dans *Les Enfants*..., le couvent connaîtra la panique de compter parmi ses filles une vierge et mère, rêve latent de toutes les vierges.

Il y a une tyrannie de vieille fille dans tous les romans: «Et soudain, l'ombre rapide et silencieuse d'Anita passa dans le cœur de Catherine» (*C*., p. 46) «...gêné par cette présence tardive d'Anita dans la salle» (*C*., p. 47) «...pour peu elle flairerait mes deux mains y dépistant cette odeur sauvagine qui me gagne si vite...» (*C*., p. 47-48). «Anita se détendit, articula très doucement, comme à regret: --Il faut que tu te maries, Catherine...» (*C*., p. 48-49). Elles sont en faveur du mariage à tout prix. Elles épient l'éveil des passions sur le visage des jeunes filles comme un genre de voyeurisme humectant leur propre aridité.

La vieille fille se niche quelque part entre l'amour et la mort:

«Quel crime est-ce là quand on a surpris une seule fois le regard avide de Florida flairant la mort? Cette grande bringue soudain ranimée. Le changement soudain de la bonne pressentant la fin de son maître» (*K.*, p. 28), «Cette odeur de vierge mal lavée» (*K.*, p. 31). La caricature qu'en fait Anne Hébert est digne de l'indifférence calculée d'un Flaubert: «Florida arrive doucement (...) Elle se dandine, bâtée de légumes et de fruits, pareille à un âne tranquille dans le matin d'été» (*K.*, p. 37). «Un chapelet attaché aux entrelacs compliqués d'un petit lit de fer. Sur la commode, un missel usé, une statue de la Vierge, une broche d'un sou, un bloc de camphre. Léontine Mélançon est bien gardée. Tout l'arsenal des vieille filles pauvres» (*K.*, p. 41).

En guise de prélude aux *Enfants du sabbat, Kamouraska* est, à l'arrière-plan, un grouillement de vieilles filles figées dans la tapisserie, harpies hypnotisées par l'action, guettant un tableau d'adultère et de meurtre avec un aplomb déconcertant. La trinité des tantes est un chœur rompu à la cruauté, pourvu que cette dernière soit menée de façon à garder indemne le nom de la famille: «Mes petites tantes font la tapisserie. Des fleurs ternes naissent sous leurs petits doigts,...» (*K.*, p. 43). Elles sont pudibondes, furieusement religieuses, prêtes au parjure: «Du noir, du beau noir de qualité. Des airs pincés plus qu'aucune dame de la Congrégation. — Levez la main droite sur l'Evangile et dites: «Je le jure» (*K.*, p. 45). L'adultère trouve asile dans leur esprit élastique: « — Il ne faut pas contrarier la Petite. Elle est si malheureuse avec son mari. (...) Ma mère et mes petites tantes parlent à mi-voix. Le docteur Nelson et moi n'échangeons pas une parole. Il me tend les brins de laine à mesure. Nous suivons tous deux, sur le canevas l'avance d'une fleur trop rouge.» (*K.*, p. 43) C'est le sang du mari par anticipation.

Tout conspire à rendre l'adultère plutôt aguichant: «— Madame s'enfermait souvent dans des chambres fermées avec le docteur Nelson» (*K.*, p. 44). La morale inversée dans *Les Enfants du sabbat*: «Je veux faire la roue devant le soleil, jambes ouvertes pour que l'on voie ma blessure et que l'on m'honore pour cela. Que l'atroce se change en bien. Telle est la loi: l'envers du monde.» (*E.*, p. 65). Cet «envers du monde», c'est le couvent. La supérieure ne s'arrête à rien: «Mes filles méritent d'être punies. Et elles le seront. (...) Quant à sœur Julie, son châtiment est déjà en cours. Je ne ferai rien pour l'empêcher de croire que son frère Joseph est... Quoique j'aie entre les mains la preuve formelle que ce frère se porte à merveille.» (*E.*, p. 88). Elle laisse croire à Julie que son frère est mort à la guerre. «La cruauté n'aura plus de secrets pour nous.» (*E.*, p. 185). Le meurtre symbolique de l'enfant de la sorcière pose la question de cruauté sur un plan blasphématoire, voire: qu'aurait-on fait du fils de la Vierge-Marie...: «Il s'agit de chanter haut et fort, dans un grand déploiement d'harmonium. C'est notre supérieure qui nous l'a ordonné, afin que personne, dans ce couvent, n'entende plus la voix du chaton nouveau-né... (...) L'aumônier est inondé de sueur. Il ouvre largement la fenêtre sur la nuit d'hiver. Il prend de la neige, à pleines mains, sur le rebord de la fenêtre. Il en couvre l'enfant. Comme s'il voulait éteindre le feu de l'enfer.» (*E.,* p. 186-187). La supérieure lit le courrier, enlève les calmants des religieuses souffrantes quand la fantaisie lui prend, confesse ses «filles» avec une fascination du péché de luxure. Enfin, le dernier roman à ce jour est l'épopée drôlatique des faits et gestes d'un refuge de vieilles filles où dominent l'autorité arbitraire de la supérieure, les mesquineries des «filles», les beuglements des religieuses séniles ou moribondes. Le sang est pour ces femmes une chose normale: «Précieux-Sang». Il y a des hémorragies, des règles, des blessures, des quartiers de viande sanglante.

La cruauté des demoiselles *stériles* est le plus souvent un exercice passif, un coup d'œil, un maintien pincé, une façon de prier, qui font surgir l'angoisse. Elles permettent l'existence du mal en priant pour le bien; elles regardent les trames diaboliques s'ourdir en louchant de bonheur. Elles sont solidaires entre elles parce que c'est la règle de survie: «Regrettent aussi que la dynastie des femmes seules ne se perpétue pas éternellement, dans la maison de la rue Augusta.» (*K.*, p. 98), «Des milliers de «Je vous salue Marie» sournois, aiguilles empoisonnées, ricochent sur le cœur résistant d'Antoine Tassy.» (*K.*, p. 99).

Ces demoiselles souffrent collectivement d'une sensibilité douteuse, comme Claudine et François. Elles se réfugient dans la piété comme asile permettant, une fois les simagrées religieuses terminées, de prendre part aux horreurs comme lavées à l'avance de toute forme de responsabilité. Le vêtement noir et l'ombre où elles trottent en agitant leurs chapelets font en sorte que la mort leur emboîte le pas. Le «reliquaire d'argent» de «La Fille maigre», ornement funéraire, crée sur un fond noir ce reflet sinistrement argenté du gris éclatant. L'autre perspective dans *Kamouraska* est celle du rouge sur blanc, de l'amour sur la neige: «De la neige plein mon cou, dans mes oreilles, dans mes cheveux. Je mange de la neige. Son visage glacé sur mon visage. La chaleur humide de sa bouche sur ma joue. (...) Nous restons dans la neige. Couchés sur le dos. Regardons le ciel, piqué d'étoiles. Frissonnons de froid. Longtemps j'essaye de me retenir de claquer des dents»

(*K.*, p. 137), rouge: cruauté et violence; blanc: froideur et insensibilité: «...ont vu des traces de sang sur la neige» (*K.*, p. 229), «...le sang qui s'étale et gèle sur la neige très blanche.» (*K.*, p. 221). Le noir, le froid, le sang et la neige confèrent au roman une atmosphère de vie raréfiée dans un étau inhumain. Les vieilles filles ont l'air à leur aise dans ce genre de chaos conforme à leur curiosité couleur de cendre. Le mal est comme un cinéma devenant réel seulement quand il s'attaque aux règles austères de la réputation intacte de la famille.

Anne Hébert semble entretenir des griefs profonds à l'égard de la stérilité organique voisinant l'insensibilité la plus inhumaine, la cruauté gratuite et sans rémission. Dans un récent article sur *Les Enfants du sabbat*[5], Gabrielle Poulin parle du conflit entre «le ferment de la vie» et «la paranoïa de la supérieure». Nul doute, la cruauté des vierges est la plus sanguinaire. Le sang des règles inutiles appelle la revanche de la mort contre la vie. L'auteur fait ressortir de cette fresque stérile un immense appel à la femme de secouer le joug du deuil traditionnel qui la range parmi les oiseaux noirs dès qu'elle n'a pas un homme pour la torturer. Le couvent attire des hommes autoritaires, peureux, à l'aise parmi les jupes noires. Le docteur Painchaud veut à tout prix abolir le mal des cloîtres, stériliser soeur Julie de la Trinité. Il est misogyne, superstitieux, raté. Les deux aumôniers sont des monstres. Le père Migneault meurt d'apprendre l'étendue de sa médiocrité. Léo-Z. Flageole rêve de: «pratiquer un exorcisme, en grande pompe, selon le rituel de la province de Québec» (*E.*, p. 131). Les noms eux-mêmes: *pain chaud* (car le docteur a ses chaleurs refoulées!), *mignon* dont le suffixe *eault* est un diminutif s'appliquant à un homme enfant, et *flageole* suggère flagell*eur*, instrument (flûte) à six trous aux sons aigus, coup de fouet.

Le monde disloqué des demoiselles attire la canaille vertueuse qui cherche refuge auprès de ces femmes châtiées dans la chair et dans l'esprit. A côté de ces messieurs onctueux et sinistres qui considèrent encore la femme comme la source de tous les maux, le maigre Adélard, incestueux, paresseux, lésineux, alcoolique et archiprêtre à cornes de bouc, est un homme plus acceptable. De même Philomène, qui râle contre les «patates pourrites» et le «lard bouilli» (Adé-*lard*), fait des stages dans les maisons de prostitution, en revient chargée de cadeaux, semble plus humaine. Le ménage est le seul de toutes les œuvres qui ait une vie normale. Lui, il est heureux dans sa liberté. Les enfants sont élevés selon une variante de l'*Emile* de Jean-Jacques

5 «Lettres québécoises», vol. I, numéro I, mars 1976, p. 4-6.

Rousseau. La cruauté du père violant sa fille adolescente est un exemple de «sainte barbarie», tandis que celle des aumôniers et du docteur (pères du couvent) est motivée par la haine et la superstition. Les orgies de la «cabane» sont au moins divertissantes pour les pauvres chômeurs qui ont recours au diable, et encore le font-ils sous l'influence de l'alcool d'alambic, en état d'ivresse. Celles du couvent ne proposent aucune compensation. Sœur Julie est séquestrée, pestiférée. On la guette par la vitre de la porte. La sœur économe est envoyée au grenier, sœur Gemma à la glacière. le choix entre le couvent et la cabane est une dure épreuve. Le lecteur est forcé d'opter pour la cabane en dépit de tous ses préjugés contre les gens aux mœurs louches.

Ce qui ressemble au début à un thème secondaire, la femme stérile, prend les proportions d'une tradition cruelle où s'entredévorent des êtres enfermés dans un univers concentrationnaire. Une fois en tête à tête, ces femmes se transforment en monstres. Est-ce une autre fable, cette fois sur la condition de la femme au Québec? Anne Hébert ne parle pas directement. Elle fait ressortir la cruauté et laisse au lecteur le soin de jongler avec ce qui lui répugne et ce à quoi il se refuse d'ordinaire de penser. Le couvent et la cabane sont aussi les deux visages excessifs du Québec. La même polarisation de sensibilité-insensibilité s'applique, et de là la cruauté institutionnalisée.

Après la confrontation mère-fils, après la confrontation des «filles» sans amour, l'auteur poursuit le procès du mariage avec une verve particulièrement bouleversante. Compte tenu du fait que le couple des *Enfants du sabbat* est l'envers de la fresque sombre du couvent et ne compte que symboliquement, compte tenu du fait que *Le Torrent* ne fait pas figurer de couple, nous sommes en présence de deux mariages. Le premier se trouve dans *Les Chambres de bois*, c'est un exercice de cruauté réciproque systématique. Le second se trouve dans *Kamouraska*, c'est comme l'apothéose de la cruauté. Il y a un rapport entre Catherine et ses rêves frustrés et Elisabeth, celle qui ne rêve pas à autre chose qu'au carnage. Michel est un homme-enfant, cruel et incestueusement lié à la faute de Lia, sa sœur, comme François l'était, de la même façon, à celle de sa mère, Claudine. Antoine Tassy, seigneur de Kamouraska, est un homme vil, brutal, alcoolique, cochon. Il faudrait des analyses assez longues pour arriver à la conclusion très évidente que le mariage est à repenser. Catherine est poussée à chercher refuge dans l'adultère et Elisabeth est au-delà même du mal, la femme de la mort. *Kamouraska* se déroule au chevet d'un second mari, mourant, et dévoile peu à peu l'histoire du meurtre du premier mari. Dans *Les Chambres*... on trouve que Catherine a bien fait d'abandonner Michel. On ne blâme pas non plus Elisabeth d'avoir fait tuer un monstre par un «étranger» avec un accent anglais: «Tous les étrangers sont des damnés.» (*K.*, p. 156), «Le maintien et l'habillement de l'étranger et son parler m'ont convaincu que ce n'était pas un homme du commun.» (*K.*, p. 208), «Tous les protestants sont des damnés.» (*K.*, p. 155). Nelson a beau s'être converti au catholicisme, il demeure étranger, suspect, protestant en puissance. Elisabeth le débauche: «Quelle femme admirable» (*K.*, p. 15). Sa conception du mariage est simple: «C'est cela le mariage, la même peur partagée, le même besoin d'être consolé, la même vaine caresse dans le noir.» (*K.*, p. 24).

L'un et l'autre de ces romans commencent par des seigneurs à la chasse: «Le fils venait loin derrière, tête basse, accablé sous le poids de la gibecière» (*C.*, p. 29), «...l'oiseau pantelant, une étoile rouge sur la gorge. Antoine Tassy soupèse l'oiseau avec gourmandise et admiration». «Antoine a mis l'énorme oiseau dans mon carnier.» (*K.*, p. 67). Le piteux fils «tête basse, accablé...» est une description adéquate de Michel, le futur mari de Catherine. De même celui qui «soupèse l'oiseau avec gourmandise» est bien le gaillard qui vient d'épouser Elisabeth. Le mariage est une partie de chasse où un oiseau, la femme, est enfermée dans une gibecière. Ce symbole de cruauté est le résumé de la vie conjugale.

Catherine se trouve libérée du foyer paternel dans lequel un homme «fruste et mauvais» (*C.*, p. 37) «...frappa au visage avec les longs crins noirs empoignés comme des fouets» (*C.*, p. 36) (sa sœur Lucie). Où «...des femmes se plaignaient doucement contre la face noire des hommes au désir avide.» (*C.*, p. 28), «...l'oncle qui n'aimait rien tant que de se taire, comme s'il aspirait à devenir un mur bien lisse, une pierre sourde, un mort renfrogné.» (*C.*, p. 30). Elle explique à Michel cette enfance épouvantable: «Elle évoqua devant lui la maison sévère où, parmi ses filles, s'asseyait tous les soirs un homme taciturne» (*C.*, p. 46). «Le soir même, le père qui ne sortait jamais que pour rafraîchir son deuil ancien, annonça qu'il passerait la soirée à veiller une jeune morte, épouse d'un camarade de travail.» (*C.*, p. 57). La jeune fille se confie à Michel, corps et âme, pour son plus grand malheur.

D'une cage à l'autre, de la vie familiale en milieu ouvrier à la vie matrimoniale en milieu décousu: «C'est une maison où les femmes règnent. Elle a gravé son nom sur les vitres et les glaces, Lia qu'elle s'appelle, la sœur de Michel» (*C.*, p. 53), Catherine a beau essayer de croire en son rêve de jeune fille: «...il sembla à Catherine qu'on voulait laver son cœur d'un ardent, fabuleux château d'enfance,...» (*C.*, p. 45). Son jeune mari lui confie que lui aussi est marqué par une enfance atroce: «Avec vous je devenais léger comme celui qui n'a jamais eu d'enfance.» (*C.*, p. 50). Mais Michel est trop marqué par la névrose. C'est la culpabilité de Lia qui déteint sur lui, qu'il exagère. Il se sert de Catherine comme d'une victime. Désormais elle sera coupée du monde des vivants et séquestrée dans celui d'un jeune fou: «De la boue, voilà ce qu'elle est devenue, cette fille sacrée entre toutes. La faute est entrée chez nous avec elle.» (*C.*, p. 60).

Le Michel compatissant des rendez-vous clandestins: « — Vous, Catherine ? (...) — Rien, ce n'est rien. Je suis prise au piège comme une souris. Elle défendit à Michel de chercher à la revoir et parla de la colère de son père» (*C.*, p. 62), ce fut un autre mensonge. «Catherine se coucha dans le lit de Michel, qui était étroit comme un lit de pensionnaire.» (*C.*, p. 67). Le monde se referme autour d'elle en commençant par le lit conjugal. Un monde de cruauté involontaire et gratuite s'empare de la jeune épouse: «Michel, en son sommeil, pousse une sorte de plainte déchirante, sexuelle.» (*C.*, p. 69). Son mari est visité par les cauchemars. Son sommeil est une sorte de délire. Ses activités diurnes ne sont guère plus rassurantes: «...rêvant d'unir la pâleur de Catherine à la beauté de la ville, aussi étroitement que la lumière et l'eau» (*C.*, p. 72). Ainsi «La nuit lâchait l'angoisse sur Michel comme un chienne mauvaise qu'on a entraînée tout le jour» (*C.*, p. 70).

Le jeune couple vit dans la terreur. Michel est impuissant: «Catherine entre ses bras, désertée, devenait pareille à une jeune offrande sur la table de pierre» (*C.*, p. 71). «N'ai-je plus droit à aucune solitude, à aucune vie propre, à présent ? (...) ...et ses ongles qui s'allongeaient comme des griffes de bête captive» (*C.*, p. 72). Elle s'interroge en vain. « Michel, mon mari, c'est toi qui es méchant. Le silence intolérable dura entre eux.» (*C.*, p. 80). «Michel et Catherine se fuyaient, se croisaient, feignant de s'ignorer et, situés pour toujours l'un en face de l'autre, en un espace aussi exigu, craignaient de se haïr. (...) Un jour, il lui arriva de faire exprès de se piquer le doigt et de lancer un long cri aigu de fille poignardée. (...) Catherine, c'est affreux, je ne t'aime pas. — Je le sais bien, ...» (*C.*, p. 82).

La tension augmente. Lia vient et de concert avec Michel ils mettent Catherine en quarantaine pour ainsi dire. Ils tracent un cercle clos autour d'eux. La pauvre enfant tombe malade. Son mari a des visions de destruction: «Elle est si belle, cette femme, que je voudrais la noyer.» (*C.*, p. 93), «Lia évoquait le mariage de Michel à l'égal de sa propre faute.» (*C.*, p. 99), «Lia se recula, prit son élan et, par deux fois, gifla Michel de toutes ses forces. Ses longues mains brunes redevinrent calmes. Doucement, avec beaucoup de soin, elle enfila ses gants de daim et sortit. (...) Catherine n'arrivait pas à répondre ni à faire un mouvement. Elle entendit le bruit des gifles qui sifflait à nouveau, éclatant dans sa tête. Elle poussa un cri et porta les mains à son visage. (...) Il l'emmena sur le lit et la posséda avec maladresse et fureur.» (*C.*, p. 115-116). Cette sorte de scène est amplifiée par le fait que Catherine ne voit personne en dehors du frère et de la sœur, ennemis et complices: «Catherine se mit à penser avec joie à la visite du notaire. N'était-il pas le premier visiteur qu'elle eût jamais vu depuis son mariage? Le notaire ne vint pas.» (*C.*, p. 121). Michel répète textuellement à la page 141 la phrase déjà proférée à la page 93: «Elle est si belle, cette femme, que je voudrais la noyer». Lia explique la cruauté de son frère: «Mais tu comprends, quand on a commencé à se faire du mal, un jour ou l'autre on va jusqu'au bout du mal qu'on peut faire. C'est inévitable, ça arrive, c'est arrivé, c'est atroce et puis c'est fini» (*C.*, p. 122-123).

L'explication de Lia sur le «mal qu'on peut faire» est une sorte de pont avec *Kamouraska* et de présage de la philosophie de la cruelle Elisabeth: «Ne rien donner de soi. Ne rien recevoir. Que les époux demeurent secrets l'un à l'autre. A jamais. Amen» (*K.*, p. 16). Catherine s'évade. Elle vogue vers le jour, vers l'amour adultère comme une rémission par la faute. Elle abandonne Michel qui se demande ce qu'il va faire de l'anneau que lui rend Catherine. Il avait épousé Catherine, mais c'était Lia qui le tenait, comme François était dominé par sa mère.

Les jeunes époux se quittent sans amertume. Pour eux, le mariage avait été une impasse cruelle. Deux enfants malheureux au cours de leur enfance avaient essayé de se réfugier l'un auprès de l'autre. Ils ne surent que se faire du mal. Catherine fit ressortir la névrose de Michel, son impuissance, tandis que lui fit une entaille mortelle et irréversible dans le monde de contes de fées que souhaitait sa femme. Au lieu d'être un refuge, le mariage est dans ce cas un prétexte à transposer en actes l'agression latente. Ainsi, Elisabeth va prendre en main son sort là où Catherine a échoué: «Je suis l'envers de la mort. Je suis l'amour. L'amour et la vie. La vie et la mort. Je veux vivre! Qu'Antoine meure donc et qu'on n'en parle plus!» (*K.*, p. 202). Elisabeth, c'est le destin sous forme de femme cruelle et insensible, et elle se veut telle!

Kamouraska est le roman de la mort. Jérôme Rolland agonise dès le début et agonise encore à la fin: «Elisabeth, tu as eu bien de la chance de m'épouser, n'est-ce pas? La voix blanche, sans vibration, d'Elisabeth. —Jérôme, sans toi, j'étais libre et je refaisais ma vie, comme on retourne un manteau usé.» (*K.*, p. 36), «Epouse parfaite de Jérôme Rolland, un petit homme doux qui réclame son dû presque tous les soirs, avant de s'endormir, jusqu'à ce qu'il devienne cardiaque.» (*K.*, p. 10), «Soulevée sur une masse d'oreillers, livide, veille la figure traquée de Jérôme Rolland.» (*K.*, p. 14). L'insensibilité d'Elisabeth est si complète à l'égard de son second mari moribond qu'elle trouve superflu de perpétuer cette existence de larve à l'aide de médicaments: «Un mot de plus et la provision d'air sera épuisée dans la cage de votre cœur. Cet amas de broussailles dans votre poitrine, ce petit arbre échevelé où l'air circule avec tant de peine. Il ne faut pas puiser d'air dans ce buisson qui devient sec.» (*K.*, p. 17). A son chevet, impassible et cruelle, Elisabeth se remémore le petit clown au soir de leur mariage: «La première fois, Jérôme, lorsque tu t'es approché de mon lit, tout rond et gras, perdu dans ton immense robe de chambre à brandebourgs et à carreaux, j'avais envie de rire et je fredonnais dans ma tête: «Mon père m'a donné un mari. Mon Dieu qu'il est petit!» (*K.*, p. 27). La dernière page met en scène les époux dans un dialogue grotesquement décousu: «Si tu savais, Jérôme, comme j'ai peur. — Rassure-toi, Elisabeth, je suis là.» (*K.*, p. 250). Et la bonne de renchérir, à la toute fin du roman: «—Voyez donc comme Madame aime Monsieur! Voyez comme elle pleure...» (*K.*, p. 250). L'épouse maîtrise ses émotions et les module parce qu'elle ne ressent rien depuis très longtemps. Rolland fait le matamore face à des larmes qui ne lui sont pas destinées.

Entre ces deux pôles de l'agonie, il se déroule l'histoire d'un premier mariage atroce: «Nous passons au manoir de Kamouraska notre cruelle jeunesse sans fin. Nous sommes vivants, lui et moi! Mariés ensemble. S'affrontant. Se blessant. S'insultant à cœur joie, sous l'œil perçant de Madame mère Tassy. Ça ne peut continuer comme cela. Il faudra bien faire une fin, choisir le point du cœur et y déposer la mort. Tranquillement. Le premier des époux qui mettra son projet à exécution sera sauvé.» (*K.*, p. 76). Elisabeth sera celle qui «mettra son projet à exécution». Entre temps, Antoine Tassy se rend odieux: «Il s'amuse à pleurer dans mon nombril qu'il remplit de larmes. Il dit que c'est un bénitier. Il dit aussi que je suis belle et bonne et qu'un jour il me tuera.» (*K.*, p. 83). La mort plane sur ce premier mariage dès le début.

«Il me lance un couteau de cuisine par la tête. Je n'ai que le temps de me baisser. Le couteau s'est planté dans la boiserie.» (*K.*, p. 86). Sa femme le déteste avec une haine implacable: «Antoine Tassy dans un grand drap, avec sa gibelotte, son cognac, ses souvenirs de collège, sa vanité de mari, ses gros poings d'homme brutal. Sa rage d'homme brutal.» (*K.*, p. 108). Le docteur Nelson voit les marques de coups essuyés par Elisabeth aux mains de son mari: «Il parle bas dans une grande indignation. Il vient de voir des ecchymoses sur mes bras.» (*K.*, p. 112). «Une lame de rasoir un instant brille, près de ma gorge.» (*K.*, p. 118). Bientôt les rôles seront renversés. Ce sera la femme qui tramera avec béatitude le meurtre de son mari. «Fausse noyade. Fausse joie. Me méfier d'Antoine. Je veux bien jouer le jeu. Faire semblant de chercher un noyé et de le pleurer. D'attendre que l'on me dépose un cadavre d'homme ruisselant et glacé entre les bras.» (*K.*, p. 140) Après la «fausse noyade», Elisabeth tentera le poison auquel Antoine survivra. Le docteur Nelson réalise enfin le meurtre tant désiré.

Le rôle du docteur Nelson est pitoyable. La cruauté d'Elisabeth à son égard rejoint au moins celle qu'elle entretient contre son mari. En choisissant le camarade de collège, l'épouse y puise un sentiment de cruauté additionnelle. De plus, elle éprouve un plaisir dépravé à débaucher le chirurgien converti au catholicisme, un pauvre gars qui rêve de devenir saint, et faire naître en lui le possédé qu'elle interprète comme le vrai visage de son amant. Bientôt, sous l'influence de cette femme motivée par son désir de revanche, le docteur devient un complice complètement à l'aise dans son rôle de boucher: «C'est alors seulement qu'il cherche l'apaisement dans la contemplation de son pistolet qu'il sort de l'étui de drap gris. Le décharge et le charge à nouveau. S'enchante sourdement du claquement clair dans le silence de sa maison.» (*K.*, p. 165). C'est par la «sainte barbarie» qu'elle le tient, une rage sexuelle mêlée à une soif de meurtre et de sang.

«Rechercher éperdument la zone de calme qui existe à l'intérieur des typhons» (*K.*, p. 173). Les exploits érotiques abondent d'images violentes: «Un gémissement parvient à ressortir de ma gorge. (...) son poil de bête noire. Son sexe dur comme une arme» (*K.*, p. 159), «Comme une bête que l'on écorche» (*K.*, p. 141), «Je ne puis qu'embrasser tes deux mains, tour à tour. Je les promène sur mon visage, abandonnées et chaudes. Tes chères mains d'assassin.» (*K.*, p. 151). Le «Il faut tuer Antoine» (*K.*, p. 149) devient une sorte de lessivage de cerveau. Elisabeth a quelque peine à endoctriner le docteur Nelson. Mais l'imagination macabre de cette femme est fertile. Elle imagine un beau duel: «Imaginons à loisir le petit matin. La lumière tremblante sur la rosée. Les chemises blanches. Les témoins à mine patibulaire. La boîte noire du chirurgien. Le choix des armes. Les lourds pistolets. Les quinze pas réglementaires. La détonation...» (*K.*, p. 148), «Tout comme si le meurtre d'Antoine n'était pour nous que le prolongement suprême de l'amour.» (*K.*, p. 158). Le meurtre a lieu. Elisabeth se moque du docteur: «Tu m'assures pourtant que ta main n'a jamais été aussi ferme aussi rapide et efficace. Tu n'es pas chirurgien pour rien.» (*K.*, p. 233). Et l'auteur juxtapose à l'efficacité du chirurgien la narration des événements par ce dernier: «—On a mis mon traîneau dans une remise là où on fait boucherie.» (*K.*, p. 216). La description du meurtre lui-même accentue le boucher en puissance dans le chirurgien: «Un homme s'acharne, à coups de crosse de pistolet, sur un mort couché, la face dans la neige. Il frappe jusqu'à l'usure de la force surhumaine en lui déchaînée. (...) Un tel épuisement point en lui, comparable à celui des fous après leur crise, à celui des femmes après leur accouchement, à celui des amants après l'amour.» (*K.*, p. 234-235). Ce qui prime chez le docteur, c'est le chirurgien dément.

Nelson est poursuivi par le sang d'Antoine. Il lave, gratte, se confond et hurle à cause de ce sang. Elisabeth voit cela autrement: «Lui fait la fête. Accueille l'odeur de l'assassin. La sueur et l'angoisse, le goût fade du sang. Ton odeur, mon amour, ce relent fauve. Une chienne en moi se couche. Gémit doucement. Longtemps hurle à la mort.» (*K.*, p. 215). Mais elle méprise cet amant ivre du sang de son mari: «—Moi, médecin, je jure que ce n'est pas naturel. Tant de sang dans un corps d'homme. Je suis sûr que ce chien de Tassy l'a fait exprès. / Un instant, les épaules sont secouées par un rire déchirant comme celui des idiots. Il se tourne vers moi. Mon Dieu, est-ce ainsi que je vais retrouver son beau visage, envahi, trituré, détruit par le rire?» (*K.*, p. 240). Elle répudie le docteur Nelson: «le docteur Nelson s'est échappé. Il a fui. On rapporte qu'il a été vu à Saint-Ours.» (*K.*, p. 242). Le tissu d'ironie est subtilement étalé: «Saint-Ours», chirurgien-boucher, accouchement, amour, mort. Lui, finit par voir: «It is that damned woman that has ruined me.» (*K.*, p. 248). Elle, de conclure: «Qu'il retourne donc, anathème, dans son pays natal. Après treize ans d'absence. Désormais banni dans son propre pays. Etranger partout à jamais. Moi-même étrangère et possédée, feignant d'appartenir au monde des vivants. Perfide Elisabeth, voici que vous rejetez votre plus profonde allégeance. Il est trop tard, dites-vous, pour vivre dans la passion et la démence. Le feu s'éteint.» (*K.*, p. 248).

La cruauté d'Elisabeth est aussi largement tournée contre elle-même. Elle connaît la solitude atroce des âmes en marge de tout salut. Son insensibilité la coupe de toute espèce de fidélité à ce qui ressemble d'ordinaire à l'humain. «A votre chevet votre femme a repris sa solitude.» (*K.*, p. 25). «— J'ai reçu le sacrement d'extrême-onction, Elisabeth. Le bon Dieu m'a pardonné tous mes péchés. / Madame Rolland baisse les yeux. Essuie une larme sur sa joue.» (*K.*, p. 250) Les bonnes âmes verront là le repentir. Il est possible d'y voir la nostalgie d'un passé d'épouvante qui touche une corde sensible, sensibilité paradoxale. Le mariage est dans ce roman la justification du meurtre, d'une part, et l'attente de la mort d'un second mari, d'autre part. L'amant fut châtié par la femme adultère. Les enfants sont des petits monstres: «L'enfant qui crie ainsi le fait sans rage ni douleur, juste pour le plaisir de donner toute sa voix, par-dessus la masse de ses frères et sœurs.» (*K.*, p. 33).En définitive, cette femme lucide attribue à l'isolement ses travers de femme perdue: «...qu'on commette l'adultère et le meurtre sur les quelques arpents de neige, cédés à l'Angleterre par la France.» (*K.*, p. 44).

> Dieu peut naître à son tour, enfant blême, au bord des saisons mis en croix; notre œuvre est déjà levée, colorée et poignante d'odeur! (*M.*, p. 79).
> («Naissance du pain»)

La cruauté est une forme d'expression. Ferment de la révolte, rouge de sang, elle signale l'absence d'amour et la détresse d'un système au sein duquel la sensibilité et l'insensibilité ont forgé une névrose destructrice. Un poison infernal alimente le cœur des personnages. Ils essaient d'aimer, mais ils sont trop prisonniers de leur image monstrueuse pour sortir d'eux-mêmes.

Pour ce qui est du concept de «la famille», *Le Torrent* décrit un matricide, *Les Chambres de bois* le rêve d'amour fourvoyé et *Kamouraska* l'adultère, le meurtre du mari. Ce triptyque de sauvagerie signale une crise profonde. L'agression remplace l'amour.

QUATRIÈME PARTIE

Les Enfants du sabbat:[*]

I. *La cabane du rire*

Après avoir dépeint longtemps la cité au masque durci par le silence et la solitude farouches, portrait d'un Québec baignant dans une implacable ironie, Anne Hébert invente soudain le rire. C'est pour nous en accabler plutôt que pour nous en distraire. Ainsi, la publication des *Enfants du sabbat* dote l'œuvre d'un comique inattendu, ingénieux, qui nous prend par surprise. L'auteur avait jusqu'alors respecté les normes austères d'une littérature de complicité avec un sérieux institutionnalisé. Il y avait conspiration de l'aliénation avec le climat, la géographie colossale, la peur de mourir en état de péché mortel et avant tout l'impossibilité de se décontracter. On aurait pu s'attendre à ce qu'elle maintînt l'ordre de cette consigne sévère et triste. Cela ne nous gênait pas.

Le comique se trouvait enfermé pour ainsi dire dans notre condition. Il fallait inventer la distance et les disproportions propres à le saisir. Anne Hébert accomplit ce double exploit comme si le sérieux menait naturellement à l'éclosion subite du gros rire. C'est un paradoxe pourtant vraisemblable. Un tel renversement ne manquera pas de choquer. Les Québécois s'y retrouveront d'abord difficilement. L'arsenal des gargouilles imposera une rude épreuve de dépaysement. On se défend contre les assauts de ce comique. On s'accroche au sérieux qui l'a si soudainement déclenché. On devient comique.

Les réserves de renouvellement sont, tout au long du rude chemin de la maturité littéraire, la marque des grands écrivains. Après avoir imposé solidement ses constructions, il s'agit de les renverser soi-même. C'est un acte de défi admirablement impudent. Il est néanmoins rare d'effectuer un revirement aussi complet sans d'abord laisser percer ici et là des notions de changements. D'un bout à l'autre

---

* Hébert, Anne. *Les Enfants du sabbat*. Paris, Editions du Seuil, 1975.

du livre, le rire de sœur Julie de la Trinité éclate comme les spasmes quasi déments du sérieux s'étiolant à cause de son obstination pervertie.

C'est un comique bien particulier. Il est largement basé sur la protestation du lecteur. Un violent combat s'engage entre le sérieux et le rire. Sœur Julie est un personnage élastique, pluralisant, inexistant et noyau du livre, fiction à peine déguisée de l'auteur. Elle rit pendant que l'on frisonne d'indignation. Sa consigne est, en quelque sorte, de corrompre par ce rire: «Trois dimanches de suite, le rire de sœur Julie de la Trinité retentit dans la chapelle, au moment du sermon de l'abbé Migneault» (*E.*, p. 53). Le lecteur est aussi menacé que l'abbé. On sait comment le méprisable aumônier sera poussé à sa fin tragi-comique par cette agression insoutenable. C'est que, s'étant découvert médiocre, il a compris combien la menace de changer ses habitudes devenait une forme de corruption puisque ça lui était impossible. Le comique naît du malentendu.

Plus le lecteur se retranche derrière son sérieux, plus il perd du terrain et plus il s'éloigne de la *cabane* pour s'immobiliser dans le *couvent* de la peur. Il se trouve pris dans un double piège. La *cabane* est diaboliquement joyeuse et interdite. Le *couvent* est sérieusement diabolique et plein d'interdictions. Un pied dans le péché lumineux et l'autre dans le salut ténébreux, le livre entier offre un déséquilibre allégoriquement spectaculaire. C'est aussi une farce doublée d'un *mystère* moyenâgeux, théâtre subtilement grotesque où tout devient obstacle à la sécurité psychologique et morale du lecteur. Le combat est inégal. La *cabane* prend peu à peu le dessus sur le *couvent*: «Le pouvoir destructeur de sœur Julie agissait sur l'aumônier, sans rencontrer aucune résistance» (*E.*, p. 53).

C'est le procès drôlatique du Québec: «La supérieure des dames du Précieux-Sang vient de retrouver intacte la plus vieille terreur de son enfance lointaine: la certitude quasi absolue que le diable se trouve caché sous son lit et que, d'un moment à l'autre, il va la tirer par les pieds pour la dévorer» (*E.*, p. 61). Pris entre la ferveur et le refus de la superstition, on voudrait défendre son amour-propre. Le jeu est cependant intensifié, le rire incessant: «Le grand silence s'étend sur les sœurs agenouillées, sur la chapelle entière. On fait un peu de bruit sur les stalles du chœur, afin de rappeler le tremblement de terre qui suivit la mort de Jésus. Celles qui sommeillaient sont brusquement réveillées» (*E.*, p. 82). C'est un sabbat par inadvertance qui se déroule dans le *couvent*, conférant à celui de la *cabane* une allure d'authenticité qui mérite nos suffrages malgré nous. La juxtaposition des deux termes, *couvent* et *cabane*, leur valeur allitérative, leur combat inégal, tout collabore à maintenir une inversion déroutante et comique.

Des parallélismes fort divertissants se multiplient. La Goglue est la mère supérieure. Adélard est le «père»: «J'ai le tournis, pense l'abbé. / Toute une lignée de femmes se reproduisent devant lui, à l'infini, de plus en plus petites et démodées» (*E.*, p. 104). Inversement, sœur Julie revoit son père: «Il est là dans la pièce. De toute sa haute taille. Sa barbe de bouc. Ses yeux en amande. Sa face en lame de couteau. Une aisance à nulle autre pareille, dans le rire et dans la moquerie» (*E.*, p. 104). Malgré leur air insolite d'apôtres du Diable, la Goglue et son Adélard pratiquent des excentricités plus rassurantes que celles des religieuses en ce qu'elles sont proportionnellement impossibles, tandis que celles du *couvent* sont ressemblantes dans nos préjugés. C'est de l'adoration maladroite. La Goglue, elle, s'amuse: «Philomène, pour la première fois, apprend à faire la morte et se refuse à exaucer un vœu» (*E.*, p. 116).

Bien au contraire, on ne se déride jamais dans le *couvent*. Tout y est scrupuleusement effrayant: «Mère Marie-Clotilde surveille le corridor, afin qu'aucune religieuse ne se trouve sur le passage de sœur Julie, bonnet de nuit sur l'oreille, petits cheveux hérissés, en épis drus, chemise déchirée, égratignures et stigmates, rescapée à grand-peine, semble-t-il, d'une bataille de chats sauvages» (*E.*, p. 122). «Tout le mal vient de sœur Julie, c'est certain. Que savons-nous de cette petite sœur, entrée ici sans dot et sans curriculum vitae? Elle se prétend amnésique» (*E.*, p. 141).

On n'apprend pas comment la petite déshéritée, sœur Julie de la Trinité, en fait comment Julie Labrosse, fut jamais acceptée dans un couvent, armée comme elle l'était d'une généalogie démoniaque remontant, après une longue liste de noms souvent fort divertissants (Céleste Paradis... Marie-Zoé Laframboise... Charlotte Focas... Salomé Voisine...), à «Barbe Hallé, née vers 1645, à la Coudray, en Beauce, France (son mari ne put jamais «ménager» avec elle parce qu'elle était sorcière),...» (*E.*, p. 103-104) au dix-septième siècle. Tous ceux qui sont appelés à témoigner sur le «curriculum vitae» de cet anti-personnage sont foudroyés par la mort juste au moment de dire ou d'écrire quoi que ce soit de révélateur. Anne Hébert s'amuse visiblement à confondre le lecteur, au moins jusqu'à ce qu'il accepte que l'héroïne soit sans âge, bien que des repères historiques soient donnés (la crise des années 30, la guerre, 1944), qu'elle soit jolie aux yeux du docteur Painchaud, vieux raté sous le coup d'une passion sénile, mais qu'elle soit laide aussi (l'auteur la compare à un oiseau de proie), enfin, que son histoire soit impossible à raconter puisqu'elle est farfelue et contradictoire.

L'histoire de la fondation du couvent est non moins intrigante: «Pour ce qui était des os brunis du bienheureux père, fondateur du couvent, tué par les Iroquois en 1649,...» (*E.*, p. 47), puisqu'il y a coïncidence entre le «père» (1649) et la naissance de «Barbe Hallé, née vers 1645», la plus ancienne des sorcières, mais il faut parcourir 54 pages pour faire ce rapprochement.

Loin de se préoccuper du «curriculum vitae» du «bienheureux père, fondateur du couvent,...» («bienheureux», il va sans dire parce qu'il a été «tué par les Iroquois...»), la mère supérieure est elle-même assez suspecte. N'interprète-t-elle pas l'Evangile à l'envers: «Ne vaut-il pas mieux qu'une seule de mes filles périsse et que toutes les autres soient sauvées?» (*E.*, p. 141).

En fait, Adélard et Philomène sont plus humains que le vieil aumônier et la supérieure: «La voix étouffée de Léo-Z Flageole souffle contre la coiffe empesée de mère Marie-Clotilde. —Le nouage de l'aiguillette est un maléfice qui empêche le nouvel époux d'administrer le sacrement de mariage (c.-à.-d. *faire l'amour*) à sa nouvelle épouse. C'est un crime abominable, condamné par tous les théologiens. Heureusement que je suis là» (*E.*, p. 160). Si cela est différent des croyances en la sorcellerie, en quoi est-ce? Et voyons encore: «La voix du grand exorciste est calme, veloutée, monotone, légèrement méprisante» (*E.*, p. 169). Cet homme s'occupe du salut des autres: « — Amen, répond sœur Julie qui, sous ses attouchements légers, pareils à des pattes de velours, éprouve une douce chaleur qui la pénètre et lui donne l'air d'une bienheureuse aux pieds de son sauveur. C'est pourtant de sœur Julie elle-même que s'échappe un enchantement qui gagne aussitôt le grand exorciste et le ravit. A chaque onction qu'il fait sur sœur Julie, il croit sentir passer sous ses doigts délicats toute la moelleuse opulence des tissus les plus beaux et les plus fins d'Europe, d'Amérique, d'Afrique et d'Asie; tout comme si sœur Julie (débarrassée de son âme éternelle et de son corps de mort) se trouvait subitement changée en un ballot d'étoffes somptueuses» (*E.*, p. 171). La sexualité tactile du grand exorciste, son penchant pervers pour les riches tissus, la peau nue de ses clientes en l'occurrence, les regards voyeuristes des autres religieuses dont mère

Marie-Clotilde en tête, tout rend la *cabane* (mot répété plus de soixante fois en litanies comiques) plus salubre ou moins lugubre. Elle prend le dessus, mais Anne Hébert la fera brûler éventuellement selon la coutume quand il s'agit de «désinfecter» la sorcellerie.

Rire de soi, c'est déjà se voir un peu, surtout s'il y a distance possible. Se voir en deux segments diamétralement opposés, et curieusement semblables, l'un grave (le *couvent*) et l'autre dément (la *cabane*), c'est s'expurger de son double par le rire. C'est surtout échapper à une certaine niaiserie: « — Vous n'êtes qu'un petit niaiseux. Vous n'avez toujours été qu'un petit niaiseux» (*E.*, p. 54), menaçante, trop longtemps entretenue parmi nos concitoyens. Tout lecteur demeurant coincé pour ainsi dire soit dans le *couvent*, soit dans la *cabane*, est un lecteur malheureux. S'il prend tout littéralement, c'est un lecteur comique. S'il est incapable de s'identifier avec sa caricature, il rejoint les victimes d'un Molière applaudissant et se moquant de leur portrait sans le savoir. Enfin, il faut croire nos contemporains plus éclairés, capables de participer de cette œuvre presque téméraire tant elle est exigeante.

N'oublions pas que l'auteur a dû créer d'abord la distance nécessaire par rapport à sa propre réalité, laquelle est la nôtre, afin d'atteindre au comique, œuvrant courageusement contre soi, comme nous devons le faire, afin de découvrir la subtile trahison du rire. C'est grâce à cette faculté de sortir de soi qu'elle est passée de l'agression des morts, des ossements et des galeries de mornes cadavres, à celle des vivants, du rajeunissement de tous les cadavres! Ceux-ci, dans *Les Enfants du sabbat*, sont des mutations comiques. Ils demeurent entièrement étrangers à notre sens du tragique, et la mort étant notre plus grand fétiche, ils allègent notre fardeau par le rire. Que de résurrections, pourrait-on dire, parmi nos propres cadavres! Que de libérations!

Philomène devient «Une poupée de bois noir», et nous en sommes bien aise, car elle portait lourd sur notre sensibilité, tout comme «le bienheureux père fondateur» devient «des os brunis», et nous comprenons tout de suite qu'un *couvent* ait droit à ses reliques. Nous sommes un peu surpris que la cabane *ait* la sienne, plus aguichante, car, enfin, une poupée vaut bien mieux que des «os brunis»! Retenons que ces deux morts survivent sous forme d'idoles avec un rôle identique, avec une puissance accentuée, l'un doit faire des miracles: «bienheureux», et l'autre mène encore le bal, le *couvent* étant devenu pour elle la *cabane* depuis la destruction de cette dernière; elle peut «se refuser à exaucer un vœu» (*E.*, p. 116), langage commun aux deux entités.

Les autres morts semblent mourir au sommet de leur carrière. Marilda Sansfaçon avait passé l'âge du «service actif» et entrait dans celui du chantage peu profitable pour une poule. De même, la révérende mère provinciale Antoine de Padoue, de Lotbinière, mourut subitement juste avant de médire ou de mentir en parlant d'une autre religieuse, ce qui est heureux. L'abbé Migneault apprend qu'il a «...toujours été un petit niaiseux» (*E.*, p. 54), et c'est tout ce qu'il lui faut pour trépasser. S'il est mort à cause de cette sorte de vérité, on ne saurait le trouver moins ridicule. Le message de sœur Amélie de l'Agonie («Je suis trop vieille. Je suis tannée de vivre. Je n'ai ni la force ni la corde pour me pendre. Merci, Petit Jésus» *E.*, p. 62.) représente ce qui peut s'appeler «une belle mort». La belle-sœur anglaise et son enfant sont comme des disparitions politiques pour le Québec de 1944. Enfin, l'enfant de Julie passe pour un autre accouchement de monastère, événement symbolique qui frise plus l'impiété que la mort. Nous sommes en présence de «morts joyeux» pour reprendre le titre de Baudelaire dans un poème des *Fleurs du mal*. C'est en tuant les morts que l'œuvre s'inscrit tout à coup, sous le signe du rire, au chapitre des vivants.

Tout le côté horreur n'entame en rien le comique. Bien au contraire, une bonne partie des audaces ne représente que la parodie de notre société et de ses excès. Les films, la télé, les sociologues, les psychologues, les drogués, les *cultistes* et occulistes, nous assomment tous les jours avec les mêmes délires parce que nous les aimons bien. Il faudrait être ingénu pour le nier. Il y a aussi l'aspect réaliste. L'inceste, le viol, la cruauté et même les sabbats et les alambics de folie ne sont pas pures inventions. Le Québec a connu ses diableries. Quelqu'un doit le dire. Anne Hébert présente ces faits sous déguisement de l'imaginaire. C'est plutôt généreux de sa part d'assumer ainsi la totale responsabilité pour nous en dégager. En revanche, le profane devient comique par l'absurdité de son innocence et l'artiste se protège contre les abus par le rire de sœur Julie qui est le sien. Tout le côté «horreur» est alors sans aucune importance. Il est le mime du «réel», ressemblant à «l'imaginaire», déguisement obligatoire où l'artiste accepte de se livrer au bourreau afin de pouvoir parler. Ce que dit Anne Hébert n'est pas destiné au modeste lecteur. On peut l'en blâmer. Elle est peu soucieuse d'être comprise par ceux dont la bêtise est un penchant naturel. C'est le problème des poètes modernes. Ils referment le monde sur eux-mêmes plutôt que de se rendre en vendant leurs idées au premier venu. C'est une question d'esthétique. Le message condensé peut devenir le message global. Tout relève finalement du lecteur. Les risques valent sans doute la peine.

Il y a encore la même philosophie à élucider dans ce livre que dans les autres œuvres d'Anne Hébert. Il s'agit d'arriver à la lumière à force de s'acharner à pénétrer plus profondément le mur des ténèbres, l'opposé en fait de la caverne platonicienne, soit: «Que l'atroce se change en bien. Telle est la loi: l'envers du monde» (*E*., p. 65). Cet «envers du monde», n'est-ce pas la *cabane*, mini-couvent orgiaque? Le bien a-t-il abouti au bien? Se racheter par l'horreur faisait partie de la philosophie rimbaldienne. L'auteur des *Enfants du sabbat* continue cette recherche du «tête-à-tête sombre et limpide» dont parle Baudelaire dans l'*Irrémédiable.* Elle perpétue l'inversion des grands poètes révoltés en un système très cohérent. De plus, il s'applique au Québec. C'est là qu'il a puisé sa difformité. Il s'agit de se nettoyer de la culpabilité en cherchant à voir de quoi on est coupable. Comme l'option platonicienne n'a fait qu'augmenter cette culpabilité en créant des normes inatteignables, l'auteur plonge dans la faute par contumace afin de voir si l'atroce ne comporte pas son antidote dans l'excès. Il faut alors imposer au *couvent* l'ordre de la *cabane* afin de voir s'il peut y opposer le sien. C'est un combat singulier. Le lecteur est supposé lui aussi ouvrir au grand jour le charnier de tous ses cadavres intérieurs. S'il éclate de rire, que ce soit malgré lui, il rejoint sœur Julie. S'il demeure méfiant mais sordidement curieux, il rejoint mère Marie-Clotilde. Les options sont réduites. Peu de livres sont aussi absolus. Mais le comique est l'élément nouveau. Il change les règles du jeu, inaugure des tensions inattendues. Les autres œuvres sont comme rajeunies puisque tout filtre à travers la même enveloppe de mythes, ceux-ci étant un catalogue d'obsessions québécoises. La culpabilité est notre art le plus constant. Nous en avons fait une psychologie. La philosophie d'Anne Hébert est basée sur l'analyse de la culpabilité et sur les moyens de la regarder en face. Le défilé même d'un puissant cortège de péchés démesurément gaulois est une représentation allégorique qui renforce cette philosophie.

La rétrospective exploitée dans *Kamouraska* avec succès est reprise dans *Les Enfants du sabbat*: «Faire la navette dans le temps, des années trente aux années quarante. Sœur Julie accomplit ce voyage, de plus en plus facilement, sans que personne s'en doute...» (*E*., p. 71). C'est un autre croc-en-jambe adressé au lecteur puisqu'il «s'en doute», mais il lit peut-être comme s'il ne s'en doutait pas. C'est la névrose du double qui implante peu à peu la *cabane* dans le *couvent* comme si c'était vrai. On peut mettre en question le bien-fondé de ces deux entités attribuables, il se peut, à un cauchemar. Avec un tel outillage, l'auteur dispose de la liberté de dire tout ce qu'elle veut avec l'insinuation que si le lecteur y trouve à redire, il n'a qu'à prétendre que sœur Julie est en proie à un mauvais quart d'heure de méditation. On se trouve pris entre l'acceptation littérale des faits et gestes, leur interprétation analogique ou bien leur dissolution dans le rêve. Les rétrospectives de sœur Julie peuvent aussi se rapporter à nos propres voyages secrets. Elle les raconte pour nous faire rougir! Anne Hébert a lancé son livre en reportant toute la responsabilité sur le lecteur. Personne n'oserait soupçonner une demoiselle correcte comme l'auteur de rêvasser à des choses de mauvais aloi. Enfin, ceux qui prennent les rêves au sérieux ont l'esprit mal tourné.

Ces jeux sont féroces pour nous Québécois accoutumés à des épopées des Laurentides et du Saint-Laurent. Des rétrospectives dénichant l'inceste et tout un catalogue de vices honteux peuvent en fin de compte se rapporter à nos expériences, inédites à cause d'un manque de courage héréditaire, refoulées à cause de notre culpabilité. Plusieurs seront déroutés. Ce sont eux qui deviendront alors comiques, se débattant contre les rêves de sœur Julie comme s'ils étaient vrais, ou les imputant à l'auteur comme pour s'en dégager. Il faut à tout prix accepter en toute honnêteté et la *cabane* et le *couvent*. La fameuse «montagne de B...» est un perchoir d'où l'on voit beaucoup plus loin que l'ordinaire.

Anne Hébert est soucieuse de formuler notre réalité. Sous les déguisements de l'imaginaire, sous le rire fécond de la nonne, il y a, nous l'avons signalé, cette dimension de réalisme qui perce à point: «Nous sommes liés par les promesses et les interdictions. Nous sommes soumis à la dureté du climat et à la pauvreté de la terre. Nous sommes tenus par la crainte du péché et la peur de l'enfer. (...) Notre erreur c'est d'avoir voulu échapper à notre sort. Le miracle, nous sommes allés le chercher, dans la montagne de B...» (*E.*, p. 119). Elle parsème astucieusement le roman d'analyses très précises de notre condition. Tant que nous n'aurons pas de philosophie à nous, tant que le colonialisme culturel sera notre option la moins amère, l'écrivain à la hauteur de sa mission devra nous prendre par surprise. C'est ce que fait Anne Hébert. Quelque part entre la fable et l'encre sanguinaire, il y a le seul langage que nous puissions comprendre et grâce auquel nous puissions nous identifier. Tout le côté brutal est en nous, sinon notre plus formidable écrivain ne l'aurait pas incorporé à son œuvre.

La structure binaire du livre, *cabane* et *couvent*, est un véritable aperçu de notre géographie intérieure, de notre dualité de fait et non de rêve. Cette orientation d'apparence maléfique est une trouvaille des plus remarquables. On y vit simultanément la tristesse dans la peur et la joie dans la culpabilité. Si le comique consiste à se laisser dépayser d'abord, le tragique essentiel à la création de ce comique repose, à l'arrière-plan, sur le mime de nos ardeurs contradictoires, sur la fatalité de nos désespoirs. On se laisse hypnotiser par sœur Julie. Elle porte en elle les deux pôles d'une attitude d'hésitation entre la corruption par le vice et la corruption par les hallucinations d'êtres murés. On se laisse donc séduire au fur et à mesure que l'on se découvre de fait chancelant entre ces deux pôles. Naturellement, c'est cette découverte qui fait tant rire sœur Julie de la Trinité.

Il n'y a finalement ni *cabane* ni *couvent* une fois l'expérience terminée. Il y a un très grand écrivain qui vient de nous dire comment il faut s'y prendre pour se voir. C'est comme une solution basée sur les mathématiques les plus élémentaires: se diviser en deux parties égales, ne pas tricher, jouer alternativement au juge et au témoin, confondre le miroir à face unique et reconstruire graduellement l'image de soi, moyennant une distanciation appréciable, comme on assiste à un spectacle. Tous les mirages, toutes les sensations, toutes les protestations émanant du décor burlesque du livre font partie de l'initiation à la pensée libérée par des rituels taillés à même notre sensibilité, qu'on le veuille ou non.

Anne Hébert a joliment bien garni son théâtre du mal. «Le miracle, nous sommes allés le chercher, dans la montagne de B...» (*Ibid.*). C'est là que se trouvait *la cabane du rire*, avant la grande flambée de la conscience purifiée par le dégel des fétiches. Quant au *couvent*, il était bloqué en nous.

II. *L'enveloppe des mythes*[1]

Avant de passer en revue quelques-uns des mythes hébertiens, voyons comment *Les Enfants du sabbat* se heurtait, en tant que roman, à un mur de résistance passive. Le lecteur attentif avait, en effet, l'avantage de savoir jusqu'à un certain point à quoi il pouvait s'attendre. A la suite des audaces de *Kamouraska*, l'auteur avait confirmé plus ou moins les normes de sa démarche. Elle se trouvait ainsi prisonnière d'un certain déterminisme latent et circonscrite, pour ainsi dire, à l'intérieur d'un cercle clos d'où elle ne pourrait peut-être jamais s'évader. La violence venait de monopoliser une révolte sourde de haine[2] au centre de laquelle l'Eve apocalyptique ne voyait plus que des fœtus d'hommes à détruire insidieusement[3], un Québec mûr pour l'orgie sanglante à cause de l'absence d'épanouissement possible menant à l'introspection hallucinatoire, à la démence coquette et totalement irresponsable.

Les mythes[4] eux-mêmes accentuaient le déterminisme latent dans l'œuvre. Le poète avait, ironiquement, grâce à son talent poétique, créé un tremplin d'images et de thèmes déversant, par un système d'allégories, dans un ensemble mythique ressemblant davantage à une prison de l'expression qu'à un outil d'élargissement de cette dernière. L'éclosion d'éléments nouveaux serait subordonnée aux structures existantes. C'est ce qui s'est produit, mais en remplaçant le sérieux par le rire, les structures elles-mêmes se sont trouvées soumises à un renversement plein et entier.

---

1 Paru dans «Voix et images», Presses de l'Université du Québec à Montréal, no 3, avril 1976.

2 La surdité de François (*Le Torrent*) marque le premier jalon de l'insensibilité absolue.

3 Sœur Julie dévore l'enveloppe et lèche son petit monstre avec une douceur sauvage au lieu de l'agression noire de l'Eve insensible.

4 Nous adoptons sans hésitation une définition qui traduit bien l'optique de la présente étude: «Tradition qui, sous la figure de l'allégorie, laisse voir un grand fait naturel, historique ou philosophique.» Paris, *Nouveau Larousse universel*, vol. 2, 1949.

En d'autres termes, on était en mesure, avant la publication du dernier roman à date, de cerner les grandes lignes inscrites plus profondément d'une œuvre à l'autre, réciproquement semblables et conversantes. On pouvait dès lors anticiper la possibilité que la prochaine œuvre reprendrait le même assemblage, ce qui est arrivé effectivement, mais à l'envers. Les mythes n'ont pas changé. Bien au contraire, ils n'avaient pas besoin de changer. Le même écrivain demeure inscrit dans son univers mythique. C'est l'approche qui a changé, conférant aux mythes un large rire au milieu d'une grimace de veuve qui s'ingénie à tuer les maris. Anne Hébert a ainsi glissé entre les doigts de ses lecteurs en leur faisant le coup du gros rire inattendu.

Il y avait beaucoup d'autres raisons d'observer de très près l'évolution de l'œuvre. Depuis assez longtemps, on pouvait noter, plus ou moins, un tournant décisif. Le dernier recueil de poèmes, *Mystère de la parole* (1960) faisait figurer des pièces d'une perfection alarmante quant au style. La force du *Tombeau des rois*, («Des poèmes comme tracés dans l'os avec la pointe d'un poignard»[5]), n'y était pourtant plus visible. Anne Hébert vivait à Paris depuis 1956. Quelque chose venait de produire une transformation en elle. Une imposante force poétique venait de se laisser mater par la tentation d'un brio contestable. Pourtant, *Mystère de la parole* suscita beaucoup plus d'éloges que le puissant *Tombeau des rois*. La perfection du style émerveillait plus que l'innocence aux prises avec les démons aux pas feutrés dans les cimetières de l'âme. Plus grave encore, on passait à côté du sommet de l'œuvre, faute d'y voir ce qui ressemblait au visage de la France. Le colonialisme culturel imposait ses critères à un Québec «sourd» à sa propre poésie. C'était la voie de l'infériorité relative puisque les Français nous éclipseront toujours dans une rivalité de style. Pierre Emmanuel avait-il réussi, en s'écoutant déclamer, à «poignarder» la muse qu'il croyait sortie de «l'Arabie pétrée»?

Ce fut le silence relatif du poète[6]. Anne Hébert écrivit exclusivement des romans. *Kamouraska*, 1970, après dix années de méditations, vint, une fois de plus, attaquer de front sur le plan du style. C'est un roman d'une perfection conforme aux exigences de la critique. C'est aussi un chef-d'œuvre inquiétant pour les admirateurs

5 Préface de Pierre Emmanuel.

6 Major, *op. cit.*, mentionne douze poèmes postérieurs à la publication de *Mystère de la parole* dans *Poèmes*, dont neuf se trouvent dans Lacôte, *op. cit.*, (1969 au lieu de 1961, Major), et trois se trouvent dans *Châtelaine*, décembre 1972, voir *B. Chronologie des poèmes* 5. Poèmes postérieurs à *Mystère de la parole*», p. 110-112.

de la Québécoise avant qu'elle ne devienne parisienne. Ne pas se laisser séduire par *Kamouraska* est une hérésie.

Kamouraska a beau être un magnifique exemple de style châtié, que faire chez nous des joyaux qui ressemblent à ceux des autres? Nous en avons des collections épuisantes. Il y a presque autant d'*Etranger* québécois que de romans depuis Camus. Anne Hébert se trouvait visiblement menacée par les adulations menant au conformisme.

Le bilan global avait alors une allure assez claire dans son itinéraire. Avant *Le Tombeau des rois*, il y avait d'abord *Les Songes en équilibre*, œuvre de couventine marquée par le lyrisme des bourgeois de la Vieille Capitale qui vont l'été s'approvisionner de chants d'oiseaux, de rosée et de coups de tonnerre près du lac Saint-Joseph. Puis il y avait *Le Torrent*, déchirure brutale de la soie des rêves, nouvelle un peu boiteuse, mais qui prenait maintenant la forme d'une nostalgie à cause de son authenticité. Après l'œuvre clé, *Le Tombeau des rois*, il y avait *Les Chambres de bois*, sorte d'adieu aux oiseaux et de prélude aux revendications d'Eve. Ensuite venaient les deux œuvres impeccables, *Mystère de la parole* (1960) et *Kamouraska* (1970). Une ligne ascendante montait précipitamment au sommet marqué par le poème «Le Tombeau des rois», et le reste recevait les éloges tout en perdant du terrain sur plusieurs plans.

Ainsi, notre meilleur écrivain avait déjà, semblait-il, achevé le gros de son œuvre. Elle allait désormais évoluer entre deux cultures, dénoncer en les mimant les marasmes de la sienne, soucieuse de s'adapter aux exigences de l'autre. Anne Hébert est sortie de ce piège avec *Les Enfants du sabbat*. Elle a bondi sur la scène avec toute sa puissance retrouvée. Dès lors, c'est comme si elle n'avait jamais connu aucun piège. Un grand soulagement pour ses admirateurs! Il est donc possible de vivre en France et de ne pas renoncer à sa culture, pourtant informe. C'est un miracle absolument digne d'un grand écrivain puisque nous n'avons rien à offrir et qu'ils émigrent dès qu'ils se rendent compte à quel point notre appui est médiocre. *Le Torrent* fut publié à compte d'auteur sans aucune raison, si ce n'est qu'il était en avance sur l'époque. Ne pas se laisser intimider par l'écrasant spectacle de la littérature française par rapport à la nôtre, c'est le commencement d'une identité véritable.

La même chose s'est produite aux Etats-Unis à la fin du siècle dernier. Ceux qui optaient pour la servitude anglophile écrivirent des œuvres satellites, le plus souvent stériles. Ceux qui plus tard vinrent découvrir comme par magie le fin fond écœurant de la misère dans le pays le plus riche du monde, les martyrs du Mississippi, créèrent la véritable littérature américaine. Les bourgeois n'ont jamais eu grand-chose à offrir aux artistes, sauf des caricatures. Cela explique pourquoi *Les Enfants du sabbat*, roman grotesque de la misère économique et morale, l'emportera facilement sur *Kamouraska*, roman de la décadence un peu petit-bourgeois.

Mais qui aurait imaginé un revirement aussi complet? C'est le génie à l'aise dans son rôle. Entre le début et la fin des *Enfants du sabbat*, il y a comme un clin d'œil de taupe qui dure, et dure, jusqu'à ce que la complicité soit établie. Anne Hébert s'évade par le comique, mais aussi par le style déchaîné, par les structures hétéroclites, par la juxtaposition des mots allitératifs *couvent* et *cabane*, en petits chapitres parallèles et linéaires, par la création de l'anti-personnage merveilleusement allégorique, soit par maintes contrefaçons glorieusement rassurantes. Pardi, qui viendra écrire maintenant: «des orgies comme tracées dans l'âme du lecteur avec la pointe du rire sauvage»? Cette fois, nous l'aurons prévu!

La première page du livre est remarquablement libérée. L'auteur mentionne brièvement au deuxième paragraphe le but lucide de l'héroïne: «L'intention d'user à jamais une image obsédante. Se débarrasser de la cabane de son enfance. s'en défaire, une fois pour toutes» (*E.*, p. 7). Le souhait «d'user (...) une image» se manifeste, nous le savons déjà, en répétant plus de soixante fois le mot cabane. C'est l'user par *l'usure* jusqu'au bout. Cette sorte d'exorcisme représente une nécessité commune à tous les êtres à un moment ou à l'autre de leur vie. Qui n'a pas ses obsessions à expulser de lui-même? On ne peut pas alors situer ce roman entièrement dans l'imaginaire puisqu'une conscience formule dès le début un vœu légitime et parfaitement clair. Les prétextes en vue d'arriver à cet exorcisme, qu'ils s'appellent hallucinations de séquestrée, déficiences de l'adoration perpétuelle, inversion maligne, radotages de religieuse en proie à la tentation de saint Antoine en gros plans, réduction du couvent-prison en cabane en plein air, et vice versa, immolation mystique d'un petit cochon au cul d'une rude cocotte sous la double adoration, celle du couvent qui cloche à cause de l'ennui, celle de la cabane qui tonne à cause des paroissiens ivres, gorgés d'herbes magiques et d'élixirs d'alambics, nous devons reconnaître la toute-puissance du grand sorcier, l'écrivain en pleine possession de son art.

La dernière page du livre nous révèle au dernier paragraphe que l'exorcisme a réussi: «Le ciel haut est plein d'étoiles. La neige fraîchement tombée a des reflets bleus. Une paix extraordinaire. La ville entière dort» (*E.*, p. 187). Sœur Julie de la Trinité s'évade du couvent, et le couvent ayant pendant tout le livre servi de cabane, en intégrant l'atmosphère de cette dernière, l'héroïne recouvre la liberté du plein air, passe de l'intérieur vers l'extérieur, tel que souhaité à la première page. On ne pourrait dans de telles circonstances affirmer ne pas savoir précisément où va le livre et sur quoi il débouche. C'est cependant tout ce qu'on sait. Le clin d'œil de taupe marque la durée du reste. Néamoins, les œuvres d'Anne Hébert passent toutes de l'intérieur vers l'extérieur, de la séquestration vers la libération. Cette libération n'est jamais acquise par le truchement de l'expiation ou de l'absolution mais par celui de l'approfondissement de la faute, c'est-à-dire en arrachant la vie aux griffes de la mort, la lumière au plus profond des ténèbres. Tout le roman occupe peut-être la durée d'une escapade par la fenêtre d'un couvent, le temps de renoncer aux traditions d'un Québec en proie à la culpabilité héréditaire. C'est la fusion du désir avec l'incantation qui le rendra possible dans la réalité. Tout l'élément démonologique est la parodie habile de notre modernisme décousu avec ses désordres institutionnalisés. Cela fait partie du rire.

Le jeune homme, lui aussi éternellement présent dans les œuvres d'Anne Hébert, attend sœur Julie à la fin. Nous pensons que l'auteur saurait l'identifier si elle s'en est jamais libérée..., ou, le cas échéant, le retrouver dans son inconscient comme une lésion plus profonde que la pensée diurne. Il revient tout le temps; il se ressemble toujours. Serait-ce Saint-Denis Garneau? L'idée peut paraître saugrenue. Il n'y a absolument aucune raison de s'y arrêter plus d'un instant. Personne ne trouvera rien de concluant dans ce labyrinthe sans issue. Mais 1944[7] est le tournant décisif de l'œuvre, *Le Torrent* fut écrit à cette époque; *Les Enfants...* retourne à cette même époque — un an après la mort de Garneau en 1943. Il est fort possible que l'année 1944 soit loin d'être une fantaisie d'auteur, mais bien le moment où les oiseaux ont perdu leur chant.

Mais l'auteur nous fait croire qu'il est le Diable. Ne risquons-nous pas nous aussi de nous faire jouer comme la mère supérieure: «...la certitude quasi absolue que le diable se trouve caché sous son lit...» (*E.*, p. 61), en interprétant le: «Mission accomplie. Mon maître sera content. Il m'attend dehors. (...) Un jeune homme, grand et sec,

---

7 Anne Hébert a dit, en ma présence, «ma révolte date de 1944!» J'ai quand même le sentiment qu'elle pourrait bien dire le contraire un jour ou l'autre. C'est pourquoi je rapporte ce petit fait avec une grande hésitation.

vêtu d'un grand manteau noir, étriqué, un feutre enfoncé sur les yeux, attend sœur Julie dans la rue» (*E.*, p. 187). Mais c'est sans doute un curé déguisé! Tenons-nous-en aux diableries.

Si le début et la fin du roman s'enchaînent selon un déroulement chronologique parfaitement normal, soit le passage de la méditation en lieu clos à celui de l'évasion en l'espace libre, c'est là que s'arrête l'espace accordé à la conscience et que commencent les jeux de l'exorcisme. C'est un chapelet de rituels qui embrassent le roman tout entier. C'est le temps intemporel, les espaces binaires et réversibles, cabane-couvent, et puis le couvent devenu cabane, espace unique refermé sur soi. Le mime de sœur Julie devient l'allégorie irrésistiblement comique de notre propre déchirement entre la cabane et le couvent, et plus encore, de notre fausse sécurité de croire réconcilier nos rêves et nos tabous sans que l'un avale l'autre comme c'est le cas quand la destruction de l'une des entités fait en sorte qu'elle s'empare de l'autre, le couvent-cabane. C'est le dépaysement nécessaire à l'exorcisme de tout lecteur.

La méditation de sœur Julie, sorte de yoga comique, dès le début, n'est pas une singerie sans conséquences. C'est la préméditation de l'auteur. Ainsi, l'esprit supposément cadenassé de la nonne est loin d'être imperméable: «Un petit garçon ouvre sa culotte déchirée, pisse très haut, atteint le tronc d'un pin, dont la tête se perd dans le ciel, visant en réalité le soleil qui va mourir» (*E.*, p. 7). Or on sait que Julie confond son frère Joseph avec Jésus et le Diable. C'est alors normal que la tête d'un pin «se perd dans le ciel». D'emblée on ne peut faire confiance en ce que pense sœur Julie. Le clin d'œil de taupe instaure le comique de façon permanente. A quoi pense une pauvre fille livrée à l'adoration perpétuelle? Il y a collusion entre l'auteur et la nonne, double, et unique regard sur les événements de la narration.

La pauvreté des images, les soubresauts du style, tout indique dès le début qu'il s'agit de quelque chose de très différent de *Kamouraska*. Cela nous fait apprécier doublement le roman impeccable, l'auteur ayant bien le droit de montrer sa virtuosité dans le style poli puisqu'elle nous fait plonger maintenant par un tour de force dans le style rapiécé ingénieusement. Toujours est-il que l'exposition se poursuit pendant quatre pages de «porc salé cuit», de «patates, des patates, encore des patates» (*E.*, p. 8). On fait connaissance des parents et du petit frère. Quand Philomène, dite Goglue, la mère, en a assez, elle s'en va comme stagiaire chez Georgiana, l'entremetteuse, afin de fonctionner de façon autonome et d'échapper à Adélard ainsi qu'aux «patates»: «Je suis tannée de manger des patates pourrites, moé... Si tu veux pas travailler, Adélard (notons le mot «lard» dans son nom), c'est moé qui...» (*E*., p. 9). Elle revient avec des cadeaux. Les enfants jubilent. Adélard est prêt à bondir sur la mère Noël en meuglant pendant trois jours.

Adélard ressemble à un bûcheron en chômage (l'action-cabane se situe pendant la crise des années 30); Philomène est criarde, une vraie puissance de la nature. C'est un parfait ménage d'abrutis. Les enfants sont crottés, la petite est vicieuse, le garçon bêtement mystique (véritable dégénéré comme tous les héros mâles d'Anne Hébert), de sordides déchets du terroir. On les trouve néamoins attachants.

On accepte les orgies des riches selon l'Evangile! Celles des pauvres surprennent. On les condamne. Pourtant, elles sont bien plus riches en tabous et en fétiches. L'abîme se creuse plus avant. Anne Hébert le sait. Adélard et la Goglue n'y cèdent en rien à personne. Ce sont de beaux monstres.

Les mots et images de cette première partie sont donc largement empruntés au plus pauvre jargon du peuple; parmi eux se glisse ironiquement le mot: «tarabiscotée» (*E*., p. 9), comme pour agresser le lecteur. Il y a des images, des propos chargés de couleur locale comme des engins défectueux. Cela réjouit. Sans *Kamouraska* on s'en plaindrait. N'est-ce pas curieux?

Le bouleversement de l'intrigue est effectué définitivement dès le début: «Sœur Julie revient brusquement à elle, dans la nudité de sa cellule. Non pas comme si elle avait rêvé, mais comme si quelque chose de réel et d'extrêmement précis venait soudain de s'effacer devant elle» (*E*., p. 12). N'y a-t-il pas là de quoi intéresser les experts en conditions nerveuses. Surtout qu'elle ajoute, par l'intermédiaire de l'auteur, son fidèle complice, présent dans son effacement, la révélation qui suit: «Elle ressent une douleur aiguë à la tête et à la nuque» (*E*., p. 12). S'il n'y avait pas de sorcières dans les couvents du Québec en 1944, il y avait peut-être des cas de dépressions fort intéressants.

En effet, il s'agit vraisemblablement d'une névrose collective, d'une sorte de mal québécois. Toutes les religieuses dans le roman se comportent de façon étrange. On peut attribuer cela aux effets de la *cabane* implantée dans le *couvent* par la présence de sœur Julie, femme possédée, capable d'exercer un pouvoir diabolique sur ce microcosme apeuré. Cependant, on peut aussi attribuer toutes les visions de la *cabane* à la nostalgie du plein air et de la liberté chez une pauvre orpheline jetée entre quatre murs, en pleine voie de perdre ses facultés. Ce serait alors le *couvent* qui créerait la *cabane*. Il y a ample suggestion que la sorcellerie ressemble très souvent à cette bêtise apparentée à ce qui est d'ici-bas plutôt qu'à ce qui est extra-terrestre. Alors, si le *couvent* n'est pas vraiment hanté, il est monstrueusement coupé de tout espoir, voué aux ténèbres de la mort dont le vêtement noir est l'analogie (la femme en noir est une des plus constantes images de l'œuvre d'Anne Hébert).

On se trouve dans un lieu d'horreur: «Une petite nonne interchangeable, parmi d'autres petites nonnes interchangeables, alignées, deux par deux, même costume, mêmes gestes, mêmes petites lunettes cerclées de métal. Si vous l'exigez, j'en porterai aussi, quoique j'aie une vue perçante. Un dentier aussi, si vous voulez, bien que j'aie des dents solides et éclatantes. Un visage lisse, sans aucune expression de joie ou de peine, nivelé, raboté, effacé. (...) Toute parole qui franchit le mur du silence, en temps et lieu permis et réservés à cet usage, doit être prononcée à haute et intelligible voix, en vue de l'édification du plus grand nombre de nos sœurs. Les conversations en aparté ou à voix basse sont rigoureusement interdites» (*E.*, p. 18). De vieilles religieuses séniles et éplorées se défoulent sinistrement en rompant le silence de vies murées: ...«Sœur Jean de la Croix, immense, se lève de son lit-cage, vacille sur ses grands pieds. Quatre-vingts ans, une sonde à demeure dans la vessie, un sac de plastique, plein d'urine, attaché entre les cuisses. Elle réclame la petite sœur Jérémie de la Sainte-Face qui lui souriait toujours en lui offrant de l'eau bénite, à la dérobée, au sortir de la messe. Il y a soixante ans de cela. (...) Sœur Lucie des Anges monte et descend les escaliers, d'un pas chancelant. Elle frappe à toutes les portes et demande, chaque fois, d'une voix chevrotante, si c'est bien là la maison de ses parents: 92, rue Saint-Augustin» (*E.*, p. 76). Il y a maints exemples de délires mystico-érotiques, de visions de cauchemars intolérables.

La cruauté règne. Les postulantes baignent dans cette atmosphère de démence: «Une telle clameur d'enfer versée sur le couvent nous tient toutes éveillées, nous les jeunes et les bien portantes qui retenons nos songes et nos phantasmes comme des péchés» (*E.*, p. 77). La supérieure, mère Marie-Clotilde, a, par un tournant inquiétant de son autorité suprême: «enlevé les calmants à l'infirmerie» (*E.*, p. 77). Elle en blâme le Démon et Dieu, confusément. C'est l'atmosphère de hurlements d'enfer qui l'attire. En déchaînant les vieilles mourantes, les jeunes religieuses apprennent à vivre dans la terreur. Cela fait vaguement partie de la mysticité. De fait, tout est permis dans le *couvent*. Les quelques hommes qui le fréquentent sont des personnages grotesques qui y puisent la supériorité des inférieurs. En comparaison avec eux, Adélard est un honnête homme.

Le docteur Painchaud «se promet d'opérer sœur Julie et de lui enlever «tout ça» qui lui aigrit le corps et l'âme. *Le mal des cloîtres*, il a déjà lu ça quelque part. (...) ...lui ouvrir le ventre et le recoudre à volonté, jeter aux ordures tout ce bataclan obscène (ovaires et matrice) qui ne peut servir à rien» (*E.*, p. 72). Le vieil aumônier a aussi ses projets: «Que sœur Julie de la Trinité soit prise en flagrant délit d'ébriété diabolique, aux yeux de tous, et je serai enfin justifié d'exister. Je pourrai enfin exercer, au grand jour, mon véritable ministère, celui dont je rêve depuis mon entrée au séminaire; pratiquer un exorcisme, en grande pompe, selon le rituel de la province de Québec. Peut-être aussi pourrai-je tenter l'épreuve des aiguilles sur le corps nu de sœur Julie? Chercher patiemment, consciencieusement, sur toute sa chair nue, le *stigma diaboli*?» (*E.*, p. 131). Le grand exorciste, lui confond les tissus avec la peau nue; l'abbé Migneault meurt de sa propre médiocrité.

«Mais la plupart de nos religieuses viennent de la campagne» (*E.*, p. 31), se plaint la mère supérieure. Elles ont des penchants ridicules pour la prière adressée à un Dieu, arbitre des idiots: «—Mon Dieu, faites que je n'aie plus la tasse ébréchée, ou je croirai que c'est un signe de rejet de votre part» (*E.*, p. 49). Cette sœur Gemma, la Sainte-Nitouche qui doit racheter le couvent, est mesquine et folle: «Plus que tout au monde elle craint que la main du prêtre, en lui donnant à communier, n'effleure sa bouche et ne l'engrosse. Des souvenirs de retraites lui reviennent du temps de son adolescence. «Des baisers lascifs» sur la bouche, n'est-ce pas ainsi qu'on fait les enfants,...» (*E.*, p. 143). On a vite fait de mettre en question la sorcellerie et toute l'inversion diabolique: «D'adorables Jésus reposent, en rêve, entre nos bras. Parfois le Saint-Esprit nous apparaît, masqué et costumé, souvent méconnaissable et inquiétant, ressemblant au garçon boulanger, à l'accordeur de piano, ou à Mgr l'évêque lui-même» (*E.*, p. 51). Adélard agit comme le Saint-Esprit. Le délire de la sœur économe devient probable: «...hurle derrière la porte qu'elle est un homme d'affaires. Elle réclame du tabac Old Chum, une pipe d'écume de mer et un crachoir de cuivre» (*E.*, p. 140), et celui de sœur Julie n'attaque en rien le clergé. Tout émane d'une religieuse qui fait, dès le début du roman, le vœu d'échapper à «la *cabane* de son enfance» (*E.*, p. 7). Cette *cabane* est-elle le *couvent*? Celles qui y voient le Saint-Esprit en garçon boulanger entre leurs bras sont-elles différentes de la Goglue en train de séduire son fils?

La *cabane* devient le *couvent* rabelaisien, une sorte d'abbaye de Thélème du rêve. A force d'incarcération, toutes les inversions sont possibles; la dualité du bien et du mal se trouve renversée par l'esprit en proie à la terreur. Ce sont les deux faces de notre réalité exorcisée jusqu'au comique noir. Notre peuple semble vraiment avoir ainsi poussé jusqu'à l'extrême la possibilité d'exulter dans l'un et dans l'autre simultanément comme le *couvent* et la *cabane* sont côte à côte dans le livre. Disons que le *couvent* nous montre le côté vertueusement ignorant et stupidement intransigeant de notre complexe coin du monde, une facette alors de notre terreur morale, d'une part. Rien à faire avec tel ou tel couvent, puisque c'est de tout le Québec dont il est question. Et, d'autre part, la *cabane* est une autre facette, le côté gros rire, irrévérencieux, incestueux et sans aucun scrupule, quand on cesse subitement de les avoir tous.

C'est ainsi que l'œuvre devient une comédie, une farce et un mystère entremêlés. La farce se déroule surtout autour de la *cabane*. Le Diable y règne génialement et copieusement. Le Bon Dieu est aux prises avec ses religieuses stupides. Ses adoratrices le traitent de tyran: «Quel Dieu barbare, lui-même victime et complice, cloué sur la croix, ose proclamer que la souffrance est précieuse comme l'or,...» (*E.*, p. 77). Le *mystère* consiste à voir Dieu et le Diable, le *couvent* et la *cabane*, se mesurer en combat singulier. Alors, les deux divinités en viennent aux bagarres, pour ainsi dire. C'est pourquoi le théâtre fut banni pendant des siècles, à partir du moment où le peuple se mit à s'identifier avec les mauvais anges et toute la clique infernale. Anne Hébert réintroduit, entre autres choses, le spectacle moyenâgeux de l'allégorie du bien et du mal. Sur ce plan, la dernière œuvre du poète québécois doit beaucoup à la complicité des fidèles. Comme à l'époque médiévale, le spectateur se libère de sa peur en assistant à l'incarnation grotesque de ses divinités oppressives dont il ose se moquer pendant un furtif instant où elles se trouvent ridicules.

La preuve évidente du succès de l'œuvre, c'est que la sorcellerie et la démonologie deviennent vite des ressorts artistiques plutôt que des diableries gênantes. Plus important encore, il faut remarquer combien les écrits d'Anne Hébert sont un vaste répertoire de mythes. Nous avons déjà défini le mythe comme étant, sous la figure de l'allégorie, le véhicule ultime grâce auquel se produit la fusion des images, des symboles, des thèmes et des idées, c'est-à-dire l'émergence des lignes de fond qui établissent le dialogue de toutes les œuvres et les éclairent réciproquement. Les mythes ne sont pas dépendants de telle ou de telle œuvre; ils forment l'ossature comme s'ils étaient les données fondamentales sur lesquelles repose la pensée non formulée du poète. Ils étaient là à priori, et ils se manifestent aussi à postériori. Tous les écrivains ne sont ainsi capables d'imposer leur vision du monde. Il semble que les meilleurs poètes tendent à créer d'abord leurs mythes. Ce sont comme des structures d'identité pour le poète qui les découvre et les donne gratuitement à ses concitoyens. Là où il n'y a pas encore de sens précis de l'identité, ce sont les mythes qui peuvent éclairer, autant que possible, à tel ou tel stade, le maximum de compréhension non encore atteint à cause du fait que l'existence en tant que groupe précède sa formulation, si jamais elle trouve un langage.

En plus d'être des archétypes d'identité, les mythes sont les mathématiques profondes de l'écriture. Leur interdépendance, leur naissance et leur disparition, tout confère aux œuvres un sens de ce qui est achevé, de ce qui est entier. Ils sont à la croisée où passent tous les chemins: c'est là que se tient le lecteur apprivoisé. Il note patiemment les modifications, les transformations à l'intérieur des mythes. Par exemple, dans *Les Enfants du sabbat*, la démonologie et la sorcellerie semblent tenir lieu d'éléments fabuleux tout comme les rois, les pharaons, les seigneurs, les chasseurs, les joyaux, parsemaient d'autres œuvres. Le comique renverse le sérieux; le rire remplace le deuil. Tout cela devient très subjectif une fois sur la piste. On interprète les mythes comme on l'entend. Pour certains, ils n'existent pas. Ils n'ont pas besoin d'exister. Ils peuvent s'appeler thèmes ou symboles. Toutefois, ils aident à saisir le *fil d'Ariane* des divers écrits.

Il n'est pas possible de cataloguer tous les mythes hébertiens. La subjectivité même d'une telle entreprise risquerait de trop délimiter l'œuvre. Il est néanmoins utile d'en énumérer quelques-uns. En fait, ce sont les mythes qui remplacent les caractères; ces derniers dépendent le plus souvent de l'allégorie plutôt que du personnage intégral. Ils chevauchent sur les mythes, ils y puisent leur réalité. C'est pourquoi ils existent sans avoir le plus souvent d'âge, de visage distinct, de va-et-vient dans une dimension matérielle identifiable. Ils en sont d'autant plus riches. Au lieu de faire semblant d'être l'incarnation d'une femme ou d'un homme, ils sont la multiplicité des élargissements de l'allégorie qu'ils représentent. On se reconnaît en eux parce qu'ils existent en nous.

Il y a la femme en noir, cruelle et solitaire; la guêpe de cloître toute présente dans son effacement. Les petites tantes dans *Kamouraska* sont encore plus hermétiques et sombres que les religieuses dans *Les Enfants...*, et, que dire de Claudine, la mère dans *Le Torrent*, ou de Lia, femme liée à la culpabilité noire, dans *Les Chambres de bois?* Tout à côté, comme par compensation, on trouve la fillette, la doublure innocente mais très curieuse, très! Elle joue à la poupée dans *Les Songes...*, à la fée aussi; elle devient téméraire dans «Le Tombeau des rois», mais quelle innocence implacable peut tant ressembler à la faute, à la perversion; c'est fouiller en soi jusqu'à ce que l'enfant participe de l'adulte dont il est largement complice; Catherine, dans *Les Chambres...* est ingénue, pétale au baume fatigué des enclos de rêves, curieuse jusqu'à l'indiscrétion, adultère enfin; Elisabeth, dans *Kamouraska*, a été la proie de ses tantes, se mariant comme on assiste à ses propres funérailles, sa mère en deuil à perpétuité, sa belle-mère hostile, mais elle venge Catherine en détruisant les hommes, ensuite elle joue à la vierge après avoir été onze fois mère; sœur Julie se revoit fillette, témoin de l'orgie et victime de l'inceste, et elle enfante un monstre sans identité (comme François, dans *Le Torrent*), récupère son enfance avec un zèle furieux afin d'en accabler le cloître. Pour rejoindre ces deux pôles, la femme ne peut éprouver qu'elle n'est plus vierge et la vierge ne peut éprouver qu'elle est femme, ce qui crée, de part et d'autre, l'impossibilité de jamais sortir de soi. Il n'y a rien ni pour les araignées ni pour les papillons. Jouir d'une virginité encombrante ou se sentir vierge après l'acte d'amour est l'abîme d'où naît la révolte cruelle et l'insensibilité systématique des héroïnes de l'auteur. Ces femmes sont des allégories. A ce stade, elles représentent la femme québécoise. Puis elles deviennent des mythes. A ce stade plus avancé elles incarnent l'idée de la femme au sein d'une tradition plutôt qu'une figure de femme dans une situation dramatique. Pour résumer, il y a la fillette curieuse de la faute, aventurière et déçue dans son rêve d'amour, cherchant refuge dans la culpabilité. Puis il y a la femme, la faute travestie en innocence, la femme adultère se réclamant de la vierge, l'irréalité donc du péché, quel qu'il soit, sorte d'état primitif antérieur à la chute.

A côté de ces belles innocentes, il y a le jeune homme impuissant, mortellement inférieur, crucifié par son obsession d'atteindre à la sainteté, faible et fou, mystique et irrévocablement coupable. Aucun homme normal ne figure dans l'œuvre d'Anne Hébert. A l'opposé du jeune homme, il y a des imbéciles comme le père de Catherine ou comme le docteur Painchaud, le grand exorciste, l'abbé Migneault et Léo-Z Flageole, mais la majorité des mâles adultes sont morts et leurs épouses restent en deuil afin de mijoter l'effacement inhumain dans le noir «de qualité» (*K.*, p. 45). François, dans *Le Torrent*, porte en lui la faute de sa mère; Michel subit celle de sa sœur Lia dans *Les Chambres de bois;* le docteur Nelson se laisse entraîner à tous les excès par Elisabeth dans *Kamouraska*, pour se retrouver seul et coupable devant une femme qui a tout oublié; le frère Joseph, dans *Les Enfants du sabbat*, porte sur ses épaules les péchés de la famille. Tous ces garçons cherchent avidement la sainteté et vivent dans le mal. Les femmes, elles, cherchent le mal et se retrouvent dans la virginité, sorte de sainteté stérile.

Le jeune homme voudrait une mère qui le protège et qu'il puisse au moins haïr sinon aimer, mais il trouve la femme vengeresse dressée devant lui comme une puissance aveugle. Ces déshérités représentent l'homme québécois sous forme allégorique. Puis ils deviennent le mythe de l'impuissant voué à la névrose. C'est la mort qui les guette. Cela expliquerait pourquoi il n'y a que des veuves!

La conjugaison de l'homme et la femme crée la famille. Eh bien, le mariage est un exercice de cruauté et de célibat de la solitude; aucun sentiment chaleureux n'anime les familles; les enfants sont comme des objets curieux; l'adultère est un passe-temps qui, lui aussi, devient banal. La seule famille sympathique est celle de la cabane, la famille infernale. Son bonheur a l'air un peu de dépendre du fait qu'aucune culpabilité ne la dévore, si ce n'est Joseph. La famille est donc une situation d'hostilité permanente, tout à fait le contraire de ce que la morale du vieux Québec prônait.

Il y a l'univers clos des pestiférés, tenus à part, littéralement murés: Catherine, dans *Les Chambres de bois* et Julie dans *Les Enfants du sabbat*, en sont des exemples. C'est l'allégorie de la peste. Cela devient le mythe du cachot psychologique.

Il y a la lumière perçant à travers la faute. «Le Tombeau des rois» en est le plus éclatant exemple. Catherine et Elisabeth trouvent la paix et la lumière dans l'adultère.

Il y a le passage de l'intérieur, séquestration et prison, vers l'extérieur, culpabilitée matée, libération.

Il y a le mime de la mort, sommet de la sexualité à cause de l'équation luxure = mort. Ce mimétisme est constant et hautement significatif. La nécromanie dans «Le Tombeau des rois»: «Ils me couchent et me boivent; sept fois, je connais l'étau des os...» est un rituel libérateur qui revient en moins puissant dans les autres œuvres. Il y a les ossements, le meurtre, le voyeurisme morbide et le sang comme pôle extrême où le mime devient l'acte. C'est le passage de la culpabilité passive à sa manifestation agressive.

Il y a le Québec avec son silence, avec son agressivité politique: Piggy, la femme de Joseph, s'appelle *cochonnette* parce qu'elle est anglaise; le docteur Nelson a un accent américain, ce qui le rend fondamentalement étranger. Il y a Saint-Denys Garneau, la recherche du martyre et le combat contre sa mysticité oppressive. Il y a partout cette infériorité terrible, cette politique de naufragé. Le couvent est gouverné par la peur. On fait des exemples de cruauté salvatrice afin d'édifier celles qui rêvent d'inceste avec le Saint-Esprit. Il y a coupure entre les moyens employés pour maintenir son autorité et le manque de justification puisque la docilité totale est acquise et le mal repose dans l'imagination détraquée. Ce sont des déformations gratuites, dépourvues de sens.

Au beau milieu de cet univers bloqué, il y a des rois, des pharaons, des faucons, des reines d'Egypte, des seigneurs, des chasseurs, des manoirs, des joyaux, des bracelets en or, de la sorcellerie et de la démonologie, des fées et des poupées, des reliques et des cryptes richement parées. C'est l'évasion par l'irréel, l'apanage des hallucinations d'un onanisme démesurément essentiel. C'est le rêve grandiose aux prises avec le rêve sanguinaire, l'imaginaire polarisé.

Mais nous n'allons pas insister davantage. Il ressort une absence d'amour, une violence systématique, une orgie du rêve de destruction. Le côté onirique est un prétexte à élargir la liberté de l'écrivain. C'est le Québec qui figure au centre de l'œuvre, c'est lui qui en est le personnage central. Anne Hébert s'efface en tant qu'individu pour se transmuer en la voix du Québec. Le procès d'une culture est une entreprise gigantesque. Tous les déguisements sont permis, toutes les fables sont des essais de réalisme inverti, toutes les allégories sont la représentation concrète de normes abstraites, tous les mythes sont l'inventaire ultime des découvertes se déroulant d'une œuvre à l'autre comme la science de l'expression ramenée à sa nomenclature essentielle qui défile devant le lecteur comme autant de formules amplifiées au fur et à mesure qu'elles réapparaissent. Ils sont la fable du langage qui ne passerait pas autrement à cause même des déficiences du langage.

Mais l'introduction du comique était devenue essentielle. L'œuvre prenait des allures insolites de roideur et d'insensibilité. Un autre bain de sang comme *Kamouraska* aurait risqué de peser trop lourd. Tuer les morts en soi est ligitime; tuer jusqu'aux vivants serait aller trop loin. Anne Hébert l'a compris. Elle s'est limitée à exterminer les cadavres. Maintenant, son plus récent roman est l'œuvre de la contestation du sérieux, c'est-à-dire de son œuvre antérieure. Nous lui en savons gré. Le rire effronté de sœur Julie de la Trinité est vraiment le miracle de la montagne de B...

Les mythes vivent désormais d'une réalité globale par rapport à l'œuvre. Ils sont la création artistique d'un univers lucide à l'intérieur d'un cauchemar d'exploration de l'absurdité inhérente à notre formidable collectivité. Sans souscrire à l'analogie avec «l'Arabie pétrée» de Pierre Emmanuel dans sa préface au *Tombeau des rois*, insulte néo-colonialiste, le Québec est, de toute évidence, un laboratoire très complexe où Anne Hébert semble se trouver à l'aise, par exception. Son œuvre est l'analyse la plus exacte de notre identité parce qu'elle repose sur le mythe au lieu du langage insuffisant. Le poète parle en plus grand que nature. Les autres parlent en plus petit que soi. L'expression de son identité emprunte à celui-ci la richesse dont manquaient ceux-là. Baudelaire concevait le poète comme une malédiction bienfaisante[8].

L'écriture mythique est le plus haut sommet artistique qu'atteint Anne Hébert. C'est la poésie totale.

---

8 Dans son article (Le Devoir, Montréal, samedi 6 septembre 1975, p. 13) Jean Basile admet: «Je pense, quant à moi, que ce livre d'apparence choquante est, au contraire, un moment essentiel de notre psyché collective», ce qui confirme notre thèse d'une géographie des mythes québécois. Cependant, le même Jean Basile dit, dans le même article que «...Le livre d'Anne Hébert est un roman et son sabbat, finalement, n'a rien de québécois si ce n'est les «beans au lard». S'il n'y a pas contradiction, il y a néanmoins ambiguité dans ces deux passages.

Conclusion

Au terme de cette étude, nous pouvons affirmer avoir peu à peu compris ce que l'on ne peut dire dans les limites d'un livre, soit l'immense richesse d'une œuvre plus vaste que toute critique. Le poète fonctionne en toute liberté. Le critique se situe quelque part entre l'écrivain et le lecteur. C'est un rôle inquiétant. Il y a de tout côté des embûches. Par exemple, au terme de l'exploration du poème «Le Tombeau des rois», dans la partie intitulée: «le sens du poème», nous aurions bien voulu continuer, aller plus avant. Mais il n'y avait plus que notre subjectivité à étaler. Nous l'avons ravalée avec le sentiment d'avoir lésé le lecteur de cette étude de l'affirmation d'existence dudit intermédiaire qui a dû se replier sur lui-même et accepter qu'il ne comptait vraiment pas. La critique naît du sentiment ambigu de savoir lire et de savoir aussi demeurer dans l'ombre. Mais quelle expérience ce fut. Anne Hébert est une source de poésie à la fois grandiose et froidement réaliste. Il y a dans ses œuvres le Québec de la féerie entremêlé à celui de la fange. C'est le rêve obligatoire et la trahison qu'est tout rêve en milieu tragique.

L'éventail des possibilités de méditations et d'études est vraiment très large. D'un renouvellement à l'autre, le poète suit le chemin de la croix dans l'obscurité d'un vieux monastère plein d'ossements incrustés de paroles étouffées par les silences. Toutes ces voix perdues renaissent sous la plume d'une fière Québécoise. Les mots se revêtent de sens nouveaux. C'est un grand concert nocturne où perce un jour pernicieusement troublant. Ce qu'il éclaire n'est rien d'autre que des valeurs périmées. Il faut sortir des tombeaux, abandonner la bonne paralysie des traditions, accepter d'être de son époque, même si cette dernière est redoutable. Le message d'Anne Hébert se trouve dès *Le Torrent:* «J'ai porté trop longtemps mes chaînes». Le poète fait ressortir la bête de tous les coins et recoins où elle se cache, quels que soient sa forme, son déguisement, son vêtement, ses prérogatives. Se libérer devient la sagesse.

Les difficultés de lecture se trouvent intimement liées à l'œuvre de l'auteur. L'ampleur du coup d'œil force l'éclosion d'un langage entièrement nouveau pour nous. Cependant, d'un élargissement à l'autre, on apprécie pourquoi le plus grand de tous nos poètes a dû se servir du dépaysement à priori parce que l'expression était déjà, assez curieusement d'ailleurs, figée dans notre littérature de romantiques fourvoyés. En empruntant le chemin de la lucidité voilée d'un somnambulisme modulé, Anne Hébert a soudé toutes les énigmes, déraciné tous les tabous, avec l'élégance d'une impératrice de la parole, d'un puissant poète alchimiste qui change en or la boue (Baudelaire) sans perdre un instant son aplomb. C'est notre littérature rehaussée tout d'un coup vers l'expression de sa réalité globale et autonome.

Une modeste étude, même si elle se veut attentive et aussi complète que possible, entame la discussion, au moins nous l'espérons, devant quelque chose de nouveau, pour nous comme pour les autres. Mais qu'avons-nous appris et que pouvons-nous dire maintenant que le moment est venu de mettre un terme à ce travail, comme si nous l'avions vraiment terminé? Faut-il parler de ces deux chapitres retranchés au dernier moment et d'un troisième abandonné auparavant à cause de problèmes de formulation indissociables de la complexité des écrits d'Anne Hébert? La leçon vaut seulement pour celui qui apprend à se méfier de l'enthousiasme mal orienté. Elle aide à comprendre pourquoi la critique a éprouvé tant de difficultés à se hausser à l'échelle de l'œuvre.

Alors, voilà ce que nous avons fait dans cet ouvrage. Nous avons magnifié deux œuvres clés d'Anne Hébert, un poème, «Le Tombeau des rois», et un roman, *Les Enfants du sabbat*, à l'aide desquelles les autres œuvres ont été situées et étudiées.

Au fil de ces démarches souvent reprises et, jamais achevées, nous avons fait des découvertes extrêmement intéressantes. Elles se trouvent échelonnées méthodiquement dans notre travail, mais quelques-unes ressortent davantage, conséquence du livre. Nous pensons, par exemple, à la force qui se dégage de l'œuvre. Le mot à mot du «Tombeau des rois» évoque la construction des pyramides[1], l'énigme du déplacement de gigantesques pierres sur des distances considérables; des mots installés à leur place, dans leur niche, comme

1 «sept grands pharaons d'ébène» (*tr.*, vers 45); «...comme une reine d'Egypte...» (*C.*, p. 106).

des colosses romans austères et secrets. Nous pensons à ces grandes divisions binaires, à la polarisation de l'imaginaire, au noir profond d'un côté et à la féerie brutale de l'autre, aux «Tombeaux» et aux «rois», au «couvent» et à la «cabane» et à leurs mythes respectifs. Nous pensons à un Garneau mort et en même temps présent dans l'œuvre, à une solitude profonde comme l'enfer et à son éclatement violent et superbe par des damnés qui n'ont plus rien à perdre, à un érotisme effrayant doublé des phantasmes d'un peuple nourri de sublimation aux deux pôles, le bien et le mal confondus. Et que dire de ces héroïnes magnifiques dans leur frigidité d'oiseaux de proie, tournées contre l'homme qu'elles torturent impitoyablement? Et ces héros, des hommes trop souvent rapiécés par l'histoire pour surmonter leur angoisse de vivre et pour se racheter par l'action (je n'irais pas à la chasse avec un de ces mâles derrière moi, «seigneur» ou prolétaire, sauf Adélard, pourvu qu'il consentît à se départir de ses «deux cornes de vache sur le front et une couronne de feuilles vertes», ce qui, assurément, ferait voler à tous les diables le gibier). Ces épaves sournoises et mystérieuses sont des ogres qui attendent en léchant leurs plaies la fin du monde.

C'est une force brutale, celle qui anime les grandes œuvres, et devant laquelle on se trouve galvanisé d'admiration parce que quelque chose de nouveau se produit.

L'avènement d'un comique irrésistible, dans *Les Enfants du sabbat*, compte parmi les plus précieuses découvertes. Toutes les autres œuvres en sont transformées. Au lieu de se retrouver dans la même tension psychologique et morale, dans le même tragique s'enfonçant perpendiculairement vers l'abîme d'une œuvre à l'autre, on est soudain racheté par le rire. L'impact de ce comique a la valeur d'une bombe qui éclate soudain, au moment où on s'y attendait le moins, dans les écrits de l'auteur mais aussi dans notre jeune littérature. C'est le mot de Cambronne placé en tête de sa propre écriture. Maintenant, nous pouvons à peine attendre de voir ce qui suivra. Ce dernier renouvellement est des plus remarquables.

Mais la découverte qui éclipse toutes les autres est celle de l'écriture mythique. C'est, sous-jacent à l'écriture, une qualité primitive (au sens de: non contaminé par la méfiance blasée des poètes soumis aux fétiches d'hyperconscience d'un verbe souvent tuberculeux à force de se retenir de parler). Il y a une qualité épique de préformulation mythologique d'une culture qui se cherche et que l'écrivain réussit à mimer par la parole, geste écrit (que furent les

Chansons de geste), grandiose expression de l'essentiel cerné et rigidement juxtaposé comme il se trouve dans l'esprit, de grandes ombres et des faisceaux de luminosités encore opalescentes mais aux couleurs vives des vitraux. Cette écriture mythique mériterait d'être explorée beaucoup plus avant que nous n'avons pu le faire dans une étude d'ensemble, malgré l'attention accordée à cet aspect crucial.

Rama, le 12 octobre 1976

Bibliographie

I *Œuvres d'Anne Hébert:*

Les Songes en équilibre. Montréal, Editions de l'Arbre, 1942, 158 p.
Le Torrent. Montréal, Beauchemin, 1950; réédition augmentée, Montréal, HMH Ltée, 1963; Paris, Seuil, 1965, 249 p.
Le Tombeau des rois. Québec, Institut littéraire du Québec, 1953, 77 p.
Les Chambres de bois. Paris, Seuil, 1958, 190 p.
Poèmes (comprenant la réédition des poèmes du recueil *Le Tombeau des rois*, le texte d'une conférence de l'auteur sur la poésie: «Poésie, solitude rompue» et les quinze pièces du nouveau recueil *Mystère de la parole*), Paris Seuil, 1960, 110 p.
Le temps sauvage. Montréal, Ecrits du Canada français, HMH, 1963; réédition Montréal, HMH Ltée, 1967, 189 p.
Dialogue sur la traduction (en collaboration avec Frank Scott, présentation de Jeanne Lapointe, préface de Northrop Frye). Montréal, HMH Ltée, 1970, 138 p.
Kamouraska. Paris, Seuil, 1970, 250 p.
Les Enfants du sabbat. Paris, Seuil, 1975, 189 p.

II *Chronologie de publication des poèmes de l'auteur:**

A — Première publication de poèmes, pièces reprises dans Les Songes...:

«Sous la pluie», *Canada français*, T. XXVI, mars 1939, p. 774-775 (titre également repris dans *Le Tombeau des rois*).
«Danse», *Canada français*, t. XXVII, octobre 1939, p. 117-120.
«Le Miroir», *La Revue populaire*, février 1940.
«Marine», «Les deux mains», «Jour de juin», *La Relève,* mars 1941, p. 173-179.

---

* Voir Pagé et Major, *op. cit.*, à qui nous devons la plupart de ces informations. Le poème intitulé «Sous la pluie», dans *Le Tombeau des rois*, n'a rien en commun autre que le titre avec la pièce publiée deux fois auparavant (voir ci-haut).

«Musique», «Espace», «Eve», *Amérique française,* vol. 1, no 3, Février 1942, p. 6-12.
«Jeudi-Saint», *Paysanna*, avril 1942.

B — Poèmes publiés après le premier recueil mais qui ne figurent pas dans *Le Tombeau des rois:*

«L'Esclave noire», *Amérique française*, vol. II mars 1943, p. 41-42.
«Paradis perdu», *Amérique française*, vol. III, février 1944, p. 31-32.
«Prélude à la nuit», *La Nouvelle Relève*, vol. III, mai 1944, p. 209.
«L'Infante ne danse plus», «Aube», «Sous-bois d'hiver», «Chat», «Présence», «Je voudrais un havre de grâce», «Le Château noir», «Ballade d'un enfant qui va mourrir», *Gants du ciel,* no 4, juin 1944, p. 5-20.
«Plénitude», *Amérique française*, vol. IV, octobre 1944, p. 33.
«Résurrection de Lazare», *Revue dominicaine*, vol. LI, mai 1945, p. 257-258.
«Offrande», *Revue dominicaine*, vol. LII, juin 1946, p. 321.
«O Beauté», *Revue dominicaine*, vol. LIII, janvier 1947, p. 3.

C — Poèmes du *Tombeau des rois* déjà publiés dans des revues:

«Eveil au seuil d'une fontaine», *Amérique française*, vol. II, octobre 1942, p. 35.
«Les Petites Villes», *Gants du ciel*, no 4, juin 1944, p. 7-8.
«La Voix de l'oiseau», *Revue dominicaine*, vol. IV, janvier 1949, p. 3.
«La Fille maigre», *Cité libre*, vol. I, no 3, mai 1951, p. 26.
«Vie de château», «Les Pêcheurs d'eau», *La Nouvelle Revue canadienne*, vol. I, no 5, novembre-décembre 1951, p. 11-12.
«Le Tombeau des rois», *Cité libre*, vol. I, no 4, décembre 1951, p. 27-28.
«Vie de château», *Cité libre*, vol. II, no 1-2, juin-juillet, 1952, p. 45.
«Le Tombeau des rois», «L'Envers du monde», *Esprit*, t. XX, no 10, octobre 1952, p. 443-446.

D — Poèmes de *Mystère de la parole* déjà publiés dans des revues:

«Naissance du pain», *Esprit*, t. XXII, no 11, novembre 1954, p. 570-571.
«Alchimie du jour», *Esprit*, no 253, juillet 1957, p. 75-77.
«Survienne la rose des vents», «Je suis la terre et l'eau», «Neige», «Saison aveugle», *Mercure de France*, vol. 333, mai 1958, p. 18-21.

E — Poèmes publiés après *Mystère de la parole:*

«Et le jour fut», in E. Mandel et J.-G. Pilon, édit., *Poetry 1962*,

Toronto, Ryerson Press, 1961, p. 8-9.

«Noël», «Pluie», «Amour», «Fin du monde», in Guy Robert, édit., *Littérature du Québec*, t. I, Montréal, Déom, 1964, p. 56-63; repris in Pierre Pagé, *Anne Hébert*, Montréal, Fides, coll. «Ecrivains canadiens d'aujourd'hui», 1965, p. 163-170.

«Terre originelle», *La Presse*, 13 février 1967, Cahier *Un siècle*, p. 1.

«Et le jour fut», *Les Lettres nouvelles, Ecrivains du Canada,* décembre 1966 — janvier 1967, p. 150-151.

«Et le jour fut», «Noël», «Pluie», «Amour», «Fin du monde», «Terre originelle», «Couronne de félicité», «Villes en marche», «Les offensées», in René Lacôte, *Anne Hébert*, Paris, Seghers, 1961, p. 151 et suiv.

«En cas de malheur», «Eclair», «La Cigale», *Châtelaine*, décembre, 1972, p. 22.

III *Traductions anglaises des œuvres d'Anne Hébert:*

Brown, Alan. *Poems / by Anne Hébert;* translated by Alan Brown, Musson Book Co. Don Mills Ontario, 1975, 76 p.

Miller, Peter. *The Tomb of the Kings*, with translations by Peter Miller. Toronto, Contact Press (1967), 91 p.

Moore, Gwendolyn. *The torrent: novellas and short stories,* translated by Gwendolyn Moore. Montréal, Harvest House 1973, 141 p.

Scott, F.R. *St. Denys Garneau & Anne Hébert*. Translations / traductions (by) F.R. Scott. Vancouver, Klanak Press, 1962.

Scott, Frank. «The Tomb of the Kings» (voir *Dialogue sur la traduction*, I, plus haut). three versions of the poem.

Kamouraska, a novel. Translated by Norman Shapiro. New York, Crown Publishers (1973), 250 p.

Kamouraska. (same translator and same version) Toronto, Munson Book Co., 1973.

The Silent Rooms: a novel / by Anne Hébert; translated by Kathy Mezei. — Don Mills, Ont.; Musson Book Co., 1974, 167 p.

IV *Œuvres de Saint-Denys Garneau (citées dans nos textes):*

Saint-Denys Garneau. *Œuvres*. Texte établi, annoté et présenté par Jacques Brault et Benoît Lacroix. Montréal, Les Presses de l'Université de Montréal, 1971, 1320 p.

V *Ouvrages cités:*

Lacôte, René. *Anne Hébert*. Paris, Seghers, 1969.
Lemieux, Pierre. *Entre songe et parole -- lecture du* Tombeau des rois *d'Anne Hébert* (thèse de doctorat, Université d'Ottawa, 1974), non publié, texte sur microfilm, Bibliothèque Robart, Université de Toronto.
Major, Jean-Louis. *Anne Hébert et le miracle de la parole*. Montréal, Les Presses de l'Université de Montréal, 1976.
Marcotte, Gilles. *Le Temps des poètes*. Montréal, Editions HMH, 1969.
Pagé, Pierre, *Anne Hébert*. Montréal, Fides, 1965.
Paradis, Suzanne. *Femme fictive Femme réelle*. Québec, Garneau, 1966.
Robert, Guy. *La Poétique du songe: introduction à l'œuvre d'Anne Hébert*. Montréal, A.G.E.U.M. Cahiers, no 4, 1962.
Wyczynski, Paul. *Poésie et symbole*. Montréal, Librairie Déom, 1965.
Articles de: Poulin, Gabrielle, in *Lettres québécoises*, vol. 1, no 1, mars 1976, p. 4-6.
Articles de: Basile, Jean, in *Le Devoir*, Montréal, samedi 6 septembre 1975, p. 13.
Sur l'œuvre de Saint-Denys Garneau:
Bourneuf, Roland. *Saint-Denys Garneau et ses lectures européennes*. Québec, Les Presses de l'Université Laval, 1969.

VI *Ouvrages à consulter:*

Marcotte, Gilles, «*Le Tombeau des rois, d'Anne Hébert*», in *Une littérature qui se fait,* Montréal, HMH, 1962, p. 272-283.
Le Grand, Albert. «Anne Hébert: de l'exil au royaume», in *Littérature canadienne-française* (Conférences J.-A. de Sève), Montréal, Presses de l'Université de Montréal, 1969, p. 181-213.

En l'absence d'étude d'ensemble de l'œuvre d'Anne Hébert, et compte tenu du fait que nous avons cité ou mentionné les principaux commentateurs, nous invitons le lecteur à se référer au livre de Pierre Pagé et au long essai de Jean-Louis Major (voir V, ci-haut) pour plus de détails.

Information bibliographique complémentaire

La première œuvre d'Anne Hébert à être publiée en France, *Les Chambres de bois*, aux Editions du Seuil, en 1958, signale un tournant dans la carrière de l'écrivain. Une fois en vue sur la scène internationale, le grand succès deviendra une question de temps, d'adaptation à un genre nouveau: le roman.

Les seize années écoulées depuis la publication des *Songes en équilibre* (1942) avaient donné lieu à environ trente-cinq commentaires, dont vingt-quatre de moins d'une page, neuf de deux à trois pages. Le plus long morceau, onze pages, par le P. Hilaire (in *Gants du ciel*, no 4, juin 1944), s'intitule *De François d'Assise à Anne Hébert*. Ainsi, la période québécoise se soldait par un bilan critique fort mince.

Bien sûr, d'éminents commentateurs (Albert Béguin, in *Le Devoir*, samedi 3 octobre 1953, p. 6; André Rousseaux, in *Le Figaro littéraire*, samedi 8 mai 1954, p. 2) avaient rédigé de prestigieux petits morceaux, mais ils ont été surabondamment cités au point de créer l'illusion qu'une critique en quelque sorte existait. En réalité, *Les Songes en équilibre*, recueil de poèmes assez modeste ne fut jamais réédité, demeura mal connu, et représente aujourd'hui une véritable pièce de collection. Vint ensuite la publication du recueil de contes, *Le Torrent*, à compte d'auteur (Montréal, Beauchemin, 1950), cinq ans après la rédaction en 1944-45. Le livre méritait un sort plus favorable. Il aura une carrière intéressante à la suite de l'incompréhension initiale: réédition augmentée de *Un Grand mariage* et de *La Mort de Stella*, à Montréal, en 1963 puis en 1976 (HMH Ltée), et à Paris en 1965 (Seuil). Ce sera la dernière œuvre d'Anne Hébert à être imprimée au Canada. *Le Tombeau des rois* (Montréal, Editions de l'Arbre, 1953), dernière publication d'une œuvre inédite au Canada (sauf pour les poèmes parus en revues), sera précédé d'une page d'hommage à la barbarie par le préfacier Pierre Emmanuel. Si le premier recueil pouvait être passé largement sous silence, les deux autres livres auraient dû arrêter davantage l'attention. Tel ne fut pas le cas, et le poète alla chercher fortune en France.

Le tournant dans la critique québécoise vers le milieu des années soixante suggère un intérêt partiellement attribuable au fait de se faire éditer en France. Ainsi, la période française, qui débute vers 1958, déclenche la critique universitaire québécoise environ vingt-trois ans après la publication des *Songes*... en 1942. De prime abord, on serait tenté de trouver des excuses, de parler de publications plus importantes, de signaler des moyens de diffusion plus développés. Bien au contraire, dans le présent contexte, la critique fondée sur l'érudition met de nombreuses années à fournir des essais, des études, tandis que la presse: journaux quotidiens, hebdomadaires littéraires, fournit une critique instantanée pour ainsi dire. Les revues à fort tirage viennent tout de suite après. Ce phénomène est parfaitement visible dans le corpus de notre documentation. Là où la presse fait une critique instantanée, les revues font une critique mensuelle ou trimestrielle, également «utilitaire», basée sur un certain public à tenir au courant des événements littéraires. Comme nous le verrons bientôt, un écrivain peut atteindre à un succès très impressionnant sans passer par la *grande érudition*.

Ainsi, livres et essais font leur apparition au Québec dans les années soixante, tandis qu'en France, on en est toujours au stade des journaux et revues[1]. A quelques exceptions près, dont M. Jean Marmier[2], le même genre de situation se répète pendant la période française, depuis 1958, qu'au Québec avant cette date. La critique «instantanée», journaux et revues, œuvre à l'exclusion de la critique formelle en provenance des universitaires[3]. Une thèse de doctorat du troisième cycle est en cours à Aix-en-Provence[4], mais, phénomène

---

1 Lacôte, René. *Anne Hébert*. Paris, Seghers, 1969. Ce livre représente un format télégraphié: esquisse biographique, commentaires très généraux sur l'œuvre et morceaux choisis, le tout orné de jolies photos. C'est de la pré-critique dont le rôle est de présenter l'écrivain sans efforts pour le lecteur.

2 Marmier, Jean, «Du Tombeau des rois à *Kamouraska:* vouloir vivre et instinct de mort chez Anne Hébert», in *Missions et Démarches de la critique.* Paris, Libr. C. Klincksieck, 1973, p. 807-814 (texte trop peu important pour être mentionné dans les références bibliographiques parmi les autres collaborateurs à cet impressionnant ouvrage de critique).

3 Bien qu'il y ait présentement des «centres d'études canadiennes», à Bordeaux et à Grenoble, et des initiatives bien intentionnées dans plusieurs autres universités françaises, nous avons découvert une absence de documentation et de sérieux problèmes de compétence en vue du développement de programmes susceptibles de faire connaître l'œuvre d'Anne Hébert. Nous disposons de lettres en provenance des intéressés qui admettent bien franchement que la situation est ainsi.

4 M. Neil Bishop prépare une thèse de doctorat du troisième cycle à Aix-en-Provence sur «Le thème de l'enfance dans l'œuvre d'Anne Hébert».

assez étrange, les ouvrages québécois sur les œuvres d'Anne Hébert demeurent mal connus sinon complètement ignorés en France. Et, comme par hasard, les bibliographies québécoises n'accordent aucune importance particulière à l'immense succès attribuable à la presse française. Nous nous proposons de mettre en lumière le véritable tour de force qui a éventuellement sensibilisé un très vaste public aux écrits d'une Québécoise douée d'un talent exceptionnel.

Grâce à une subvention *dans le cadre des échanges de chercheurs Canada / France*, printemps-été 1976, nous avons recueilli en France les «informations bibliographiques complémentaires» qui composent notre *état présent*. Il est devenu évident qu'il fallait mener des recherches en dehors des endroits consacrés: centres universitaires, bibliothèques, centres de documentation, en faveur d'un inventaire des morceaux divers parus dans la presse et dans les revues à fort tirage. Nous avons découvert un amoncellement de commentaires émanant de toute la francophonie — y compris le Québec en tant que satellite comme les autres — soit la Belgique, la Suisse, les pays d'Afrique du Nord, et aussi la Hollande, avec, bien entendu, la presse française comme centre d'activité assez remarquable. On dirait un orchestre savamment constitué.

Le sentiment initial provoqué par le fait de se trouver en présence d'une bibliographie suspecte, surtout à cause de son étendue démesurée, entraîne une hésitation parfaitement compréhensible. Plusieurs facteurs interviennent néanmoins pour conférer à ces listes interminables une valeur de documentation d'une importance immédiate. Parmi ceux-ci, notons d'abord que les quelque trente-cinq titres de la période québécoise, soit avant 1958, ne sont comparativement pas supérieurs aux cinq cent dix-neuf postérieurs à cette date, marquant la période française. Bien au contraire, et sur le plan de la diffusion, un public beaucoup plus considérable s'est trouvé atteint. Or, puisque les trente-cinq titres figurent dans les bibliographies existantes, il est sans doute utile de ne pas passer sous silence les cinq cent dix-neuf dont l'envergure et la qualité sont comparables. Plusieurs journaux de province ont un très fort tirage, surtout les pages littéraires de la semaine. Compte tenu du fait que de prestigieux commentateurs font du journalisme littéraire, il est également important de retenir que «La Dépêche...» de tel ou tel secteur aura beau faire frémir les érudits, un écrivain de qualité a connu le succès auprès de lecteurs graduellement introduits à son œuvre sans pour autant avoir été captifs des universitaires. Il serait sans doute impressionnant de connaître les chiffres de diffusion globale des journaux et revues en question. Nous sommes en face d'une équation socio-littéraire à ne pas ignorer.

Ensuite, puisqu'il n'y a pas eu d'autre forme de critique de l'œuvre en France, nommément rien en dehors de la presse littéraire et des revues dont nous venons de parler, notre documentation retrace fidèlement l'histoire d'une réussite. Ces documents sont alors profonds quelles que soient les réserves qu'on puisse formuler.

Et, toujours dans le but de clarifier cette situation, il faut noter l'évolution qui a transformé petit à petit une critique plus ou moins «sur commande» en une véritable explosion d'enthousiasme, lors de la publication de *Kamouraska*, en 1970. Afin de faciliter l'interprétation de cette évolution, nous avons divisé en deux parties notre travail, la première tenant compte des œuvres antérieures à ce roman, et la seconde, du roman même et de celui qui l'a suivi en 1975, *Les Enfants du sabbat*. Finalement, les titres sont classés chronologiment, d'un mois à l'autre, dans le corpus de notre documentation. Le roman *Kamouraska* a atteint les 100,000 exemplaires en moins d'un an après sa publication. Nous n'avons pu connaître le nombre d'exemplaires, ni le tirage, ni le chiffre des ventes, pour les autres œuvres. A la fin de chaque section, nous offrons une *évaluation de l'accueil* fait à chaque publication nouvelle, y compris les rééditions.

Pour conclure la liste des facteurs justifiant l'importance de notre documentation, il semble à propos de signaler les limites assez visibles de la critique de la presse littéraire en ce qui a trait à la durée. En effet, le nombre des commentaires varie, mais la durée reste à peu près la même. C'est la nouveauté qui compte. Six à huit mois après la publication d'un livre, à moins d'un événement extraordinaire, d'un prix Nobel, d'un scandale, la presse littéraire et aussi les revues s'essoufflent. Leur rôle est terminé. L'écrivain est désormais obligé de se renouveler dans un autre livre, un livre digne de son meilleur, quitte à tomber dans l'oubli si il ne réussit pas à convaincre son public. Mais éventuellement c'est entre les mains des universitaires et de la critique formelle que la postérité de l'œuvre sera assurée ou non. Après les premiers six à huit mois, la première étape est formulée, celle justement qui nous intéresse dans le présent document. C'est assez longtemps pour connaître le succès, pour s'assurer un public. C'est la première épreuve, et Anne Hébert l'a subie très honorablement.

D'autres facteurs d'ordre beaucoup plus pratique, quelquefois spectaculaires, entrent aussi en jeu: efficacité de l'équipe AUTEUR-ÉDITEUR-JOURNALISTES; voyages et signatures de livres avec causerie de l'auteur, le tout sous la direction de l'éditeur et avec le concours plein et entier de la presse littéraire. Le succès dépend du bon fonctionnement de la machine entière. Les courses aux prix littéraires prennent l'envergure de tiercés à l'échelle internationale: «Déom l'emporte d'une courte tête» (voir *Le Figaro*, 18 décembre 1970, *Kamouraska*, notre numéro 120). Les livres se vendent. Personne n'est désintéressé. La combinaison écrivain de qualité / grande maison d'édition / docile collaboration des journalistes est essentielle à un départ fructueux. Ces facteurs ressortent de notre documentation et représentent une réalité commerciale. Quand on en vient au côté pratique, la littérature cesse d'être un jeu et devient un *produit* rentable ou non rentable.

Nous tenons à avertir les intéressés que les commentaires reflètent notre choix personnel. La référence exacte étant fournie dans tous les cas (sauf une dizaine où la date manque), il est souhaitable de consulter le texte intégral pour plus de détails. Néanmoins, ces commentaires nous semblent représenter en gros le ton de la critique. Les pages féminines traduisent un intérêt particulier pour les écrits d'Anne Hébert; à l'opposé, les pages rédigées par des hommes laissent percer ici et là une misogynie à peine dissimulée. C'est pourquoi le *Journal des tricoteuses*, le magazine *Elle*, et d'assez modestes sources se révèlent d'un intérêt spécial, plus immédiat quelquefois que des journaux prestigieux.

Nous avons particulièrement apprécié le journal *Combat*, et le commentateur-poète Alain Bosquet, qui contrastent heureusement avec la superficialité pompeuse d'autres organes littéraires de bonne réputation.

Dans l'ensemble, même si notre information bibliographique complémentaire gêne quelques lecteurs, elle constitue néanmoins un aspect entièrement inconnu et inexploré de la critique des œuvres d'Anne Hébert, aspect dont l'importance ne peut être mise en doute.

PREMIERE PARTIE

Anne Hébert en France: publications antérieures à *Kamouraska.*

I *Les Chambres de bois, roman.* Paris, Seuil, 1958, 3e TRIM.

Septembre 1958:

1. (Anonyme) in *Libre Belgique* (Bruxelles), 10 septembre:

«...Catherine reste en marge de leurs dialogues dont elle ne devine pas le sens, pas plus qu'elle ne devine le plaisir aigu qu'ils y prennent.»

2. Cachen, Jean, Agence France-Presse (résumé du roman).
2. Wintzen, René, in *Témoignage chrétien* (Paris), 12 septembre.
4. (Anonyme) in *Libre Belgique*, 17 septembre (6 lignes).
5. Rousseaux, André, in *Le Figaro littéraire* (Paris), 20 septembre.
6. P.-P. Fourchu, in *La résistance de l'Ouest* (Nantes), (? septembre):

«Le mari est un artiste manqué qui continue de vivre en symbiose avec sa sœur.»

7. L. G., in *La Croix* (Paris), le 21 septembre.
8. Nashino, Mme Maurice, in *Le Petit Matin* (Tunis), le 21 septembre.
9. (Anonyme) in *Ouest France* (Nantes), le 23 septembre.
10. (Anonyme) in *Lettres françaises* (Paris), le 23 septembre.
11. Boisdeffre, Pierre de, in *Combat* (Paris), le 25 septembre (commentaire d'ordre général sur la littérature québécoise).
12. (Anonyme) in *Ouest France* (Rennes), le 25 septembre (9 lignes).
13. M.J.M., in *La Tribune de Genève*, le 25 septembre.
14. Grandpré, Pierre de, in *Le Devoir* (Montréal), le 27 septembre.
15. Naguerre, Jean, in *Petit Marocain* (Casablanca), le 28 septembre.
16. Audibute, Jacques, in *Tribune de Lausanne*, le 28 septembre.

Octobre 1958:

17. (Anonyme) in *La revue pour tous* (Lille), septembre-octobre.
18. Picard, Claude, in *Les Nouvelles littéraires* (Paris), le 2 octobre.
19. Gautier, Jean-Louis, in *Le Progrès* (Bellegarde-sur-Valserine), le 4 octobre.
20. Chavardes, Maurice, in *France-Observateur* (Paris):

«Catherine, Michel et Lia. Trois êtres faits pour se persécuter, liés par la chair ou la foi jurée, enfermés dans une maison qui évoque l'enfer.»

21. (Anonyme) in *La Tribune des Nations* (Paris), le 10 octobre.
22. (Anonyme) in *Le Berry* (Bourges), le 15 octobre.
23. Bosquet, Alain, in *Combat* (Paris), le 20 octobre:
«...l'un des deux ou trois poètes du Canada qui connaissent une audience internationale.»
24. (Anonyme) in *L'Union* (Reims), le 22 octobre.
25. (Anonyme) in *Lettres françaises* (Paris), 23-29 octobre.
26. (Anonyme) in *Lingerie du Morbihan*[5] (très court), le 30 octobre.
27. (Anonyme) in *Nord-éclair* (Roubaix), le 31 octobre:
«...aussi est-ce moins un roman qu'une autre sorte de poème.»
28. (Anonyme) in *L'Action catholique* (Québec), le 31 octobre (lancement du livre avec photos).

Novembre 1958:

29. Leguenn, P. Yves, in *Revue moderne des arts et de la vie* (Paris), 1er novembre:
«Elle qui est simple et avenante suivra cet adolescent vieilli dans ses propres rêves et dans le désordre de sa vie.»
30. George P., in *Mercure de France* (Paris):
«...Michel, châtelain mythologique d'une demeure mystérieuse.»
31. Peyrade, J., in *La Croix des Pyrénées orientales*, le 2 novembre:
«J'avoue que ce roman m'a prodigieusement ennuyé.»
32. Exbrayat, Ch., in *Journal du Centre* (Nevers), le 6 novembre.
33. Valois, Marcel, in *La Presse* (Montréal), le 8 novembre.
34. (Anonyme) in *Le Figaro* (Paris), le 10 septembre (annonce le livre).
35. Grandpré, Pierre de, in *Le Devoir* (Montréal), le 15 novembre (court passage sur Anne Hébert).
36. (Anonyme) in *P.T.T. Informations* (Paris), le 15 novembre.
37. Jans, Adrien, in *Le Soir de Bruxelles*, le 26 novembre.

---

5 Il est utile de rappeler que Baudelaire fit paraître des poèmes des *Fleurs du mal* dans des journaux et revues comme: *L'Echo des marchands de vin*, *Le Boulevard*, *Le magasin des familles*, *Semaine théâtrale*, et bien d'autres «débouchés» modestes. Les commentaires émanant de sources moins prestigieuses ne sont pas nécessairement moins valables en substance et ils atteignent un public souvent considérable.

Décembre 1958: (Prix Duvernay et Prix France-Canada en 1958)

38. Simon, Pierre-Henri, in *La Revue de Paris*, décembre:

«Un écrivain de qualité, mais en qui la nature poétique l'emporte sur le tempérament romanesque.»

39. Simon, Pierre-Henri, in *Lettres françaises* (Paris), décembre.

40. Bataini, Denise, in *Progrès* (Egypte), le 6 décembre:

«...un ravissant poème en prose...».

41. (Anonyme) in *Le Phare* (Bruxelles), le 12 décembre.

42. (Anonyme) in *L'Union* (Reims), le 13 décembre (Prix Duvernay).

43. (Anonyme) in *Méridional* (Marseille), le 13 décembre (Prix Duvernay).

45. (Anonyme) in *Revue de la Mercerie* (Paris), no 402, décembre.

Janvier 1959:

46. Sourgens, Jean-Marie, in *Europe* (Paris):

«...l'un des plus étranges livres de cet automne» (...) «On s'interroge sur les raisons de ce mariage, sur le degré d'inconscience, de sadisme ou d'aberration mentale du pianiste, sur le rôle joué par sa sœur Lia,...».

47. (Anonyme) in *Métropole* (Lyon), le 10 janvier (Prix Duvernay).

48. (Anonyme) in *Semaine de la femme*, no 2, le 1er janvier.

49. Kattan, Naïm, in *Bulletin du Cercle juif* (Montréal), no 41, le 1er janvier:

«Une femme qui aime un homme perdu dans ses rêves et qui ne peut se détacher de l'emprise de sa sœur et de son enfance.»

50. (Anonyme) in *Bulletin critique du livre français* (Paris), le 1er janvier.

51. (Anonyme) in *L'Union* (Reims), le 28 janvier (Prix Duvernay).

52. Harotte, André, in *Bulletin trimestriel de Bibliographie de l'Est de la France*, printemps 1959.

Février 1959:

53. (Anonyme) in *A.C.G.F.* (Paris), no 2, février 1959:

«Michel est une sorte d'adolescent attardé qui fuit la vie.»

Mars 1959:

54. Garneau, René, in *Mercure de France* (Paris), mars 1959.

55. (Anonyme) in *La Croix* (Paris), le 1er mars:

«Le tragique des malentendus entre des êtres captifs de leurs rêves et qui n'arrivent pas à se rejoindre.»

56. Saint-Aubin, in *Revue de bibliographie — conseil lectures* (Paris), numéro du 15 mars 1959.

57. M. P.-L., in *Bulletin des lettres* (Lyon), le 16 mars.

Avril 1959:

58. (Anonyme) in *Secrétaires d'aujourd'hui* (Paris), no 31, avril.

59. (Anonyme) in *Nouvelles littéraires* (Paris), le 9 avril (neuf lignes).

Août 1959:

60. Trudel, Françoise P., in *Relations* (Montréal), août.

61. Viatte, Auguste, in *Lettres françaises à l'étranger* (Paris), août-septembre.

Septembre 1959:

62. De Putte, Van, in *La Revue Nouvelle* (Bruxelles), septembre / octobre.

Octobre 1959:

63. Dionne, René, in *Collège et famille* (Montréal), t. 16, 1959, p. 175-176.

64. (Anonyme) in *Femmes d'aujourd'hui* (Paris), no 750, 17 octobre.

Novembre 1959:

65. Marcotte, Gilles, in *Vie étudiante* (Montréal), novembre 1959.

66. (Anonyme) in *La Vie des livres* (Fontenay-Sous-Bois, Seine), année 1959.

(Prix de la Province de Québec En 1959)

Année 1960:

67. Bonwit, Marianne, in *Books Abroad*, University of Oklahoma, Spring 1960.

Evaluation de l'accueil fait aux Chambres de bois

Il importe de mentionner qu'il nous a été impossible de connaître le nombre d'exemplaires publiés et vendus.

A — *Pays:* la France, le Québec, la Belgique, l'Egypte, le Maroc, la Suisse, les U.S.A., la Tunisie.

B — *Quantité:* (voir ci-haut, d'un mois à l'autre, avec maximum dès le lancement du livre) reflète un intérêt de curiosité suivi immédiatement d'une réaction d'indifférence.

C — *Qualité:* les commentaires sont fort réservés, surtout en ce qui concerne la poétesse mal à l'aise dans le roman.

D — *Résumé:* un certain sentiment d'échec semble prévaloir.

E — *Importance:* le premier livre d'Anne Hébert à paraître en France, son premier roman, n'a suscité qu'un intérêt passager.

Bien sûr quelques autres titres figurent dans la bibliographie du livre de Pagé, Pierre, *Anne Hébert*, Editions Fides, 1965, p. 184-185, une dizaine tout au plus. Nous ne voyons pas la nécessité de les reproduire ici. De plus, notre bibliographie est «complémentaire», d'une part, et d'autre part, en nous limitant à nos sources de documentation, nous serons en mesure de fournir des statistiques basées essentiellement sur des données recueillies parallèlement.

II. ***Poèmes*** (recueil comprenant *Le Tombeau des rois*, le texte d'une conférence de l'auteur sur la poésie, «Poésie, solitude rompue», et *Mystère de la parole*). **Paris, Seuil, 1960, 2e TRIM.**

Mai 1960:

1. Garneau, René, in *Mercure de France* (Paris), *Lettres canadiennes-françaises. Un lyrisme de la dissection: Anne Hébert,* p. 143-146.

«...ces tableaux cruellement précis du *Tombeau des rois...*» (article d'ordre très général sur les œuvres à cette date.)

2. (Anonyme) in *Journal de Genève*, le 1 mai (annonce *Poèmes* seulement).

3. Constant, Christiane, in *Démocratie* 60, no 28, (Pau-Basse-Pyrénées), le 5 mai.

«Anne Hébert nous propose des poèmes à découvrir dans le silence d'une chambre.»
(Une longue colonne)

4. Chaigne, Louis in *Résistance* (Nantes), *Plaisir des livres*, le 19 mai.

«...une des meilleures poétesses de notre temps...»
«Anne Hébert part du réel quotidien, du sol foulé chaque soir et nouveau chaque matin, de la condition féminine actuelle, de ce grand appel des filles d'Eve qui relentent...»

(...) «Comme Péguy, à la première Eve.»

5. Chaigne, Louis in *Le Courrier français* (Bordeaux), le 21 mai. *L'actualité littéraire.* «Canada, terre de France».

«...nous prenons conscience de ce que le génie canadien a pu produire, en poésie, de plus rare et de plus élevé en lisant l'œuvre poétique d'Anne Hébert.»

Juin 1960:

6. Michel, Pierre-Gérard, in *Le Berry* (Bourges), le 11 juin. «Coin des livres». (assez court, 21 lignes, annonce le livre *Poèmes*).

7. Alb. L., in *Bulletin des lettres* (Lyon), le 16 juin.

(critique le premier tiers du livre): «Or les mots d'Anne Hébert se suivent, mais ne s'accordent pas...» (...) «...le dernier tiers (...) ...le rythme naît, que les mots, au lieu de se suivre, s'appellent et deviennent nombre, et que d'un coup cette poésie prend souffle, chair et voix...» (il préfère *Mystère de la parole*).

8. Marissel, André, in *Réforme* (Paris), le 18 juin. (cite le poème «Mystère de la parole» parmi d'autres commentaires sur d'autres poètes).

9. Lockquell, Clément, é.c., in *Le Devoir* (Montréal), le 18 juin. *L'art poétique d'Anne Hébert.*

«Il s'agit d'une saisie globale et circulaire d'un état privilégié, celui de la conscience intuitive du mystère de l'existence personnelle et de son insertion dans le miracle obscur de l'univers.» (texte assez long et didactique).

10. Bosquet, Alain, in *Combat* (Paris), le 22 juin. «Le livre du jour», «Poèmes».

«Anne Hébert représente ce que le Canada français a à la fois de plus âpre et de plus profond, de plus grave et de plus exigeant.»

Juillet 1960:

11. Willy, Renée, in *Revue des sténographes* (Paris), (7 lignes, annonce *Poèmes*).

12. Corboz, André, in *Tribune de Genève*, 2 / 3 juillet. *La poésie d'Anne Hébert somptueuse et passionnée.*

«...partant du refus du monde le plus obstiné, mène à l'éloge de la vie le plus reconnaissant. Le premier volet, intitulé *Le*

Tombeau des rois, est en effet constitué de textes brefs, tendus, avares d'images, qui touchent avant tout par leurs qualités négatives: absence de tout sentimentalisme, et même de toute inflexion lyrique. Tout ici est désertique (...) Le second volet, *Mystère de la parole*, marque ainsi qu'on l'a dit une conversion totale. Le dénuement et l'incommunicable sont métamorphosés en une jubilation forte, qui ne perd jamais le contrôle d'une forme vraiment royale...» (comparée encore à Saint-John Perse).

12. Bernard-Verant, M.-L., in *Métropole* (Anvers, Belgique), 14 juillet. (à peine une allusion à A. H.)

Août 1960:

14. (Anonyme) in *Bulletin critique du livre français* (Paris), août-septembre (annonce *Poèmes* et reproduit «J'entends la voix de l'oiseau mort...»)

15. Godin, Gérald, in *Le Nouvelliste* (Trois-Rivières), le 6 août. *Les Lettres et les Arts en Mauricie et ailleurs. «Anne Hébert et le mal de vivre.»*

«Son monde est replié, passif et doux.» (adulatoire).

16. Morrieu, A., in *Littérair Paspoort*, août-sept. *Gedichten.*

17. (Anonyme) in *Le Travailleur* (U.S.A.), no 28.

«L'une des poétesses les plus célèbres de l'époque...»

18. L.-G. G., in *Cahiers du sud,* no 365 (B. du Rhône). *Poèmes.*

«...une démarche poétique exemplaire (...) un des très rares poètes qui nous fasse assister à la transmutation de l'expérience brute en message immédiat, au phénomène d'humanisation du réel...» (21 lignes doubles).

Septembre 1960:

19. Ph. J., in *La Nouvelle Revue Française* (Paris). *De tout un peu. Anne Hébert, Poèmes.*

«Les premiers poèmes du recueil sont comme de petits tableaux avec un air de légende...»

«La deuxième partie du livre groupe des poèmes d'un ton plus contenu...» (allusion à Saint-John Perse). (18 lignes).

20. (Anonyme) in *Combat* (Paris), le 1er septembre. *Anne Hébert: »Je suis la terre et l'eau»* (poème reproduit seulement).

21. Bosquet, Alain, in *Combat* (Paris), le 1er septembre.

«La poésie canadienne (...) pendant près de soixante-quinze ans une imitation perpétuelle du plus lourd et du plus plat traditionalisme provincial: quelque chose comme du romantisme maladroit, du Parnasse réaliste, du symbolisme mal digéré (...) Enfin, Saint-Denys Garneau vint et, dans les années 30, fit preuve d'une audace inconnue avant lui: poète maudit, il n'hésite pas à disloquer le vers et à lui donner des lueurs de souffre (...) Anne Hébert (...) apporte au lyrisme féminin une sorte de ferveur mystique qui ne manque de profondeur sauvage.» (3 colonnes, sur la poésie canadienne-française).

22. Loubière, Pierre, in *Centre-Presse* (Villefranche-de-Rouergue), le 2 septembre. (21 lignes annonçant *Poèmes*).

23. Gros, Léon-Gabriel, in *Figaro Littéraire* (Paris), le 10 septembre.

«...Modèle de démarche poétique...»

«*Le Tombeau des rois* offre plus de séductions; l'interprétation est plus facile, un lecteur des symbolistes s'y reconnaît. Il en va autrement de *Mystère de la parole*, plus riche et par là plus hermétique...»

24. (Anonyme) in *A.C.G.F.* (Paris), septembre / octobre. *Notices bibliographiques.*

«N'intéressera qu'un public restreint de lecteurs cultivés aimant la poésie.»

Octobre 1960:

25. Prévost, J.-L., in *Livres et lectures* (Issy-les-Moulineaux, Seine), no 148, J.-L. Prévost annonce: (Lauréate du Prix France-Canada) *Poèmes*. (7 lignes).

26. Gautier, Louis, in *Le Progrès* (Lyon), le 15 novembre:

«...la manne délicieuse de sa voix pure» (5 lignes annonçant *Poèmes*).

Décembre 1960:

27. Viatte, Auguste, in *La Croix* (Paris), le 12 décembre. *Deux étapes de la poésie canadienne. Emile Nelligan. Anne Hébert.* (voit un vers évolué depuis *Le Tombeau*) «...à la façon du verset claudélien ou de Saint-John Perse.»

28. P. M., in *Bulletin bibliographique*, Institut Pédagogique Nat. (Paris), no 9.

«Anne Hébert est un vrai, un beau poète, avec dons affirmés.» (9 lignes, annonçant *Poèmes*).

Février 1961:

29. Mora, Edith, in *Nouvelles littéraires* (Paris), le 9 février. *Une fraîcheur sauvage.*

«...cette fille de fraîcheur sauvage et de toujours jaillissante invention poétique,...»
«Je préfère les premiers poèmes où elle se plaît toute dans l'aventure poétique pour s'y trouver enfouie, pour s'y brûler, pour en renaître. Il y a tant, déjà, de penseurs à versets..., mais aucun autre poète comme elle, femme, ou fille plutôt, dans toute la chair et dans l'air de ses poèmes...»

Mars 1961:

30. Dionne, René, in *Relations* (Montréal), no 261.

«Sans conteste ce recueil est le meilleur jamais publié par un écrivain canadien-français.»
«Le *Tombeau des rois* nous avait laissés à la fois inquiets et pleins d'espoir. Dans un grand bruit d'os, on y parlait beaucoup de mort (...) Et voici que *Mystère de la parole* témoigne de la résurrection qui s'est alors opérée...»

31. Ethier-Blais, Jean, in *Le Devoir* (Montréal), le 4 mars. *La vie des lettres. Anne Hébert et Paul Toupin, prix du gouverneur général*, p. 13-14.

«...l'une des poétesse les plus attachantes de la langue française...»
«Anne Hébert est un poète de la mort, de ce qui passe et se flétrit»
«Je découvre dans *Le Tombeau des rois* toute une mythologie d'adolescence qui n'est pas sans charmes»

32. (Anonyme) in *Ecclesia* (Paris), (annonce *Poèmes*).

Mai 1961:

33. Alceste ... in *Revue de l'Université Laval* (Québec), *Notes bibliographiques.*

annonce *Poèmes*. «...son verbe exempt de l'hermétisme à la mode dans nos petits cercles 'poétiques'...»

Juillet 1961:

34. Sylvestre, Guy, in *University of Toronto Quarterly*, No. 4, p. 473-484. *Livres en français. La poésie.* (Très général, sur plusieurs poètes).

Octobre 1961:

35. Chamberland, Paul, in *Lectures* (Paris), p. 39-41.
«L'auteur nous propose une lucidité que n'est pas loin d'être cruelle»

Evaluation de l'accueil fait à *Poèmes:*

A — *Pays:* la France, le Canada (le Québec et l'Ontario), la Belgique, la Suisse, la Hollande et les U.S.A.

B — *Quantité:*(voir ci-haut, d'un mois à l'autre, avec maximum à la rentrée en septembre 1960) reflète le désintéressement du public à l'égard de la poésie et pourquoi Anne Hébert se consacre exclusivement au roman.

C — *Qualité:* incontestablement supérieure, sauf pour les commentaires relatifs aux *Enfants du sabbat*. Le public de la poésie est sans doute plus restreint mais aussi plus averti que celui du roman.

D — *Résumé:* les commentaires sont divisés entre les deux recueils. Le premier ne ressemble à personne, et cela déroute les moins aventuriers; le second est comparé à Péguy et à Saint-John Perse, et cela rassure.

E — *Importance:* Les lecteurs de la poésie d'Anne Hébert trouveront ici des remarques fort pertinentes; les jeunes chercheurs y verront un éventail nouveau et susceptible de les éclairer.

La publication du *Tombeau des rois* (recueil de poèmes, préface de Pierre Emmanuel), Québec, Institut littéraire du Québec, 1953, 78 p. (épuisé) avait suscité onze commentaires (huit en 1953 et trois en 1954) antérieurs à la publication de *Poèmes*, Seuil, 1960, voir Pagé, *op. cit.*, p. 183-184. Aucun de ces commentaires n'est plus important ou prestigieux que ceux que nous avons recueillis en France.

III *Le Torrent*. Paris, Seuil, 1965.

Février 1965:

1. Simon, Pierre-Henri, in *Le Monde* (Paris), le 10 février.

«*Le Torrent* est sous forme de récit, un poème de l'angoisse et de la perdition.»

2. Frère, Maud, in *Le Soir* (Marseille), le 11 février. Sous-titre «Les personnages démunis.»
3. S. d. V., in *La Libre Belgique* (Bruxelles), le 12 février.
4. Sinoir, Mariel, in *Nouvelles littéraires* (Paris), le 17 février.
5. Sinoir, Mariel, in *Nouvelles littéraires* (Paris), le 18 février.

   «L'auteur a un sens étonnant des forces obscures et de l'irrémédiable.»

6. Jr., in *Gazette de Lausanne*, le 19 février.
7. (Anonyme) in *Le Ligueur* (Bordeaux), le 26 février.
8. Blanc, Aimé, in *PTT Informations* (Paris).

Mars 1965:

9. *Arts* (Paris), du 3 au 9 mars. Un entretien avec Christian Dedet.
10. Schmidt, Albert-Marie in *Réforme* (Paris), le 6 mars.

    «La *femmeraie* d'Anne Hébert...»

11. Herlemont, Maurice, in *Le Peuple* (Paris), le 9 mars.
12. Viatte, Auguste, in *La Croix* (Paris), le 12 mars.
13. Bonnier, Henry, in *Le Provençal* (Marseille), le 14 mars.
14. P. B., in *Le Bulletin des lettres* (Paris), le 15 mars.
15. Amica, J., in *Avenir du Luxembourg*, le 19 mars.
16. Roux, Geneviève, in *Lumière* (Paris), le 22 mars.

    «...L'impossible épanouissement du cœur dans la société actuelle.»

17. Bonnier, Henry, in *Dépêche du Midi* (Toulouse), le 23 mars.

Avril 1965:

18. (Anonyme) in *Bulletin critique du livre français* (Paris).

    «Ces six nouvelles représentent des vies manquées...»

19. Audejean, Christian, in *Esprit* (Paris), *Librairie du mois*, p. 788-789.
20. Givot, Bernard, in *Figaro littéraire*, le 22 avril.
21. Maunick, Edouard, in *Les Bonnes Feuilles* (O.R.T.F. Paris), no 16, le 28 avril.

    Le bulletin des programmes est diffusé
    15 pages africaines
    Bande CL498 — durée 12'05

Interview de Anne Hébert
Poème de Anne Hébert

22. Prévost, J.-L., in *Lettres et lectures* (Paris).

«Six nouvelles composées de 1939 à 1963. (...) la première, *Le Torrent*, qui donne son titre au recueil, ne nous semble pas la meilleure, à cause de sa dureté excessive et d'une certaine bizarrerie.»

Mai 1965:

24. Guillaume, Michel, in *Lettres françaises* (Paris), le 6 mai.
25. (Anonyme) in *Notes bibliographiques* (Université de Paris).

«...destins lamentables, vies sans amour qui mènent à la révolte ou au suicide.»

Juin 1965:

26. Conord, P., in *Centre Protestant d'Etudes et de Doc.* (Paris). (2 lignes)

Juillet 1965:

27. J. C., in *Le Figaro littéraire* (Paris), 8-14 juillet.
28. Mergeai, Jean, in *Reflets du Luxembourg.*
29. (Anonyme) in *Journal de Genève*, le 31 juillet, p. 3.

Août 1965:

30. (Anonyme) in *Modes et travaux* (Paris), Note 1 «Ce livre n'est pas à mettre entre toutes les mains.»

Octobre 1965:

31. F. P., in *Les Livres* (Paris).
32. (Anonyme) in *Dakar Matin* (Sénégal), no 1193. (13 lignes).
33. (Anonyme) in *Culture française* (Paris), no 2.

«Ses contes ne sont pas inférieurs à ses vers.»

Evaluation de l'accueil fait à *Torrent*

A — *Pays:* la France, la Belgique, la Suisse, le Luxembourg et le Sénégal.

B — *Quantité:* (voir ci-haut, d'un mois à l'autre, avec durée globale de six mois) une grande maison d'édition peut compter sur une trentaine de collaborations. *Le Torrent* est passé très vite sous les yeux d'un public indifférent.

C — *Qualité:* fortes réserves de la part des commentateurs, rapide jugement moral et désintéressement. La qualité négative de plusieurs commentaires en dit long sur la carrière difficile de ce recueil de contes: «Adultes» (voir 22), et une suggestion de censure: «Ce livre n'est pas à mettre entre toutes les mains» (voir 30).

D — *Résumé:* bilan relativement négatif.

E — *Importance:* l'accueil du *Torrent* en France, en 1965, se doit d'être d'un intérêt tout particulier en ce que l'esthétique vengeresse d'Anne Hébert prend ses racines dans ce recueil de contes, plus particulièrement dans le mieux connu de nos jours, le premier, intitulé: *Le Torrent*. Une œuvre écrite plus de vingt ans avant sa publication en France, suscite dans ce pays pourtant sensibilisé, on dirait, aux audaces littéraires, des prises de positions reflétant un malaise évident. Que dire alors de la réaction au Québec, où l'auteur mit cinq ans à faire imprimer le livre à ses frais, où la réédition en 1963 (reprise en 1976), marque la dernière œuvre de l'auteur à être impimée au Canada.

Effectivement, *Le Torrent* est un récit dans lequel se trouvent tous les types, femmes et hommes, dans cet ordre, sauf pour l'ingénue, qui figureront dans les romans du même auteur. En comparaison avec le succès démesuré de *Kamouraska*, il faut croire qu'il manque dans le récit une histoire d'amour. Des recherches intéressantes ont été menées au Québec autour du récit, et les universitaires québécois ont largement rectifié ce que le grand public avait mal compris.

Le Torrent (écrit hiver-printemps 1944-45), publié d'abord, à compte d'auteur, Montréal, Editions Beauchemin, 1950, 171 p. (épuisé); deuxième édition augmentée de *Un grand mariage* et *La Mort de Stella*, Montréal, Editions H.M.H. Ltée., 1963, 256 p. ; troisième édition, Paris, Seuil, 1965, avait suscité quatorze commentaires (neuf en 1950, trois en 1951, un en 1953 et un en 1954) lors de la première édition, et neuf, tous en 1964, lors de la deuxième édition. La troisième édition représente l'introduction en France du recueil de contes ainsi que les trente-trois titres et commentaires en liste ci-haut.

DEUXIEME PARTIE

Anne Hébert en France: *Kamouraska* et *Les Enfants du sabbat.*

IV *Kamouraska, roman*. Paris, Seuil, 1970, 3e TRIM.

Septembre 1970:

1. Ganne, Gilbert, in *Aurore* (Paris), le 1er septembre.
2. Fauchereau, Serge, in *La Quinzaine Littéraire* (Paris), le 1er septembre.
3. Kyria, Pierre, in *Combat* (Paris), le 3 septembre.
4. Norin, Luc, in *Le Soir* (Marseille), le 3 septembre.
5. (Anonyme) in *Le Figaro littéraire* (Paris), le 10 septembre.
   «un très beau roman».
6. (Anonyme) in *Les Echos* (Paris), le 11 septembre.
7. Le Marchand, Jean, in *Le Nouveau Journal* (Paris), le 12 septembre.
8. (Anonyme) in *Le Républicain lorrain* (Metz) le 12 septembre. (allusion à A. H.).
9. (Anonyme) in *L'Actualité* (Paris), le 14 septembre.
10. Kanters, R., in *Le Figaro littéraire* (Paris), le 14 septembre.
    «Une cousine canadienne de Thérèse Desqueyroux? C'est à cela que l'on pense d'abord...»
    «...on croit comprendre qu'il y a eu, à un moment de sa carrière, une sorte de durcissement de son inspiration, lié peut-être à la difficulté de réaliser sa vie de femme. (...) *Kamouraska*, en tout cas, pourrait confirmer cette vie...»
11. H. B., in *Dépêche* (Toulouse), le 15 septembre (prix).
12. Aron, Roger, in *Le Figaro* (Paris), le 16 septembre.
13. Jarderi, Claudine, in *Le Figaro* (Paris), le 16 septembre.
14. Aron, Roger, in *France-Soir* (Paris), le 16 septembre.
    «...une histoire de fureur et de neige»
    «la réussite est parfaite».
15. (Anonyme) in *La Voix de l'est* (Alfortville), le 17 septembre.
16. (Anonyme) in *Le Soleil* (Québec), le 18 septembre.
17. (Anonyme) in *La Cité* (Bruxelles), le 20 septembre.
18. Lalou, Etienne, in *Express* (Paris), le 20 septembre.
    «Au tribunal de sa conscience, comparaissent les différents

témoins du procès...»

19. (Anonyme) in *Le Figaro littéraire* (Paris), le 20 septembre. (prix littéraire).

20. (Anonyme) in *Journal du dimanche* (Paris), le 20 septembre.

«Un avertissement aux futurs lecteurs de ce roman de qualité: ce n'est que vers la page 56 que l'intérêt s'éveille.»

21. (Anonyme) in *Le Méridional — La France* (Marseille), le 20 septembre.

«...une allure et une santé toutes canadiennes».

22. (Anonyme) in *Le Petit Journal* (Montréal), le 20 septembre.

23. (Anonyme) in *Normandie matin*, le 22 septembre.

24. (Anonyme) in *Le Nouvelliste* (Trois-Rivières, Québec), le 22 septembre.

25. (Anonyme) in *The Montreal Star*, le 22 septembre.

26. (Anonyme) in *La Presse* (Montréal), le 23 septembre.

27. (Anonyme) in *L'Information corse*, le 24 septembre.

28. (Anonyme) in *Minuit* (Paris), le 24 septembre.

29. Nourrissier, Françoise, *Nouvelles littéraires* (Paris), le 24 sept.

«Elle est moins prisonnière du folklore que ses prédécesseurs de quelques années, tout autant qu'eux enracinée, elle accepte peut-être mieux les exigences d'une forme adaptée aux recherches.»

«...nous nous trouvons devant un style fort, riche, mais qui manque un peu d'économie.»

30. Lagace-Tournois, L., in *Carnet* (Paris), le 26 septembre.

«La romancière canadienne avait lu dans les archives qu'un certain Antoine Tassy avait été assassiné en 1839.

«J'ai imaginé le reste», dit elle.»

31. (Anonyme) in *L'Actualité* (Paris), le 28 septembre.

«Au XIXe siècle, deux amants terribles. La violence et la démesure de la passion romantique.»

32. (Anonyme) in *Photo-Journal* (Montréal), le 28 septembre.

33. (Anonyme) in *Le Méridional La France* (Marseille), le 29 sept.

34. (Anonyme) in *Le Lac St-Jean* (Québec), le 30 septembre.

35. Norin, Luc, in *Le Soir* (Marseille), le 30 septembre.

36. Juin, Hubert, in *Lettres françaises* (Paris), le 30 septembre.

37. Lacôte, René, in *Littérature*, le 30 septembre.

38. in *Châtelaine* (Montréal), vol. II, 9 septembre (extrait de *Kamouraska*, p. 28, 78, 80, 81, 82).

39. Rosset, Pierres, in *Signature* (Paris).
40. (Anonyme) in *Vient de parraître* (Montréal).

Octobre 1970:

41. Bosquet, Alain, in *Le Monde* (Paris), le 3 octobre.

«Le thème est celui d'une longue comparaison entre deux agonies dans l'esprit d'une femme mûre.»

42. Valbert, Gérard, in *Radio Suisse Romande*, Lausanne, 3-17 octobre. (revue des livres — radio — *Kamouraska* le 10 octobre).
43. (Anonyme) in *L'Actualité* (Paris), le 4 octobre.

«cet amour littéralement fou et de la description de la haine...»

44. (Anonyme) in *Elle* (Paris), le 5 octobre.

«Des «plus-que-femmes».»

45. (Anonyme) in *L'Aurore* (Paris), le 6 octobre. (Prix Goncourt!).
46 O.R.T.F., Emissions vers l'étranger. *K*, le 6 octobre. Bobineau 58E 806.
47. (Anonyme) in *L'Action* (Québec), le 7 octobre.
48. (Anonyme) in *L'Humanité* (Paris), le 7 octobre. (parmi 9 livres considérés pour le prix Goncourt).
49. (Anonyme) in *Libération-Champagne* (Troyes), le 7 octobre.
50. (Anonyme) in *L'Union* (Paris), le 7 octobre.
51. (Anonyme) in *Le Soir illustré* (Bruxelles), le 8 octobre.
52. (Anonyme) in *L'Argus des collectivités* (Paris), le 9 octobre. (annonce *K*.).
53. (Anonyme) in *L'Espoir de mai* (Paris), le 9 octobre.
54. (Anonyme) in *L'Eventail* (Bruxelles), le 9 octobre.
55. (Anonyme) in *La Libre Belgique* (Bruxelles), le 9 octobre.
56. (Anonyme) in *Minute* (Paris), le 10 octobre.
57. (Anonyme) in *Le Provençal-dimanche* (Marseille), le 11 octobre.

«Une tragédie de l'amour fou.»

58. (Anonyme) in *Le Berry* (Bourges), le 15 octobre.
59. D.A.-A., in *Bulletin des lettres* (Paris), le 15 octobre.
60. (Anonyme) in *La Dépêche du Midi* (Toulouse), le 15 octobre.
61. (Anonyme) in *Pourquoi pas* (Bruxelles), le 15 octobre.
62. (Anonyme) in *Gazette litt.* (Montréal), le 18 octobre.
63. (Anonyme) in *L'Aurore* (Paris), le 20 octobre.

64. (Anonyme) in *Minute* (Paris), le 21 octobre. (Toujours rumeurs Goncourt).
65. (Anonyme) in *L'Education* (Paris), le 22 octobre.
66. (Anonyme) in *Le Provençal* (Marseille), le 22 octobre.
67. Humbourg, Denise, in *Chronique de la vie parisienne*, le 23 octobre.

«Une histoire d'amants diaboliques qui baigne dans le sang et la neige de l'hiver canadien.»

68. (Anonyme) in *Le Petit Varois* (Toulon), le 25 octobre.
69. (Anonyme) in *Voix du Nord* (Lille), le 25 octobre.
70. Billy, André, in *Le Figaro* (Paris), le 26 octobre.

«*Kamouraska*... est un chef-d'œuvre.»

71. Whipp, Betty, in *Journal de Genève*, le 28 octobre.
72. (Anonyme) in *Pourquoi pas?* (Bruxelles), le 29 octobre. (Prix).
73. F. R., in *A.C.G.F.* (Paris), *Bibliothèques françaises*. Notes bibliographiques.

«Adultes de bon jugement et culture.»

74. J.L.M., in *Galerie des arts* (Paris).
75. X. G., in *Le Cri du monde* (Paris), no 47, p. 57.
76. Marissel, André, in *Esprit* (Paris), p. 655.

«Ce personnage d'Elisabeth, on ne l'oubliera pas de sitôt. Pas plus que l'on n'oublie les vers d'Anne Hébert. *Kamouraska* — histoire de fureur et de neige —, c'est là assurément une haute et durable flamme de poésie.»

77. (Anonyme) in *Loisirs et culture* (Azé, Saône-et-Loire).
78. Perret, Françoise, in *Marie-France* (Paris), *La course aux prix littéraires...*
79. (Anonyme) in *Match* (Paris).
80. (Anonyme) in *Modes et travaux* (Paris).
81. Arnothy, Christine, in *Parisien libéré*.
«*Kamouraska* m'a paru ennuyeux, poussiéreux et verbeux.»

81. (Anonyme) in *Votre beauté* (Paris).

Novembre 1970:

82. (Anonyme) in *Nice-matin*, le 1er novembre.
83. Viatte, Auguste, in *La Croix* (Paris), 1-2 novembre.
84. de Conninck, Marie-Claire, in *Vers l'avenir* (Paris), le 2 nov.
85. (Anonyme) in *Minute* (Paris), le 9 novembre, (concours & prix).

86. (Anonyme) in *Montréal-matin*, le 9 novembre.
87. (Anonyme) in *Montréal-matin*, le 10 novembre.
88. R. R., in *Télérama* (Paris), le 9 novembre.
89. Gilles, Serge, in *France Nouvelle* (Paris), le 11 novembre, no 1305.
90. (Anonyme) in *Télérama* (Paris), le 14 novembre.
91. (Anonyme) in *La Suisse* (Genève), le 17 novembre.
92. (Anonyme) in *Le Figaro* (Paris), le 19 novembre.
93. Chamberlin, Annette, in *Paris Normandie* (Rouen), le 20 nov.
«La violence au cœur.»
94. (Anonyme) in *Le Figaro* (Paris), le 23 novembre, (prix).
95. (Anonyme) in *Combat* (Paris), le 24 novembre.
96. (Anonyme) in *Le Gatineau* (Québec), le 25 novembre.
97. (Anonyme) in *Portneuf Presse* (Québec), le 26 novembre.
98. (Anonyme) in *The Gazette* (Montréal), le 28 novembre.
99. (Anonyme) in *Cahiers littéraires* (O.R.T.F. Paris).
100. (Anonyme) in *Les Lettres et les Arts* (Paris).
«Mme Bovary au Canada».
101. (Anonyme) in *Panorama aujourd'hui* (Paris), no 74.
102. (Anonyme) in *Permelle* (Tourcoing, Nord), no 38.
103. (Anonyme) in *Plaisir de France* (Paris).
104. Bodart, Marie-Thérèse, in *Synthèses* (Templeuve, Nord), (6 pages).
105. G. in *Techniques nouvelles.*

Décembre 1970:

106. (Anonyme) in *L'Aurore* (Paris), le 1er décembre. (Une voix au Prix Fémina).
107. (Anonyme) in *Les Lettres françaises* (Paris), le 1er décembre. (Prix)
108. Kattan, Naïm, in *La Nouvelle Revue française* (Paris), le 1er décembre.
«Dans *Kamouraska*, un homme et une femme opposent à une nature écrasante la folie de leur amour. (...) Il s'allie à tout ce qui est maléfique dans la nature et dans la société. (...) Mais le Nord est là et sa cruauté folle rien ne résiste, même la fureur de l'amour.»
109. (Anonyme) in *Le Nouvelliste* (Trois-Rivières, Québec), le 1er décembre.

110. (Anonyme) in *Presse Orléans*, le 1er décembre.
111. (Anonyme) in *Pourquoi pas?* (Bruxelles), le 1er décembre.
112. *Archives du temps présent*, semaine 48, le 1er décembre.
«Interview d'Anne Hébert par Monique Baile» et «Lecture d'un extrait de *Kamouraska*. Durée 10'00, élément sonore no 2.»
113. (Anonyme) in *Echo Vedettes* (Montréal), le 5 décembre.
114. (Anonyme) in *Le Figaro* (Paris), le 6 décembre. (Prix).
115. (Anonyme) in *Journal* (Maroc), le 6 décembre.
116. (Anonyme) in *Le Figaro* (Paris), le 7 décembre.
117. Y. J., in *L'Aurore* (Paris), le 8 décembre (Déom l'emporte).
118. (Anonyme) in *Le Droit* (Ottawa), le 8 décembre.
119. (Anonyme) in *Feuille d'avis de Lausanne*, le 8 décembre, (4 voix pour *K.*).
120. (Anonyme) in *Le Figaro* (Paris), le 8 décembre. (Prix — «Déom l'emporte d'une courte tête»).
121. (Anonyme) in *France Soir* (Paris), le 8 décembre. (Prix).
122. Davaine, André, in *L'Humanité* (Paris), le 8 décembre. (Prix).
123. P. M., in *Le Monde* (Paris), le 8 décembre.
«Le Prix Interallié à Michel Déom pour «Les Poneys sauvages»... au troisième tour de scrutin, par six voix contre quatre à la romancière canadienne Anne Hébert pour *Kamouraska.*»
124. (Anonyme) in *Montréal-Matin*, le 8 décembre.
125. Bellanger, Claude, in *Parisien lib.*, le 8 décembre.
(Michel Déom: Prix Interallié 1970, 6 voix contre 4 pour A. H.)
126. (Anonyme) in *La Presse* (Montréal), le 8 décembre.
127. (Anonyme) in *La Tribune* (Sherbrooke, Québec), le 8 décembre.
127. (Anonyme) in *Femmes d'aujourd'hui* (Paris), le 9 décembre.
129. (Anonyme) in *Le Guide* (Beauce, Québec), le 10 décembre.
130. (Anonyme) in *Feuille d'avis de Neuchâtel*, le 11 décembre.
131. (Anonyme) in *L'Action* (Québec), le 12 décembre.
132. J.-L. G., in *La Montagne dimanche* (Toulouse), le 13 décembre.
«C'est un grand art.»
133. Fabre-Luce, Anne, in *La Quinzaine* (Paris), le 15 décembre.
«Le livre d'A. H. (...) impitoyable en face de la lâcheté intérieure qui permet aux valeurs traditionnelles de l'emporter sur la force des passions.»
134. Reton, Anne, in *Quinze jours* (Lyon), le 15 décembre.
135. Tirot, Daniel, in *Ouest France* (Nantes), le 16 décembre.
136. (Anonyme) in *Cultureel supplement* (Hollande), le 18 décembre.

137. (Anonyme) in *La Croix dimanche* (Lille), le 20 décembre.
138. Barde, Jacqueline, in «Prix des Maisons de la Presse», le 22 décembre.
139. (Anonyme) in *Le Drapeau rouge* (Bruxelles), le 25 décembre.
140. Blaisy, Quentin, dans *Valeurs actuelles* (Paris), le 27 décembre.
141. (Anonyme) in *Bulletin critique du livre français* (Paris), no 199.
142. P. D., in *Les Choses culturelles.*
143. P. K., in *Combat* (Paris), Noël.
144. (Anonyme) in *Culture française* (Paris), no 4, hiver.
145. (Anonyme) in *Femmes d'aujourd'hui* (Paris).
146. (Anonyme) in F.M.P. *Mutualité* (Paris).
147. (Anonyme) in *Journal des vedettes* (Montréal).
148. (Anonyme) in *Marie-Claire* (Paris).

Janvier 1971:

149. Norin, Luc, in *Patriote illustré* (Nice), le 1er janvier.
150. F. Y., *La Vie culturelle du Nord* (Lille).
151. (Anonyme) in *Libre Belgique* (Bruxelles), le 8 janvier.
152. (Anonyme) in *La Tribune* (Sherbrooke, Québec), le 8 janvier. (allusion indirecte à A. H.).
153. (Anonyme) in *Le Petit Journal* (Montréal), le 17 janvier.
154. Sion, George, in *Le Phare dimanche* (Saint-Martin-de-Ré, Charente-Maritime), le 17 janvier.
155. L. K., in *Luxembourg nord*, le 28 janvier.
156. (Anonyme) in *Rencontres* (Paris).
157. (Anonyme) in *Revue de mercerie* (Paris).
158. Lannoy, Françoise, in *L'Eventail* (Bruxelles), le 29 janvier.
159. L. K., in *Luxembourg*, le 29 janvier.

Février 1971:

160. Louvet, R., in *Le Courrier de la Platz*, 9-15 février.
161. (Anonyme) in *Elle* (Paris), le 15 février.
162. (Anonyme) in *Le Droit* (Ottawa), le 27 février.
163. (Anonyme) in *Mobilier-décoration* (Paris).

Mars 1971:

164. (Anonyme) in *L'Alsace* (Mulhouse), le 2 mars.
165. (Anonyme) in *Aurore* (Paris), le 2 mars. (Prix Lib.).
166. (Anonyme) in *La Charente libre* (Angoulême, Charente), le 2 mars. (Prix).

167. (Anonyme) in *Le Courrier de l'ouest* (Angers, Maine-et-Loire), le 2 mars.
168. (Anonyme) in *Les Dépêches* (Toulouse), le 2 mars.
169. (Anonyme) in *Le Devoir* (Montréal), le 2 mars.
170. (Anonyme) in *Les Echos* (Paris), le 2 mars. (Prix).
171. (Anonyme) in *L'Eclair* (Nantes), le 2 mars.
172. (Anonyme) in *L'Espoir* (Cambrai, Nord), le 2 mars. (Prix).
173. (Anonyme) in *L'Est-éclair* (Froye, Aube), le 2 mars.
174. (Anonyme) in *Le Figaro* (Paris), le 2 mars. (Prix).
175. (Anonyme) in *L'Est-éclair* (Troye, Aube), le 2 mars.
174. (Anonyme) in *Le Figaro* (Paris), le 2 mars. (Prix).
175. (Anonyme) in *La France de Bordeaux*, le 2 mars.
176. (Anonyme) in *Haute-Marne libérée* (Chaumont, Haute-Marne), le 3 mars. (Prix).
177. (Anonyme) in *Libération Champagne* (Troyes, Aube), le 2 mars.
178. (Anonyme) in *Le Maine libre* (Le Mans, Sarthe), le 2 mars.
179. (Anonyme) in *Le Monde* (Paris), le 3 mars. (Prix).
180. (Anonyme) in *Montréal-matin,* le 2 mars. (Prix).
181. (Anonyme) in *La Nation* (Paris), le 2 mars.
182. (Anonyme) in *Nice-matin* (Nice), le 2 mars.
183. (Anonyme) in *Le Parisien*, le 2 mars. (Prix).
184. (Anonyme) in *Le Populaire du Centre* (Limoge), le 2 mars. (Prix).
185. (Anonyme) in *La Presse de la Manche* (Cherbourg), le 2 mars.
186. (Anonyme) in *La Presse* (Montréal), le 2 mars.
187. (Anonyme) in *Presse Orléans* (Nantes), le 2 mars.
188. (Anonyme) in *Le Provençal* (Marseille), le 2 mars.
189. (Anonyme) in *La Nouvelle République de Centre Ouest* (Tours), le 2 mars.
190. (Anonyme) in *La Croix* (Paris), le 3 mars. (Prix).
191. (Anonyme) in *France Soir* (Paris), le 3 mars. (Prix).
192. (Anonyme) in *Le Journal de la commère*, le 3 mars.
193. (Anonyme) in *La Liberté du Morbihan* (Lorient, Morbihan), le 3 mars.
194. (Anonyme) in *Le Monde* (Paris), le 3 mars.
195. (Anonyme) in *Les Dernières nouvelles d'Alsace* (Strasbourg), le 4 mars.
196. Stil, André, in *L'Humanité* (Paris), le 4 mars.
197. (Anonyme) in *Normandie matin* (Evreux), le 4 mars.
198. (Anonyme) in *Le Soleil* (Québec), le 4 mars.
199. (Anonyme) in *Les Echos* (Paris), le 5 mars.
200. (Anonyme) in *L'Epicerie française* (Paris), le 6 mars.
201. Moustiers, Pierre, in *Nice-matin* (Nice), le 7 mars.

202. (Anonyme) in *Elle* (Paris), le 8 mars.
(A. H. finaliste en tête de la première tranche pour le «Grand prix» 1971 des lectrices d'*Elle*).
203. Guye, Simone, in *La Suisse* (Genève), le 14 mars.
«...une grande romantique...»
204. (Anonyme) in *Nouvelles littéraires* (Paris), le 11 mars.
205. (Anonyme) in *Le Soir* (Marseille), le 17 mars.
206. Réaud, Nina, in *L'Ouest médical* (Paris), le 25 mars.
«Un très beau livre puissamment écrit.»
207. Vermeulen, Marcel, in *Le Soir* (Bruxelles), le 27 mars.
(Prix littéraire hors de France).
208. (Anonyme) in *Eléments de biblio* (Paris).
209. (Anonyme) in *Les Livres* (Paris).
(Le Prix des libraires pour *K.*).

Avril 1971:

210. (Anonyme) in *Populaire du centre* (Limoges), le 5 avril.
211. (Anonyme) in *Limoges*, le 6 avril.
(Prix des libraires pour *K.*).
212. Leharre, F., in *Centre-Presse* (Brives, Corrèze), le 7 avril.
(Prix des libraires).
213. (Anonyme) in *Limoges matin*, le 7 avril. (Prix).
214. (Anonyme) in *Echo du Centre* (Limoges), le 8 avril.
215. (Anonyme) in *Le Soir* (Bruxelles), le 16 avril.
216. (Anonyme) in *La Presse* (Montréal), le 17 avril.
(*K.* 2ième des best-sellers de la semaine).
217. Micheloud, Pierrette, in *Gazette littéraire* (Montréal), le 18 avril.
218. (Anonyme) in *Libelle-Rosita* (Anvers), le 26 avril.
219. Ethier-Blais, Jean, in *Le Devoir* (Montréal).
220. (Anonyme) in *Le Populaire du Centre* (Limoges), le 20 avril.
221. (Anonyme) in *Femmes d'aujourd'hui* (Bruxelles), le 21 avril.
222. (Anonyme) in *Nice matin* (Nice), le 28 avril.
(*Jeanne* Hébert, Prix).
223. (Anonyme) in *Nuevos libros.*
224. (Anonyme) in *Bulletin du livre* (Paris), no 187.
225. Benoît, Gérard, in *Sud-ouest* (Bordeaux). (interview).

Mai 1971:

226. Champury, E., in *Construire* (Paris), le 5 mai.

«L'amour et le sang...»

227. (Anonyme) in *La Dernière Heure lyonnaise*, le 15 mai.

228. (Anonyme) in *Montréal-matin*, le 29 mai.
(3e festival du livre de Nice).

Juin 1971:

229. (Anonyme) in *Le Soleil* (Québec), le 3 juin. (Prix).

230. (Anonyme) in *Le Progrès régional* (Chicoutimi, Québec), le 9 juin. (Prix).

231. (Anonyme) in *La Tribune*, le 18 juin. (Prix).

232. (Anonyme) in *Montréal-matin*, le 20 juin.

233. (Anonyme) in *Buchet Report*,
(Déplacements et signatures de A. H. après le Prix des libraires 1971. 19-20 mars Bruxelles (Foire du livre), interviews TV, radio, journaux, Grenoble 1er avril, Limoges 6 avril, Lisieux 21 avril, Nantes 27, 28, 29 avril, Lyon 13 mai, Angers 16-18 mai, Rennes 19 mai, radio, télé, journaux.).

234. Bordaz, Robert, in *Revue des deux mondes* (Paris), p. 618-621.
«Anne Hébert a construit un récit où la passion s'exprime avec une totale absence d'hypocrisie», p. 618.

Juillet 1971:

235. (Anonyme) in *Femmes d'aujourd'hui* (Paris), le 7 juillet.
«L'étonnant, le farouche *Kamouraska*».

236. (Anonyme) in *Nouvelles littéraires* (Paris), le 9 juillet.

237. (Anonyme) in *Les Echos* (Paris), le 9 juillet.
«Un roman romantique, mais aussi violent, cruel et d'une poésie sauvage qui nous vient du Canada.»

238. (Anonyme) in *Le Havre*, le 22 juillet.

239. Kiesel, Frédéric, in *La Cité* (Bruxelles), le 31 juillet. (Prix Habit 1971).

240. (Anonyme) in *Détente médicale* (Paris), juillet-août.

241. (Anonyme) in *Livres, Détente* (Paris), juillet-août.
«Un chef-d'œuvre.»

Août 1971:

242. (Anonyme) in *Elle* (Paris), le 26 août.
(Plusieurs pages de *Livres à lire cette semaine*).

Septembre 1971:

243. (Anonyme) in *France soir* (Paris), le 1er septembre.
244. (Anonyme) in *La Presse* (Montréal), le 4 septembre.
Les Best-sellers de la semaine.
«3. *K.*, 48e semaine».
245. B.N.F., in *La Vigie marocaine* (Casablanca), le 5 septembre. (*K.* — plus de 100,000.).

Octobre 1971:

246. Piron, Maurice, in *Revue française* (Paris).

Novembre 1971:

247. (Anonyme) in *Le Phare* (Saint-Martin-de-Ré, Charente-Maritime), le 21 novembre.
248. (Anonyme) in *Ouest-France* (Nantes), le 30 novembre.
249. (Anonyme) in *Pourquoi* (Bruxelles).

Décembre 1971:

250. (Anonyme) in *La Nouvelle République* (Tours), le 4 décembre. (Prix).
251. Ph. P., in *Courrier de l'Ouest* (Angers), le 15 décembre.
252. (Anonyme) in *Nouvelle République Centre-ouest* (Tours), le 15 décembre.
253. (Anonyme) in *Bulletin bibliographique des armées* (Paris), le 21 décembre.
254. Jourdan, Bernard, in *L'Ecole et la vie* (Montréal).

«Les lecteurs canadiens y trouveront une intention publique peu accessible au lecteur français.»

Février 1972:

255. (Anonyme) in *Le Grand Journal illustré* (Montréal), le 21 février.
256. Jourdan, B., in *Les Livres* (Paris).

«Le coche est bourgeois, mais l'aventure est passionnelle.»

Mars 1972:

257. (Anonyme) in *La Suisse* (Genève), le 17 mars. (Le Prix des libraires).

Avril 1972:

258. (Anonyme) in *Die Welt* (Essen), le 5 avril.
259. (Anonyme) in *Le Droit* (Ottawa), le 15 avril.

Juillet 1972:

260. Duval, M. in *Combat* (Paris), le 3 juillet.

Août 1972:

261. (Anonyme) in *Samedi-dimanche* (Valleyfield, Québec), le 5 août. (le film).
262. (Anonyme) in *Le Parisien libéré* (Paris), le 12 août. (film).
263. (Anonyme) in *L'Echo de Frontenac* (Lac Mégantic, Québec), le 16 août. (film).
264. (Anonyme) in *Le Droit* (Ottawa), le 22 août.

Avril 1973:

265. Bruneau, Roger, in *Action* (Québec), le 7 avril.

Mai 1973:

266. (Anonyme) in *France soir* (Paris), le 15 mai. (film).
267. (Anonyme) in *La Presse* (Montréal), le 21 mai.
267. (Anonyme) in *Actualité* (Montréal), (film).

Octobre 1973:

268. (Anonyme) in *Vers l'avenir* (Belgique), le 5 octobre. (film).

Novembre 1973:

269. (Anonyme) in *Le Journal de Québec*, le 30 novembre. (annonce traduction en anglais).

Janvier 1974:

270. Remy, Stéphane, in *Rencontres* (Paris).

Février 1974:

271. Réaud N., in *Vie des bois.*

Novembre 1974:

272. (Anonyme) in *Aurore* (Paris), le 26 novembre. (film).

Décembre 1974:

273. (Anonyme) in *Le Monde* (Paris), 29-30 décembre.
274. (Anonyme) in *Le Nouvel Observateur* (Paris), le 30 décembre. (film).

Janvier 1975:

275. (Anonyme) in *France soir* (Paris), le 12 janvier. (film).

Juillet 1975:

276. (Anonyme) in *Journal de Montréal*, le 10 juillet. «*Kamouraska: un flop monumental*» selon UPI. (Le film aux U.S.A.).

Evaluation de l'accueil fait à Kamouraska:

A — *Pays:* la France, le Québec, l'Allemagne, la Belgique, l'Espagne, la Hollande, le Maroc, la Suisse.

B — *Quantité:* (voir ci-haut, d'un mois à l'autre, avec trois montées en flèche: la première en octobre 1970, rentrée et publication du roman le mois précédent, 42 titres; la seconde en décembre 1970, course aux prix littéraires, 43 titres; la troisième en mars 1971, *Prix des libraires* attribué à Anne Hébert; le film du même nom contribuera à susciter des commentaires, mais à toute fin pratique, l'intérêt tombe en moins de quelques mois) 209 commentaires sur 276 paraissent dans les premiers six mois. Le roman atteindra les 100,000 exemplaires pendant l'été 1971, c'est-à-dire moins d'un an après sa publication. On notera que *Kamouraska* est la première œuvre à vraiment déclencher un débordement, un véritable déluge de collaborations dans un très grand nombre de journaux et de revues. De plus, c'est aussi la première œuvre à connaître des sursauts, voire des dépassements, après la première ferveur (plus ou moins obligatoire pour les journalistes), et à illustrer ce que représente le grand succès auprès d'un grand public. Les côtés négatifs, les réserves face à une critique sur commande, les fictions des courses aux grands prix littéraires, rien ne peut éclipser le fait que *Kamouraska* a connu un départ absolument sensationnel.

C —*Qualité:* la qualité des commentaires est généralement fort décevante. Quelques-uns sont adulatoires, mais la majorité tombe sous des conventions établies au début et remâchées par les autres comme s'ils n'avaient pas même lu le roman: «...qui baigne dans le sang et la neige de l'hiver canadien» (voir le no 67); «L'amour et le sang...» (voir le no 226); «...d'une poésie qui nous vient du Canada» (voir le no 237). Le sang, la neige et le Canada l'emportent et confèrent cette qualité stéréotypée, utilisée par l'écrivain en guise d'exorcisme peut-être, et de fait *Kamouraska* est d'un certain point de vue une réussite quelque peu enneigée. «Adultes de bon jugement et culture» (voir le no 73) nous met encore une fois en présence d'une suggestion de censure. «Mme Bovary au Canada» (voir le no 100), est un rapprochement à faire. «Jeanne Hébert» (voir le 222) démontre qu'à *Nice matin* on change volontiers le nom des écrivains. «*Kamouraska* m'a paru ennuyeux, poussiéreux et verbeux» (voir le no 81).

D — *Résumé: Kamouraska* est la première histoire d'amour écrite par Anne Hébert. Le grand public préfère encore les romans d'amour.

E — *Importance:* un grand succès littéraire.

V ***Les Enfants du sabbat*, roman. Paris, Seuil, 1975, 3e TRIM.**

Août 1975:

1. (Anonyme) in *France soir* (Paris), le 29 août, p. 11. (mention du roman).

Septembre 1975:

2. (Anonyme) in *La Dépêche du Midi* (Toulouse), le 1er septembre. (annonce le livre).
3. Ganne, Gilbert, et Irène Jan, in *L'Aurore* (Paris), le 2 septembre.
4. (Anonyme) in *Le Bulletin du livre* (Paris), le 5 septembre. (annonce le livre).
5. Basile, Jean, in *Le Devoir* (Montréal), le 6 septembre.
6. Martel, Reginald, in *La Presse* (Montréal), le 6 septembre.
7. Dufaux, Paule-France, in *Le Soleil* (Québec), le 6 septembre.
«...cette œuvre d'une richesse infinie...»
8. Berthier, Pierre, in *La Cité* (Bruxelles), le 7 septembre.
Sorcellerie canadienne.
«...un roman haletant, déchaîné, sordide et glorieux dont la lecture n'est certainement pas à conseiller à des «âmes pieuses

et sensibles».»

«Il faut avoir l'œil sur cet écrivain canadien.»

9. (Anonyme) in *Humanité* (Paris), le 9 septembre. (Une liste de 25 partants pour le Goncourt).

10. Poulet, Robert, in *Rivarol* (Paris), le 11 septembre.

«...on va sans discontinuer du frénétique à l'orgiaque...»

11. Cattabiani, Alfredo, in *La Starripa*, le 11 septembre.

12. Basile, Jean, in *Le Devoir* (Montréal), le 13 septembre. «*La vie bénédictine «par delà la clôture»*.

13. (Anonyme) in *Le Figaro* (Paris), le 13 septembre.

«...tableau haut en couleurs...»

14. Hébert, François, in *Le Jour* (Montréal), le 13 septembre.

«Attention, bonnes gens. Voici un roman diabolique.»

15. (Anonyme) in *Elle* (Paris), le 15 septembre.

16. Decoin, Didier, in *Nouvelles littéraires* (Paris), le 15 septembre.

«...livre terrible et d'une rare beauté...»

17. (Anonyme) in *Valeurs actuelles* (Paris), le 15 septembre.

18. Sarraute, Claude, in *Le Monde* (Paris), le 18 septembre. (Mention d'A. H.).

19. Le Quintrec, Charles, in *Ouest-France* (Nantes), le 19 septembre.

«Mme Anne Hébert s'est trompée de livre. C'est dommage car elle a du talent.»

«...Attaquée...à grosse partie et il me semble qu'elle ait perdu.»

20. (Anonyme) in *Le Devoir* (Montréal), le 20 septembre. (cite la critique): *Le Jour, Le Soleil, La Presse, Le Devoir.*

21 Decoin, Didier, in *Les Nouvelles littéraires* (Paris), le 22 sept.

«...abordent au rivage plus éloigné, plus fascinant, où règnent les âmes... C'est un fier, c'est un audacieux, c'est un excellent roman.»

22. Cousty, Paulette, in *Populaire du Centre* (Limoges), le 24 sept.

«Le livre plairait aux Anglo-Saxons qui ont plus que nous le goût de l'Invisible et de l'Etrange.»

23. Sipréot, Pierre, in *Le Figaro* (Paris), le 27 septembre. *Une nouvelle sorcière de Salem.*

24. (Anonyme) in *Le Républicain lorrain* (Metz), le 29 septembre.

«...un roman très violent et déroutant.»

25. (Anonyme) in *Marie France* (Paris).

«...Mène de main de maître son lecteur et ses bonnes sœurs d'une curiosité un peu malsaine à une angoisse oppressante.»

Octobre 1976:

26. (Anonyme) in *Nord éclair* (Roubaix, Nord), le 1er octobre. (annonce le livre).

27. Rinaldi, Angelo, in *L'Express* (Paris), le 6 octobre.

«...un roman qui en dit plus qu'il n'en raconte...»

28. Blaisy, Quentin, in *Valeurs actuelles* (Paris), le 6 octobre.

«Transposition moderne d'une histoire cent fois racontée.»

29. Jaubert, Jacques, in *Le Figaro* (Paris), le 8 octobre. (Goncourt et sélection).

30. (Anonyme) in *Le Jour* (Montréal), le 9 octobre. (Goncourt).

31. (Anonyme) in *France soir* (Paris), le 9 octobre. (Goncourt, 25 noms).

32. Lamys, Pierre, in *La Charente libre* (Perigueux, Angoulème), le 10 octobre.

«Elle fait sauter les masques avec humour mais les visages se figent.»

33. (Anonyme) in *Le Soleil* (Québec), le 10 octobre.

«Fascinant».

34. France, Peter, in *Times Literary Supplement* (New York), le 10 octobre.

35. J. V., in *Tribune de Genève*, le 10 octobre. (résumé du livre).

36. Pichéry, Alain, in *Télérama* (Paris), 11-17 octobre.

«Voici un roman où le rêve est séparé du réel en petits chapitres.»

37. Gascht, André, in *Le Soir* (Marseille), le 15 octobre.

«Mais c'est un vaudeville tragique, paré de couleurs somptueuses et démoniaques.»

38. Valmont, Jacques, in *Aspects de la France* (Paris), le 16 octobre.

«...Un traité de démonologie qu'aurait illusté Goya.»

39. Renaud, André, in *Le Droit* (Ottawa), le 18 octobre.

40. (Anonyme) in *La Presse* (Montréal), le 18 octobre.

41. Tovernier, René, in *Le Progrès* (Lyon), le 19 octobre.

«...Une étonnante histoire de possession.»

42. Viatte, Auguste, in *La Croix* (Paris), le 20 octobre. *Anne Hébert et Salem.*
43. Hupp, Philippe R., in *Républicain lorrain* (Metz), le 21 octobre. (mention du livre).
44. (Anonyme) in *Nouvelles littéraires* (Paris), le 21 octobre. (mention d'A. H.).
45. J. J., in *Le Figaro* (Paris), le 22 octobre. (Prix Goncourt — candidate).
46. Basile, Jean, in *Le Devoir* (Montréal), le 25 octobre.
47. (Anonyme) in *Journal de Montréal*, le 26 octobre.
48. (Anonyme) in *Les Livres* (Paris), le 27 octobre. *Satan au couvent.*
49. (Anonyme) in *Montréal-matin*, le 27 octobre.
50. (Anonyme) in *Le Point* (Souillac, Lot.), le 27 octobre.

«...la romancière du vertige du mal la plus originale de cette génération.»

51. (Anonyme) in *La Dernière Heure lyonnaise*, le 28 octobre.
52. Butheau, Robert, in *Presse-Océan* (Nantes), le 28 octobre.
53. Butheau, Robert, in *Le Progrès* (Lyon), le 28 octobre.
54. Vester, Suzanne de, in *La Libre Belgique* (Bruxelles), le 29 oct.

«Un livre fou qu'on ne peut qu'aimer ou rejeter.» (...)
«De fureur, de bruit, de passions dans tous les sens du mot.» (...)
«Mais le Mal s'orne ici d'une majuscule: il galope pieds fourchus.»

55. Boly, Joseph, in *4 Millions 4* (Bruxelles), le 30 octobre.
56. Le Quintrec, Charles, in *Ouest-France* (Nantes), le 30 octobre.
57. (Anonyme) in *Le Jour* (Montréal), le 31 octobre.
58. (Anonyme) in *Culture et bibliothèque pour tous* (Paris).

«Au psychiatre d'Anne Hébert — si elle en a un — de dire ce qui l'a poussé (*sic*) à écrire.»

59. Marissel, André, in *Esprit* (Paris).

«...histoire dont on peut tirer des leçons contradictoires.»

60. (Anonyme) in *Lire.*

«...si l'on tremble, c'est le plaisir.»

61. (Anonyme) in *Marie-France* (Paris).

«...un des romans les plus personnels et les plus originaux de la rentrée.»

62. Butheau, R., in *Progrès de Lyon.*

«Un roman qu'on lit avec appétit...»

Novembre 1975:

63. R. M., in *La Presse* (Montréal), le 1er novembre.
64. Goldenstein, Catherine, in *Les Fiches bibliographiques*, le 15 novembre.
«Un roman mystérieux, baigné de glace et de feu.»
65. Jan, Irène, in *Aurore* (Paris), le 17 novembre. (mention prix Goncourt).
66. Hilbert, B., in *Nouvelle République du Centre Ouest* (Tours), le 20 novembre.
«A. H. a beaucoup contribué à régénérer les valeurs culturelles au Québec. Qui s'en plaindrait.»
67. (Anonyme) in *Le Courrier de l'Ouest* (Angers), le 27 novembre.
68. (Anonyme) in *Femme pratique* (Paris).
«On s'y enlise»
69. (Anonyme) in *Le Livre canadien* (Montréal).
70. Godbout, Jacques, in *Maclean* (Montréal).
«Puise dans nos racines familières et s'en amuse;...»
71. (Anonyme) in *Magazine littéraire* no 45 *Anne Hébert réveille son pays.*
72. Miguel, André, in *Radio-France Régions* 3.
«Un roman, plein de fureur et d'effroi, de tragédie et d'humour voilés, implicités.»
73. Linze, J.-G., in *La Revue générale* (Paris).
«Je m'y suis laissé prendre, avec un très vif plaisir.»
74. Gascht, André, in *Le Soir* (Marseille), *Une étrange affaire de sorcellerie.*
«Mais c'est un vaudeville tragique, paré de couleurs somptueuses et démoniaques.»
75. Gaspard, G., in *Techniques nouvelles* (Paris), no 12.
«Un livre qui envoûte au sens le plus littéraire du mot.»

Décembre 1975:

76. (Anonyme) in *La France de Bordeaux*, le 2 décembre.
77. (Anonyme) in *Le Monde* (Paris), le 4 décembre. (prix littéraire).
78. De Latour, Bruno, in *Quotidien de Paris*, le 17 décembre.
79. (Anonyme) in *Le Soleil* (Québec), le 19 décembre.
«Beau comme une fleur vénéneuse.»

80. D. B., in *Magazine littéraire.*

«Il éclate à la fois sinistre et grandiose comme un cri qui déchire l'ordre du bien et du mal.»

81. Boisdeffre, Pierre de, in *Revue des deux mondes* (Paris), (Prix Goncourt — nom retenu).

82. (Anonyme) in *Bulletin bibliographique des armées* (Paris).

«...Comme si elle voulait à travers ses livres, exorciser les obsessions, les tabous et les brutalités refoulées de son pays. (...) C'est un mélange tout à fait envoûtant de mysticisme et d'excès païens, de naturel et de fantastique.»

83. (Anonyme) in *Bulletin critique du livre* (Paris).

«Un roman inhabituel, où le mal et le plaisir qu'il peut procurer sont les maîtres du monde et y imposent leurs lois.»

84. (Anonyme) in *La Culture française* (Paris).

«...une très grande œuvre d'un grand écrivain.»

85. (Anonyme) in *Nous* (Le Mans, Sarthe).

«Cette descente aux Enfers.»

86. (Anonyme) in *La Vie mutualiste* (Marseille), (annonce le livre).

Janvier 1976:

87. (Anonyme) in *Nouvelles littéraires* (Paris), le 29 janvier.

88. Dostie, Gaëtan, in *Le Jour* (Montréal), le 9 janvier. (allusion A. H.).

89. (Anonyme) in *Hobo-Québec* (Montréal).

90. Christine, in *Mainmise* (Montréal).

«Ça manque de viande.»

91. Resch, Yannick, in *Europe* (Paris).

«...la frustration est la même de ces femmes qui cachent leur «vocation secrète» derrière l'image de la respectabilité.»

Février 1976:

92. Jurie, Robert, in *L'Information médicale et paramédicale* (Montréal), le 3 février.

«Une fresque à la Goya...»

«...il faut du courage pour écrire une telle parodie...»

93. (Anonyme) in *Elle et lui* (Paris), (3 lignes)

94. Icard, Michèle, in *Clair obscur* (Aix-en-Provence)

«Incomparables de vie, de force et de malice, surgissent Philomène et Adélard.»

Mars 1976:

95. Bartolomeo, Nicole di, in *Le Courrier de Laval* (Laval, Québec), le 29 mars.

«La mère dont la cruauté et l'immoralité nous enragent, à vouloir la fusiller...»

Avril 1976:

96. (Anonyme) in *La Presse* (Montréal), le 13 avril (Prix du Gouverneur Général).
97. (Anonyme) in *Le Soir* (Montréal), le 14 avril. (Prix).
98. (Anonyme) in *France-soir* (Paris), le 16 avril. (Lauréate de l'Académie française).
99. (Anonyme) in *Le Droit* (Ottawa), le 17 avril. (Prix).

Mai 1976:

100. (Anonyme) in *La Presse* (Montréal), le 7 mai (Lauréate de l'Académie française).
101. (Anonyme) in *Le Devoir* (Montréal), le 13 mai. (Prix «Pierre de Monaco»).
102. (Anonyme) in *Le Jour* (Montréal), le 13 mai (Prix).
103. (Anonyme) in *Le Devoir* (Montréal) le 15 mai. (Lauréate).
104. (Anonyme) in *Le Jour* (Montréal), le 15 mai. (Lauréate, prix).
105. (Anonyme) in *Le Figaro* (Paris), le 15 mai. (Prix de l'Académie française — 2,000 F.).
106. (Anonyme) in *Quotidien de Paris*, le 18 mai. (Prix littéraire).
107. (Anonyme) in *La Presse* (Montréal), le 18 mai. (Prix «Pierre de Monaco»).
108. (Anonyme) in *Nouvelles littéraires* (Paris), le 20 mai. (Prix littéraire Prince Pierre de Monaco, doté de 20,000 F.).

Evaluation de l'accueil fait aux *Enfants du sabbat:*

A — *Pays:* la France, le Canada (le Québec et l'Ontario), l'Angleterre, la Belgique, l'Italie, la Suisse.

B — *Quantité:* (voir ci-haut, d'un mois à l'autre, avec maximum, 36 titres — au lieu de 46 pour *Kamouraska* — atteint en octobre 1976, rentrée et publication du roman le mois précédent.) Il y a la chute habituelle dans les six mois, mais il est impossible d'évaluer la reprise au printemps 1976, alors que Anne Hébert méritait trois prix littéraires en moins d'une semaine au mois de mai. Cependant, les données que nous possédons indiquent un enthousiasme moindre que ce fut le cas pour *Kamouraska.*

C — *Qualité:* les commentaires sont intéressants, variés, divertissants: «Attention, bonnes gens. Voici un roman diabolique» (voir le no 14); «Au psychiatre d'Anne Hébert — si elle en a un — de dire ce qui l'a poussé (*sic*) à écrire» *la faute laisse croire que le psychiatre a écrit les romans d'Anne Hébert* (voir le no 58); et sans doute une remarque qui porte à rire «La mère dont la cruauté et l'immoralité nous enragent, à vouloir la fusiller» La majorité des commentateurs ont détecté l'originalité du roman et en ont fait l'éloge.

D — *Importance:* il manque à ce roman une histoire d'amour pour connaître un succès comparable à celui de *Kamouraska*. Sur le plan moral, les commentaires critiques traduisent une incompréhension qui pourrait bien représenter les hésitations du public. De plus, c'est un roman québécois: «...puise dans nos racine familières et s'en amuse;...» dit Jacques Godbout (voir le no 70); «A. H. a beaucoup contribué à régénérer les valeurs culturelles au Québec. Qui s'en plaindrait» (voir le no 66). Il y a encore, naturellement, des suggestions de censure, mais cette fois on peut admettre qu'il y ait la possibilité de froisser les sensibilités. Pourtant, il y en a qui trouvent que: «Ça manque de viande.» (voir le no 90). Ce roman marque une orientation nouvelle, un anti-*Kamouraska*. Nous y voyons nous aussi: «...un roman qui en dit plus qu'il n'en raconte...» (voir le no 27), un aboutissement éclatant.

Conclusion

Dans l'ensemble, notre document prouve que les bibliographies existantes ne tiennent pas compte de l'importance de l'œuvre d'Anne Hébert en France. Nous réclamons, à juste titre, notre part de sa gloire d'écrivain, mais nous aurions tort de nous en attribuer le mérite. Une compatriote domiciliée en France depuis plus de vingt années, qui a fait éditer ou rééditer toutes ses œuvres dans ce pays depuis 1958 (sauf *Les Songes en équilibre*), a évidemment connu le succès ailleurs que chez nous. Or, les répertoires bibliographiques tendent à fausser la réalité des faits en faisant figurer quelques morceaux parus dans nos journaux, ou dans les grands hebdomadaires français — quand ces derniers ont attiré l'attention un peu au hasard — de manière à créer l'impression d'une documentation complète et indigène. Nous espérons rectifier la situation, grâce au présent document.

La presse littéraire française a joué un rôle tellement important que deux options semblent ouvertes. Il faut soit renoncer complètement à citer tout commentaire non essentiel à la recherche ou les citer tous. Or, comme nous n'avons pas recueilli la totalité des données relatives à la critique instantanée, il faudrait envisager entre soixante et quatre-vingt pages de titres. Plusieurs morceaux ont dû être écrits depuis le mois de mai 1976. Une telle bibliographie n'aurait vraiment qu'une valeur statistique. Personne n'ira relire tout ce verbiage conventionnel à moins d'être masochiste. En dehors des deux options ouvertes, soit tout prendre, soit tout rejeter, il y a, bien entendu, la possibilité de faire un choix. Nous nous opposons à cette approche parce que le choix serait motivé par le prestige du journal ou de la revue plutôt que par le contenu. Or nous avons découvert que les meilleurs morceaux n'étaient pas toujours dans ces journaux et revues. A moins de tout lire et de tout prendre ce qui est susceptible d'intéresser, il faut jeter un coup d'œil sur ce travail et renoncer aux bibliographies dont l'envergure dépasse l'utilisation pratique.

Nous croyons que seule la critique québécoise saura, à l'origine, faire ressortir le sens profond de l'œuvre d'Anne Hébert[6]. Notre mythologie s'y trouve enfermée, et même si ces écrits sont exportables, ils ne se révèlent pas complètement à ceux qui sont étrangers à notre

---

6 Consulter *Voix et images*, vol. 1, no 2, décembre 1975, où il se trouve deux études: Ouellette, G.-P., *Kamouraska*, p. 241-264, et Féral, J. «Clôture du moi, clôture du texte dans l'œuvre d'Anne Hébert, p. 265-283; ainsi qu'un compte rendu: Allard, Jacques, «*Les Enfants du sabbat* d'Anne Hébert», p. 285-286.

culture. Les non initiés se trouvent dépassés par les spectacles grandioses du «Tombeau des rois» et des *Enfants du sabbat:* «Incroyables de vie, de force et de malice, surgissent Philomène et Adélard» (voir *E*. p. 94).

Mais en l'absence de documentation sérieuse et de critique poussée, au moins en France, on aurait tort de négliger l'apport de la presse littéraire à laquelle il faut attribuer exclusivement un grand succès comme *Kamouraska*.

Achevé d'imprimer par les travailleurs
des ateliers Marquis Ltée de Montmagny
le trois novembre mil neuf cent soixante-dix-sept